Nina Blazon

Schattenauge

Nina Blazon, geboren 1969, studierte in Würzburg und Ljubljana Germanistik und slawische Sprachen. Nach dem Studium unterrichtete sie an mehreren Hochschulen. Heute ist sie freie Journalistin und Autorin und lebt mit ihrem Mann in Stuttgart. Nina Blazons Bücher wurden bereits mehrfach ausgezeichnet, u. a. mit dem Wolfgang-Hohlbein-Preis.

Mehr über die Autorin auf www.ninablazon.de.

Nina Blazon

Schattenauge

Ravensburger Buchverlag

Als Ravensburger Taschenbuch
Band 54417
erschienen 2013

Jubiläumsausgabe
50 Jahre Ravensburger Taschenbücher

Ungekürzte Ausgabe

Printed in Germany
ISBN 978-3-473-54417-2

www.ravensburger.de

Wir verteidigen.
Niemals töten wir Angehörige unserer Art.
Unser Sein ist geheim, unser Platz der Schatten,
das Schweigen.
Wir weichen oder nehmen uns den Raum.
Jeder für sich, keiner für alle.
Aber alle schützen das Geheimnis unserer Art.

Gesetz der Panthera

Inhalt

Zeichen

Sie tanzte direkt unter dem Stroboskop, im Lichtgewitter. Und wie sie tanzte! Selbstvergessen, mit geschlossenen Augen. Das war kein gutes Zeichen. Es konnte bedeuten, dass sie zwinkerte und sich plötzlich an einem anderen Tag wiederfand, an einem anderen Ort, mit anderer Musik. Mit einem Muskelkater im Kiefer und braunen Krusten unter den Fingernägeln.

Wie alt war sie? Sechzehn, vielleicht siebzehn. Etwas jünger als ich jedenfalls. Mädchen wie sie sollten um zwei Uhr morgens zu Hause sein und unruhig von der Mathearbeit am nächsten Tag träumen. Ich wusste nicht, wie sie es geschafft hatte, ins *Mata Hari* zu kommen. Vielleicht hatte der Gorilla an der Tür sie wegen der Prügelei einfach übersehen. Klein genug war sie. Ich bin kein Riese, aber sie ging mir höchstens bis zur Schulter. Sie war eines dieser zierlichen Mädchen mit Schneewittchenfarben. Eine von denen, die in jeden vergifteten Apfel beißen. Allerdings sah sie nicht so aus, als würde Gift sie so schnell umbringen.

Ich bemühte mich, mir nicht anmerken zu lassen, dass ich sie unentwegt ansehen musste. Aber wenn man schon vor sich selbst Ausreden dafür braucht, dass die Gedanken zu flirren beginnen, die Farben plötzlich stärker werden und die Tanzfläche leer erscheint bis auf diese eine Frau, dann ist das ebenfalls ein schlechtes Zeichen. Jedenfalls bei mir.

Hör auf sie anzustarren, befahl ich mir. *Verschwinde! Besser für sie. Und für dich.*

Aber mein Körper gehorchte nicht. Ich nahm jede kleine Einzelheit wahr: ihr Haar, das ihr glatt und schwarz über den Rücken fiel, die langen Wimpern und die feine Linie der Wangenknochen. Sie hatte etwas Sanftes in ihren Zügen, das mich berührte – ich spürte ein warmes Pochen unter dem Rippenbogen, dort, wo manchmal auch der Schmerz saß. Sie trug weiße Jeans und ein weißes T-Shirt, auf dem ein tellergroßer roter Punkt prangte – mitten auf der Brust. Japan-Fan? Meine Sehnsucht danach, sie einfach anzusprechen, wurde gerade noch rechtzeitig von einer Welle aus Besorgnis verdrängt. *Lass sie. Es geht dich nichts an. Und du gehst sie nichts an.* An dieser Stelle war ich fast erleichtert, mir einreden zu können, dass es Mitleid war. *Nur Mitleid, Gil! Keine Gefahr für dich.*

Mann, sie hatte wirklich keine Ahnung, was gerade mit ihr geschah.

Die Art, wie sie im Schwung der Musik ihr Haar nach hinten warf, die Unruhe, die die Luft zwischen uns nicht nur im Rhythmus der Musik pulsieren ließ – all das machte es mir unmöglich, mich abzuwenden. Selbst im abgehackten Stroboskop-Licht, wo alle Tänzer wie eine Serie von Schnappschüssen wirkten, war ihre Bewegung gleitend. Sie bewegte sich schneller als die anderen, nur wusste sie es nicht. Und das war eindeutig das schlechte Zeichen Nummer drei.

Jetzt kam fließendes Licht, violett, es verwandelte ihre Lippen in dunkles Purpur. Und als ein Typ sie anrempelte und sie endlich die Augen öffnete und ihn mit einer Mischung aus träge aufquellender Wut und Verwirrung anblickte, hielt ich den Atem an. Die ganze Tanzfläche kochte und mir war plötzlich kalt.

Alles verändert sich. Damit fängt es an. Die Muskelspannung, die verhaltene Reizbarkeit. Und die Herzfrequenz.

»French!«, brüllte Irves gegen den Beat an. Widerwillig wandte ich mich von der Tanzfläche ab und sah zu ihm hinüber. Irves lehnte nie an einem Tresen. Er stand aufrecht, alles an ihm war vibrierende Energie, nur sein Gesicht blieb unbewegt. Im Lounge-Licht glühte sein weißes Haar violett, und auch die Augen, bei Tag von einem rötlichen Hellgrau, hatten Farbe: der Geistermann in seinem Reich der Nacht. An seiner Seite sah ich aus wie sein Negativ: Dunkel neben Hell, Schwarz neben Weiß. Zwei Schachfiguren, die auf verschiedenen Seiten spielten. Einen Moment lang dachte ich, dass Schneewittchen und er ein gutes Paar abgeben würden. Die Schöne und das Biest, Manga-Style. Dieser Gedanke gefiel mir ganz und gar nicht.

Er ruckte mit dem Kinn zur Tür, die Pantomime einer Frage, und ich schüttelte den Kopf, drehte der Tanzfläche den Rücken zu und stützte mich auf den Tresen.

Licht spiegelte sich auf der mit Colaringen übersäten Glasplatte. Ich konnte jetzt nicht gehen. Noch nicht.

Ich wünschte mir, Irves würde einfach verschwinden, ohne Fragen zu stellen. Aber er hatte seine Antennen ausgefahren. Wenn er mitschwang, fing er Stimmungen auf, er folgte Blicken, als würden sie Laserspuren im Raum hinterlassen. Die Leute um ihn herum wichen ihm unwillkürlich aus. Wenn er tanzte, gab er den Takt an. Alpha-Beat.

Er warf einen abschätzenden Blick zu den Tänzern, mit schlafwandlerischer Sicherheit entdeckte er das Mädchen und musterte es von oben bis unten. Ich biss die Zähne zusammen, als er mir wissend zugrinste und die Augenbrauen hob.

Sobald er sich zu mir beugte, konnte ich ihn wahrnehmen: Facetten verschiedener Gerüche. Am deutlichsten der trockene, staubige Geruch seines Pelzkragens, Ambra und ein herber Ton zwischen Haut und Leder, dunkel, gefährlich und warnend. Das war die Botschaft, die ihm die Straßen frei hielt.

»Na, einen Läufer gefunden?«, brüllte er mir ins Ohr. »Wie heißt sie?«

Ich zuckte mit den Schultern. Irves' Grinsen bekam etwas Freundliches. Zu freundlich.

Mist.

»Kleine Jagd?«, schrie er gegen die dröhnenden Bässe an.

Ich atmete tief durch.

»Hast du deine Zunge verschluckt?« Sein Grinsen

wurde noch breiter. »Was meinst du, würde sie es über die Brücke schaffen?«

Die Wut kam ganz plötzlich, eine heiße, geballte Faust im Magen. »Arschloch!«, zischte ich ihm zu.

Irves lachte und klopfte mir gönnerhaft auf die Schulter. Ich hasste es, berührt zu werden. Genau wie er. Aber das Spiel, das wir beide gerade spielten, war ihm den Verstoß gegen die Regeln unseres Miteinanders wohl wert. Er wandte sich ab und ging: vierzehn verschiedene Geruchsfacetten, die im Nebel aus Schweiß und stechenden Deodorants davontrieben.

Als ich das nächste Mal den Blick hob, war Irves schon bei der Tür. Um ihn herum sah ich verschwitzte Haare an Stirnen kleben und glänzende Oberlippen, nur Irves störte die Hitze nicht. Zwei bullige, unrasierte Kerle beobachteten ihn, blieben aber, wo sie waren.

Für Irves begann nun die Nacht, Zeit für die nächste Bar. Vermutlich das *Exil*. Es gab nur wenige Clubs, wo die Boxen erträglich sauber klangen und nicht übersteuerten.

Sobald er verschwunden war, öffnete ich die Fäuste wieder, atmete. Jetzt war es auch für mich Zeit zu gehen und noch ein paar Stunden Schlaf zu bekommen. Immerhin fing meine Schicht in den Verladehallen des Großmarkts schon in drei Stunden an.

Aber da war immer noch das Mädchen. Verrückt. Es sollte mich nichts angehen. Das war die erste Lektion, die der Kodex in jede Faser meines Hirns gebrannt hatte: Jeder ist allein.

Aber trotzdem musste ich sie wenigstens noch einmal ansehen. *Ein Blick nur,* flüsterte ich mir selbst zu. *Vielleicht ein Lächeln.* Ich drehte mich um, kniff die Augen zusammen und suchte die Tanzfläche ab.

Schneewittchen war nicht mehr da. Auch nicht am Tresen oder bei den fluoreszierenden Plastikwürfeln, die als Tische dienten.

Deshalb war Irves also so schnell aufgebrochen! Er hatte gesehen, dass sie die Tanzfläche verlassen hatte, und war ihr gefolgt.

Ich spürte kaum, wie ich die Leute anrempelte, als ich mich zur Tür durchkämpfte. Noch hatte ich die besonderen Merkmale des Mädchens nicht aufgenommen, noch konnte ich es nicht aus der Masse herauslesen und musste mit den Augen suchen.

Der Lärm blieb hinter mir zurück, während ich die Treppe hochhetzte. Nur noch dumpf klopften die Bässe im Zwerchfell. Nachtluft wehte Zigarettenqualm in den Vorraum, den Gestank der Abgase und den Geruch von Wasser und Märzwind. Noch bevor ich aus der Tür rannte, zog ich mir die Silikonkegel aus den Ohren. Der jetzt ungefilterte Lärm traf mich wie ein Hieb. Die Sirene eines Krankenwagens, in der Nähe des Denkmals, hinter dem Hotel. Das harte Stakkato von hohen Absätzen auf Asphalt und irgendwo unter mir das Surren der U-Bahn-Räder auf den Gleisen.

Einer der Türsteher beobachtete misstrauisch, wie ich den Kopf schüttelte, als hätte ich Wasser in die Ohren bekommen. Aber dann war der Gesang der Stadt mit einem Mal nur noch Hintergrundrauschen. Das Mädchen lief gerade über die Straße. Es ging mit verschränkten Armen und gesenktem Kopf, die Ampel sprang schon wieder auf Rot. Und hinter ihm: Irves. Sein langer, heller Mantel war fast bis zum Rücken geschlitzt, die Schöße flatterten.

»Hey, warte mal!«, rief er über die Straße.

Sie fuhr herum, direkt bei der Ampel, und beobachtete mit unbewegter Miene, wie Irves über Rot zu ihr spurtete. In diesem Augenblick verstand ich, womit sie meinen Blick auf sich gezogen hatte: Sie war nicht nur zum Tanzen unterwegs gewesen. Sie war ausgegangen, um zu vergessen. Ihre ganze Haltung, sogar das Misstrauen in ihren Augen, die Feindseligkeit darin spiegelten ein kaum verheiltes Leid wider. Sie war wütend und traurig und sie litt an etwas – oder an jemandem? Diesen Ausdruck kannte ich nur zu gut – oft genug sah ich ihn im Spiegel.

Ich zuckte zusammen, als zwei Autos gleichzeitig loshupten wie verrückt. Ein Taxi nickte bei einer Vollbremsung, doch Irves war schon über die Straße. Er sprang auf den Gehsteig und war mit einem Satz bei der Fremden.

»Hier, das hast du verloren«, sagte er und hielt ihr ein Plastikmäppchen hin. Vielleicht eine Monatskarte für den Bus. Leuten im Vorbeigehen Dinge zu klauen war einer von Irves' leichtesten Tricks. Wo hatte er ihr das Mäppchen abgenommen? Im Gewühl im Vorraum vielleicht, in der Sekunde, in der sie ein letztes Mal zur

Tanzfläche zurückblickte oder in Gedanken schon auf der Straße war.

Offensichtlich vergaß sie ihr Misstrauen für einen Moment. Ihre Augenbrauen zuckten nach oben. Sie nickte knapp und nahm das Mäppchen hastig an sich.

Die Fußgängerampel sprang wieder auf Grün. Das wäre der Zeitpunkt gewesen, über die Straße zu gehen und Irves in die Quere zu kommen. Wenn er vorhatte ...

Nein, nicht jetzt, beruhigte ich mich. *Nicht hier. Das ist nur Show. Eine kleine Vorstellung für den Zauderer French, der um eine Fremde so viel Angst hat, als wäre sie sein Mädchen.*

Irves machte keine Anstalten zu gehen. Er sah das Mädchen in stummer Erwartung an, mit einem Blick, dem es sich kaum entziehen konnte. In solchen Momenten erschien er sogar mir einige Jahre älter, als er in Wirklichkeit war. Ich wette, auch sie schätzte ihn auf über zwanzig, aber wahrscheinlich war auch diese zur Schau getragene erwachsene Ruhe Teil des Auftritts. Ich konnte sehen, dass allein sein Aussehen sie neugierig machte. Was sicher nicht nur an seinem Auftreten lag. Man sieht schließlich nicht jeden Tag einen Albino-Asiaten.

»Danke«, sagte sie schließlich. »Muss mir runtergefallen sein.«

Ich hatte erwartet, dass ihre Stimme hell und sanft klingen würde, aber sie war dunkel und voll, mit vielen Schatten. Ich war froh, dass sie Irves auf Distanz hielt.

Irves' Blick löste sich nicht von ihr, aber ich wusste,

dass er mich ganz genau wahrnahm: *French*, der mit geballten Fäusten auf der anderen Straßenseite stand. Ich begriff, dass er das Theater hier nur für mich spielte. Das Stück hieß: Locken wir den weichherzigen Algerier mal wieder aus der Reserve. Mühsam verkniff ich mir einen gezischten Fluch.

Irves holte eine Packung Zigaretten hervor und hielt sie ihr hin, doch sie lehnte mit einem Kopfschütteln ab. Das Schnappen seines Feuerzeugs, ein roter Punkt, der aufglühte. Dabei rauchte Irves überhaupt nicht. Die Zigaretten waren Schnickschnack, ein Spielzeug, mit dem er Leute lockte. Damit gewann er Zeit für ein Gespräch und gab vor, zu ihnen zu gehören: der Abgedrehte mit dem Mantel, der Geistermann.

»Ich bin übrigens Irves«, sagte er in ihr Schweigen hinein.

Sprich nicht mit ihm!, hätte ich ihr am liebsten zugerufen. *Lass ihn stehen und geh heim!*

»Zoë«, erwiderte sie nach einer Weile. »Aber das brauche ich dir ja nicht zu erzählen, das hast du sicher schon gelesen.« Sie hielt das Mäppchen hoch.

»Zoë«, wiederholte Irves so betont, als würde er mir das Wort vor die Nase halten, damit ich es von allen Seiten betrachten konnte. Jetzt erst warf er mir einen triumphierenden Blick über die Straße zu. »Schöner Name. Französin?«

Er lachte und ich musste tief Luft holen, um ruhig zu bleiben. Weil ich an die Brücke dachte, daran, dass Irves fähig war, Dummheiten zu machen, einfach nur um mich zu provozieren. Und weil das Rot der Ampel vor meinen Augen bereits zu verblassen begann. Grauschleier legten sich darüber. So fing es meistens an. Ich ballte die Hände zu Fäusten, bis meine Fingernägel in meine Handflächen drückten. Ja, auf diese Art war es auszuhalten.

Als hätte sie meine Angst gespürt, schweifte ihr Blick zu mir. Mein erster Reflex war, mich im Schatten der Mauer zu verbergen, aber dann fiel mir ein, dass sie mich ja gar nicht kannte. Alles, was sie sehen würde, war ein schwarzhaariger junger Typ mit dunkler Lederjacke, der sich in der Nähe des Clubeingangs herumdrückte. Vielleicht würde sie mich für einen Dealer halten.

»Bist du öfter hier?«, fragte Irves.

Sie blickte zu ihm zurück. »Warum willst du das wissen?«

»Habe dich hier noch nie gesehen.«

»Natürlich nicht«, gab sie trocken zurück. »Du hast mir gerade meinen Schülerausweis zurückgegeben, schon vergessen? Und der Club ist erst ab achtzehn.«

Sie wandte sich ab und ging – in Richtung Norden. Ich biss mir auf die Lippe. Norden war nicht gut. Zumindest nicht um zwei Uhr morgens.

Irves sah ihr nach, während sie mit großen Schritten davonging über die Verkehrsinsel, die nächste Ampel. Ich war mir nicht sicher, was er tun würde. Nord oder Süd? Langsam wandte er sich mir zu. Die angerauchte Zigarette flog in eine Pfütze und erlosch. Irves beobachtete mich, offenbar zufrieden. Und ich kämpfte. Ampel auf Grau, erhöhte Herzfrequenz.

Ruhig durchatmen!, befahl ich mir. Meine Schultern entspannten sich. Irves lachte, als hätte er einen großartigen Witz gemacht, dann kam er über die Straße direkt auf mich zu. Eine Pfütze zersplitterte unter seinem Schritt und fing gleich darauf wieder die Lichter der Stadt ein.

»Ganz ruhig, French«, sagte er im Vorübergehen. »Hast du wirklich gedacht, ich rühre deine Kleine an?«

»Gil heiße ich!«

Ein träges Schulterzucken. »Na schön, *Gil.* Was ist jetzt? Kommst du mit?«

Ich schüttelte den Kopf. Irves folgte meinem Blick in Richtung Nordstadt.

»Tu, was du nicht lassen kannst«, meinte er nur. »Aber komm Maurice nicht in die Quere. Nur so als Tipp.«

Doch da tauchte ich schon in den Schatten einer Toreinfahrt und lief Zoë hinterher. Schon bald holte ich sie ein. Sie hatte keine Jacke dabei, ihr weißes T-Shirt war gut zu erkennen – schwebend vor dem Dunkelgrau der Gassen. Die verspiegelten Fassaden der Börse waren blind und dunkel. Fenster wie tausend geschlossene Augen. Sorgfältig blieb ich auf Abstand. Sie hielt sich dicht an den Häusern und sah sich oft um. Sie nutzte die Schatten gut, duckte sich hinter geparkten Autos, wenn einige Betrunkene die Straße entlangtorkelten, und wartete, bis sie hinter der nächsten Ecke verschwunden waren, bevor sie weiterhuschte. Sie sah sich so oft um, dass ich mich schließlich ganz aus ihrem Sichtfeld zurückzog. Offenbar spürte sie, dass ihr jemand folgte. *Gut so!*, dachte ich grimmig. *Besser, ich jage dir Angst ein und treibe dich heim, bevor die anderen dich sehen!*

Doch wenn einer von uns beiden im Augenblick mehr Angst hatte, dann war das eindeutig ich.

Zoës Weg führte vom noblen Flussviertel weg nach Norden, an den Blockbauten der ehemaligen Bahnhofshallen vorbei. Nicht in die U-Bahn. Schlecht für mich.

Ich wurde nervös. Ich gehörte nicht in diesen Stadtteil. Das italienische Schuhgeschäft kam in Sicht – die Grenze, die ich bisher nur am Tag überschritten hatte. Bonbonfarbene Beleuchtung, mit Strass verzierte Stöckelschuhe. Wie die Wächterin vor dem Eingang zur Unterwelt lag eine Pennerin auf der Bank vor dem Geschäft. Ich konnte ihr verfilztes, rotes Haar erkennen. Ich wusste, dass sie Barb hieß. Nur Irves, der für jeden einen anderen Namen fand, nannte sie Kassandra, weil sie tagsüber vor der Börse stand, vom Untergang der Stadt redete und Verwünschungen ausstieß. Ich hoffte, sie würde schlafen oder wenigstens zu betrunken sein, um Zoë wahrzunehmen. Doch ihre Nasenflügel blähten sich und ihre Augen öffneten sich weit, als das Mädchen an ihr vorbeiging. Zoë hätte sich genauso gut ein Schild mit der Aufschrift »Läufer« umhängen können. Barbs Blick folgte ihr, doch nicht einmal das Zeitungspapier, das sie sich sogar im Sommer zum Wärmen unter den Pulli stopfte, raschelte. Glück gehabt. Barb galt zwar als überwiegend friedlich, aber ich hatte nicht die geringste Lust auszuprobieren, wozu diese verrückte Prophetin fähig war, wenn sie von ihrer Bank aufstand.

Ich schlug mich in eine Seitengasse und machte so um den kleinen Platz mit der Bank einen großen Bogen. Erst an der nächsten Querstraße stieß ich wieder zu Zoë. In Gedanken ging ich den Stadtplan ab: Tankstelle, Kreuzung, vier Seitenstraßen, die Baustelle, das Neubaugebiet. Ich begann auf meine Schritte zu achten, trat noch leiser auf. Reviere überschnitten sich hier. Genau an den Kreuzungen, den Nervenknoten der Stadt, wo die Leute innehielten, um sich zu orientieren oder zu verweilen. Dort, wo sich Absätze knirschend auf verlöschenden Kippen drehten.

Ein ziehendes Unbehagen kroch mir den Rücken hoch, als ich die Edelstahlskulptur vor dem Planetarium entdeckte. Zwei Himmelskörper auf Umlaufbahnen aus metallenen Bögen, die ineinander verschlungen vor der Treppe zu schweben schienen. Hier begann die Maurice-Zone. Nervös blickte ich auf meine Armbanduhr, ein silbergelbes Billigteil für ein paar Euro. Nicht schade drum, wenn ich es verlor. Die phosphoreszierenden Zeiger zeigten auf zwanzig vor drei – ich war also noch mitten im Zeitfenster.

Das Mädchen lief am Planetarium vorbei, wurde schneller und hielt auf eines der Neubauviertel zu. Monster und Mangafiguren waren an die Wände gesprüht. Neben dem Tor einer Tiefgarage lieferte sich Prinzessin Mononoke einen Stockkampf mit einem ziemlich fetten, fiesen Batman. Wenigstens hatte die Prinzessin eine Waffe. Zoë hatte nur mich. An ihrer Stelle würde mich das nicht gerade beruhigen.

Ich erstarrte, als ich aus meinem Augenwinkel eine Bewegung wahrnahm. Eine Gestalt kam um die Ecke, ein kleiner, bulliger Mann, das glatte schwarze Haar mit Pomade quer über die Halbglatze geklatscht. Ich war ihm noch nie begegnet, aber ich wusste, dass dieser Mann dort Maurice war – so wie ich beim Blick auf die Uhr wusste, dass ich in der falschen Zeitzone war. Seine dünnen Beine standen in einem fast lächerlichen Kontrast zu seiner breiten Brust und dem Bauchansatz. Den Fehler, mich vom Äußeren täuschen zu lassen, hatte ich bisher jedoch nur einmal gemacht. Die körperliche Erscheinung sagte nichts, aber auch gar nichts darüber aus, was einem bevorstehen konnte, wenn ein Typ wie Maurice in den Schatten ging. In diesem Moment wäre ich froh gewesen, wenn Irves oder irgendeiner der anderen mir mehr über Maurice erzählt hätte. Dann hätte ich wenigstens einen Ansatzpunkt gehabt. Aber so lief das ja bei uns nicht.

Er kam näher, mit geschmeidigen und selbstsicheren Schritten. Sein Jogginganzug war ausgeleiert und schlotterte um seine Beine. Ein Adrenalinschub jagte meinen Herzschlag hoch.

Lauf!, flüsterte es in mir. *Bevor er dich bemerkt.* Aber dann würde er Zoë sehen. Sie hatte das Ende der Straße noch nicht erreicht, sie ging gerade an einem Kiosk vorbei und passierte die Bushaltestelle, die selbst jetzt noch beleuchtet war. Jeden Augenblick musste sie Maurice auffallen.

Ich griff hastig in meine Jackentasche und suchte nach meinem Kleingeld, klimperte laut damit herum, während ich fieberhaft abschätzte, wie schnell ich mich in Richtung Süden davonmachen konnte.

Maurice hob den Kopf nicht, beschleunigte auch nicht, und dennoch hielt er auf mich zu. Da begriff ich, dass er mich schon längst wahrgenommen hatte. Manchmal vergaß ich, um wie viel besser die anderen sahen, rochen und hörten.

Fünf Sekunden für eine Entscheidung: Rannte ich jetzt sofort weg, würde er mich zwar gehen lassen, aber das Mädchen vielleicht doch noch entdecken. Machte ich ihm Ärger und griff ihn an, würde Zoë sich umdrehen und zwei Männer sehen, die sich an die Kehle gingen. Vermutlich würde sie ihr Handy zücken und die Polizei rufen. Spätestens dann würde sie Maurice auffallen. Er würde sie nicht in dieser Nacht erwischen. Aber in der nächsten. Oder der übernächsten.

Pokern um Sekunden. Ich ging noch langsamer, tat so, als würde ich in meiner Jacke nach Zigaretten oder dem Handy suchen, wechselte wie beiläufig die Straßenseite. Das Blut rauschte in meinen Ohren. *Nicht hinsehen.*

Maurice erschien so schnell an der Straßenecke, als hätte ich ihn herbeigezwinkert. Ich hatte keinen Schritt gehört.

»Sieh mal an«, knurrte er. »Besuch.« Der Geruch von ungewaschener Haut stieg mir in die Nase, zusammen mit einer stechenden, bedrohlichen Note. *Falscher Stadtteil*, sagte sie. *Falsche Zeit, falscher Ort, Junge.*

»Ganz ruhig!«, sagte ich versöhnlich und hob die Hände. »Gibt es ein Problem, Mann?«

Ich konnte seine Augen funkeln sehen. Für einige Sekunden war er durch meine ruhige Reaktion irritiert und zweifelte wohl an seinem ersten Eindruck. Er versuchte mich einzuordnen, aber offenbar gelang es ihm nicht ganz. Er kannte mich nicht, nicht umsonst hielt ich mich an mein Viertel. In diesen vagen Momenten war ich einfach nur ein verdächtiger Typ, der seinem Blick auswich. Langsam ging ich zurück, einen Schritt zur nächsten Straßenecke, noch einen. »Ich suche nur die U-Bahn«, sagte ich im Plauderton. »Ich geh schon, ich will keinen Ärger.«

Ich weiß nicht, was mich verraten hatte. Mein Tonfall? Eine Bewegung? Oder das Licht einer Neonreklame, das sich in meinen Augen spiegelte?

»Da müsstest du schon verdammt schnell rennen!«, fauchte Maurice und duckte sich.

Es war einer dieser Augenblicke, in denen man sich wünscht, den Film noch mal zurückzudrehen. Zwanzig Sekunden nur. Ich hätte Zoë Angst machen sollen, ihr den Eindruck geben, sie würde tatsächlich verfolgt, dann wäre sie schneller gelaufen. Wir hätten Maurice um eine Straße verpasst. Und ich säße jetzt nicht in der Klemme.

Über seine Schulter sah ich Zoë ganz am Ende der Straße in einem Hauseingang verschwinden. Es war ein frisch verputztes Hochhaus gegenüber der Bushaltestelle, das zwischen den älteren Backsteinbauten aussah wie der letzte gesunde Zahn in einer Gebissruine. Überlaut nahm ich das Klappern eines Schlüsselbunds wahr, dann schlug die Tür zu. Zoë war zu Hause. In Sicherheit. Schön für sie.

Schlecht für mich. Denn jetzt sah ich, *was* Irves mir alles nicht über Maurice erzählt hatte. *Verdammt!* Mein Adrenalinspiegel schnellte so abrupt hoch, dass meine Muskeln glühten. Wie in Zeitlupe nahm ich wahr, dass ich davonschnellte. Beim letzten Blick über die Schulter sah ich die Baustelle. Neben Zoës Haus wachten ein paar schlafende Kräne wie eine Herde von Metallgiraffen über tiefe Baugruben. Hübsche Szene. Tja, und so ziemlich das Letzte, was ich sah.

Schwarz und Weiß

Es hatte Zeiten gegeben, in denen Zoë auch tagsüber die schwarzen Gardinen nicht öffnete. Und Nächte, in denen nur das Flimmern und das Gemurmel der Fernsehbilder die Träume überdecken und sie in einer Art Wachschlaf halten konnten. Betäubung war alles, und ohne den Fernseher hätte sie früher oder später den Halt verloren und wäre in ihre eigenen Träume gestürzt, wo immer dieselben Bilder auf sie warteten.

Immerhin – jetzt, nach drei Wochen (zwanzig Tage und sieben Stunden, um genau zu sein), spürte sie wieder Boden unter den Füßen. Zumindest brachte sie es inzwischen fertig, David auf dem Pausenhof zu sehen, ohne sofort dieses endlose, schreckliche Fallen im Bauch zu spüren. Sie hatte es im Griff. Und wenn die Wut zu schlimm wurde, gab es immer noch das Tanzen. Wenn die Musik so laut war, dass sie im Zwerchfell vibrierte, gleißte hinter Zoës Lidern nur noch ein gnädiges, kühles Weiß, das alle Bilder löschte. Lediglich die Unruhe, die ihr seit Tagen zu schaffen machte, ließ sich nicht vertreiben. Eine Rastlosigkeit, die es ihr auch heute Morgen unmöglich gemacht hatte, sich auf die Mathearbeit zu konzentrieren. Eine innere Unruhe, die sie jetzt dazu brachte, mit den Fingern auf dem Oberschenkel herumzutrommeln, als hätte sie einen Koffeinrausch. *Unter Strom,* dachte Zoë. *Wie ein Sprinter vor dem Lauf.* Vermutlich war es wirklich höchste Zeit, wieder ins Training einzusteigen.

Im Moment konnte sie sich allerdings nicht vorstellen, heute noch zu laufen. Die Nacht saß ihr noch in den Knochen. Sie war erst gegen drei Uhr nach Hause gekommen – mit klopfendem Herzen und der Angst, dass der Schlüssel sich diesmal zu laut im Schloss drehen könnte. Das Bild des Weißhaarigen blitzte vor ihrem inneren Auge auf: *Irves.* Bestimmt war das nicht sein richtiger Name. Sie versuchte sich an sein Lächeln zu erinnern, aber alles, was ihr im Gedächtnis geblieben war, waren das weiße Haar und die mandelförmigen, schmalen Augen, beunruhigend und faszinierend zugleich, die Iris eine farblose Milchglasscheibe. Ein Blick, der nur auf sie gerichtet war. Die Erinnerung daran jagte ihr einen Schauer über den Rücken. Sie tastete nach dem Schülerausweis in ihrer Hosentasche und zog ihn hervor. Eine Weile drehte sie das Mäppchen zwischen den Fingern, dann klappte sie es zum zwanzigsten Mal an diesem Tag auf und betrachtete die Notiz, die sie erst heute Morgen entdeckt hatte. *Sonntag: Buddha Lounge,* stand dort mit schwarzem Edding an den Rand gekritzelt. Und daneben eine Handynummer. Eine Sieben am Ende, bei der der Stift abgerutscht war. Diese hastig hingeworfene Schrift weckte wieder eine ungerufene Erinnerung: an zahllose Zettel, Briefe, die sie in einer ihrer schlimmsten Nächte in einer Schale verbrannt hatte.

Rasch steckte sie das Mäppchen ein und trat zum Fenster. Mit einer heftigen Bewegung riss sie die Vorhänge ganz zur Seite und begann ihre Sportsachen zu suchen. Es dauerte eine Weile, bis sie fündig wurde. Im Zimmer hatte sich so einiges verändert. Genug für zwei tiefe Sorgenfalten auf der Stirn ihrer Mutter. Die Regale waren abgeräumt. Schwarz und Weiß war alles, was im Zimmer geblieben war. Weiße Wände ohne Bilder, schwarze Vorhänge und Bettwäsche. Diese Klarheit wurde nur von den bunten Spielzeugautos auf Bett und Teppich durchbrochen. Neben der Tür lag auch Leons Peter-Pan-Puzzle in fünfzig Einzelteilen.

Zoë kniete sich auf den Teppich und angelte nach den Sportschuhen. Wie vergessene Artefakte lagen sie unter dem Bett zwischen Kisten, die mit Paketband verklebt waren. Darin lagerten die Überreste ihres alten Lebens: Fotos, Spielzeug aus der Zeit der Stadtteilfreizeiten, sogar ein steinhartes Lebkuchenherz vom Volksfest auf dem Parkplatz eines Einkaufscenters. Sechs Jahre alt und hart wie Stein. Rasch zerrte sie die Schuhe hervor und stopfte sie in einen Beutel.

Im Wohnzimmer lief der Fernseher schon seit einer ganzen Weile, doch nun nahm die Lautstärke plötzlich zu. Irgendein Trickfilmmonster lieferte sich ein Brüllgefecht mit irgendeinem Superhelden. Zoë fluchte, warf den Beutel aufs Bett und lief ins Wohnzimmer. Natürlich: Ihr kleiner Bruder saß im Schneidersitz vor dem Fernseher.

Nein, eigentlich klebte er direkt am Bildschirm – mit offenem Mund, die Nase fast an der flimmernden Fläche.

»Leon!«, fuhr Zoë ihn an. »Mach den Fernseher leiser! Mama will noch schlafen.«

Der Kleine wandte den Kopf. Braune Locken und ebenso braune Augen, die klaren Züge seines Vaters. »Die schläft doch gar nicht«, maulte er und wandte sich wieder den Figuren zu. Als Zoë auf ihn zukam, schnappte er sich die Fernbedienung und stopfte sie sich unter sein Sweatshirt. Kampfansage.

»Weg vom Bildschirm!«, schalt ihn Zoë. »Setz dich wenigstens auf das Sofa und nimm den Kopfhörer.«

»Nein!«, brüllte er und verschränkte trotzig die Arme. Die Fernbedienung rutschte unter seinem Shirt hervor, er fing sie hastig auf und schob sie wieder in den Kragen. Dabei musste er auf eine Taste gekommen sein. Das Programm schaltete um zu einem Reporter, der mit Donnerstimme gegen den Lärm eines Fußballspiels anschrie.

»Gib die Fernbedienung her, los!«, befahl Zoë.

Leon schoss hoch. »Nein!«, heulte er mit hochrotem Kopf.

Sie streckte die Hand aus, doch Leon schlug nach ihr.

Das reichte! Leon bekam vor Schreck riesige Augen, als sie auf ihn zusprang und ihn kurzerhand am Handgelenk fasste. »Lass mich los!«, brüllte er so laut, als würde sie ihm tatsächlich wehtun. »Aua! Aua!«

»Du schlägst mich nicht!«, fauchte sie. In der Sekunde, in der sowohl der Reporter als auch Leon Luft holten, hörte Zoë ein leises Schnappen. Doch bevor sie dem Geräusch nachgehen konnte, wand sich Leon wie eine Schlange aus ihrem Griff und rumpelte gegen den Couchtisch. Scheppernd fiel ein Tablett mit einer leeren Kaffeetasse und mehreren Tellern auf den Fußboden. Überall auf dem Teppich lagen Kekse. Leon verschluckte sich vor Schreck, dann japste er nach Luft und legte richtig los. Sein Kreischen schnitt in Zoës Ohren. Ein Fußballfan mit Kriegsbemalung jubelte dröhnend im Fernsehen. Und zu allem Überfluss schrillte im selben Moment die Türklingel. Zoë musste Luft holen, um ruhig zu bleiben. Falls ihre Mutter geschlafen haben sollte – jetzt war sie garantiert wach. In dem Moment, in dem sie dem Impuls widerstand, Leon den Hals umzudrehen, erwischte sie die fallende Fernbedienung. Die Stille, die einsetzte, als sie die Off-Taste drückte, war ohrenbetäubend. Leon verstummte und starrte auf die Tasse vor seinen Füßen. Eben noch hätte Zoë ihren kleinen Bruder erwürgen können, jetzt aber tat er ihr leid, so schuldbewusst sah er aus. Alles tat ihr leid – ihre eigene Gereiztheit, der plötzliche Zorn auf ihn und ihre Grobheit. Er war nun mal erst fünf Jahre alt und oft überdreht und trotzig. Kein Grund, ohne Vorwarnung auf ihn loszugehen. Es hätte genügt, einfach den Fernseher auszumachen. Was war nur los mit ihr?

Sie kniete sich vor ihren Bruder auf den Boden und blickte in sein verheultes Gesicht. »Ist doch nicht so schlimm«, sagte sie sanft und fuhr Leon durchs Haar.

»Alles gut, Löwe. Schau, die Teller sind alle noch heil. Es ist nichts kaputtgegangen.« *Zumindest, was das Geschirr betrifft,* setzte sie in Gedanken hinzu. *Alles gut, Zoë, Scherben bringen Glück.* »Aber du weißt genau, dass wir nicht laut sein dürfen, solange Mama schläft. Sie hat die ganze Nacht gearbeitet und muss sich ausruhen.«

Leon schniefte und murmelte etwas, dann stapfte er mit hochgezogenen Schultern hinaus.

Es klingelte noch einmal. Zoë rappelte sich hoch und ging zur Haustür.

Paula war das einzige Mädchen, dem lilafarbene Laufshirts standen, obwohl sich die Farbe mit ihrem Kupferhaar biss. Aber Paula scherte sich nie darum, ob etwas passte oder nicht. Zoë bezweifelte, dass sie morgens überhaupt hinsah, wenn sie Kleidungsstücke aus dem Schrank zerrte. Doch Paula hätte sich auch eine karierte Gardine umhängen können und dabei hübsch ausgesehen, so als trüge sie nur ein ausgefallenes Designerstück.

»Was ist denn bei euch los?«, fragte sie, während sie auf den Flur trat.

»Nur das Übliche«, gab Zoë trocken zurück. »Leben im Irrenhaus.«

Sie konnte Paula ansehen, dass sie überlegte, ob der Satz witzig gemeint war. Es war unfair, so etwas zu denken, aber Ellen hätte keine Sekunde überlegt. Ellen hätte einfach gelacht.

Etwas Schlimmes, Heißes drohte in ihrer Brust aufzublühen. Sie musste krampfhaft schlucken, einmal, zweimal, um den Kloß in ihrer Kehle aufzulösen.

»Alles in Ordnung?«, fragte Paula. »Geht es dir nicht gut? Du bist ganz blass.«

»Alles bestens«, gab Zoë zurück. »Fang bloß nicht wieder an, mich wie ein rohes Ei zu behandeln.«

Paula zupfte an ihrem Schweißband. »Das tue ich doch gar nicht«, sagte sie und musterte Zoës weißen Trainingsdress. Sie sah so aus, als hätte sie noch etwas auf dem Herzen, aber sie schwieg. Und genau das war das Problem bei Paula: Ihr Schweigen enthielt immer sehr, sehr viele Worte.

»Ich weiß, dass vielleicht auch David auf dem Platz ist«, sagte Zoë in das Schweigen. »Ich habe auf dem Plan gesehen, dass die Elfte am Freitagnachmittag spielt. Das ist in Ordnung. Mach dir keine Sorgen, ich werde ihm schon keine Szene machen. Ich sehe ihn jeden Tag, schon vergessen? Ich bin drüber weg.«

In diesem Augenblick stimmte das sogar. Die Aussicht, David auf dem Sportplatz zu sehen, löste nichts aus, nicht einmal ein flaues Gefühl im Magen. Zwanzig Tage genügten offenbar, um die Sehnsucht zu kühler, beherrschter Wut erstarren zu lassen.

»Okay«, sagte Paula gedehnt. Zoë fragte sich, ob sie auf ihre Freundin tatsächlich wie jemand wirkte, der beim Anblick seines Exfreundes zusammenbrechen würde. Paula sah auf ihre Armbanduhr. »Schon Viertel vor drei. Los jetzt!«

Zoë lief in ihr Zimmer und schnappte sich den Beutel mit den Sportschuhen. An der Tür zu Leons kleinem Zimmer, das ihre Mutter nur »Räuberkammer« nannte, zögerte sie und lauschte. Die mechanische Stimme eines Märchenerzählers erklang hinter der Tür. Eine Sekunde kämpfte sie noch gegen das schlechte Gewissen an, aber dann beschloss sie, dass Leon schon klarkommen würde. Sie war bereits auf halbem Weg über den Flur, als ihr das Chaos im Wohnzimmer wieder einfiel.

»Bin gleich da!«, rief sie Paula zu. Hastig klaubte sie die Tasse und die Teller zusammen und stellte sie auf das Tablett. Dann sammelte sie die Kekse ein. Als sie sich aufrichtete, ließ eine Bewegung an der Balkontür sie zusammenzucken.

Ihre Mutter stand draußen auf dem winzigen Balkon und blickte zu den Kränen hinüber. Sie trug ihren blauen Bademantel, ihr Haar stand in wirren Wellen vom Kopf ab. Eine hübsche, mollige Frau mit müden Augen von der Nachtschicht im Krankenhaus. Die Nachmittagssonne legte eine schmale goldene Aura um ihr Profil. Zoë hatte sie nicht ins Wohnzimmer gehen hören, was die Vermutung nahelegte, dass sie schon eine ganze Weile draußen stand. Natürlich: das Schnappen! Das Schloss der Balkontür. Vom Balkon aus hatte sie das Chaos im Wohnzimmer mitbekommen, einfach die Tür zugezogen und sich außer Sichtweite an den rechten Rand gestellt. *Ausgeblendet*, dachte Zoë. *Wie das Fernsehprogramm. Zu den Kränen gezappt*. Beinahe hätte sie gelacht. Die Flucht hinter Glas. Ein paar Minuten weiße Zeit. Es war einer dieser seltenen Augenblicke, in denen Zoë gerne zu ihrer Mutter getreten wäre, um einfach die Stille mit ihr zu teilen. Aber das war natürlich unmöglich. Die Glasscheibe zwischen ihnen war unüberwindbarer als eine Mauer. Noch nie war Zoë über die Schwelle zum Balkon getreten. Er war nicht viel mehr als ein an die Fassade geklebter Schuhkarton. Der Gedanke, ihn zu betreten und die Höhe des sechsten Stockwerks unter den Sohlen zu spüren, machte Zoë schwindelig.

Es tat gut, wieder unterwegs zu sein. Der Nachmittagsverkehr hatte seinen Höhepunkt erreicht, die Frühjahrssonne spiegelte sich auf Motorhauben. Es war zu laut für Gespräche und die roten Fußgängerampeln bremsten sie aus. Paula sah immer wieder auf die Uhr. Was Pünktlichkeit anging, verstand Frau Thalis keinen Spaß.

Zoë merkte, dass sie wieder nervös mit den Fingern trommelte – diesmal auf ihrem Beutel. Sie sah sich um, ließ den Blick schweifen und stutzte. Unter den vielen Leuten, die gleichgültig an der Ampel standen, nahm sie eine Bewegung wahr. Jemand machte einen Schritt in eine Gasse. Sie sah nur noch ein schwarzes Hosenbein hinter einer Hausecke verschwinden. Das Seltsame war, dass die Person offenbar einen Schritt rückwärtsgegangen war, als wollte sie sich rasch verbergen.

»Zoë? Was ist?«, rief Paula im Gehen.

Zoë fuhr herum und sah, dass die Ampel auf Grün

umgesprungen war und die Leute schon halb über die Straße waren. Sofort beeilte sie sich, zu Paula aufzuholen.

»Nichts«, sagte sie. »Ich dachte nur, jemand hätte uns beobachtet.«

Der Sportplatz, der zwar zur Schule gehörte, aber einige Straßen davon entfernt lag, war nicht besonders groß. Kein Wunder: Er war der ständig wachsenden Stadt abgetrotzt, eingeklemmt zwischen einer Mauer, hinter der sich ein Verladebahnhof befand, und den Rückseiten von zwei Gebäuden. Es gab nicht viel: einen Basketballplatz und die schmale Laufbahn, die um das Spielfeld herumführte. Kein bisschen Grün. Die Hochstraße, die in einer Schleife ein Stück über das Spielfeld ragte, legte einen Lärmteppich und an heißen Tagen den staubigen Dunst von Abgasen über das Feld. Aber dennoch wurde Zoë von einem überwältigenden Gefühl von Vertrautheit überwältigt, als das Orange der Tartanbahnen in Sicht kam. Die Gruppe, die Frau Thalis hochtrabend »mein Marathonteam« nannte, stand am rechten Ende der Bahn und machte sich bereits warm. Frau Thalis entdeckte Paula und Zoë und winkte ihnen zu. *Beeilung,* hieß das ungeduldige Zeichen.

Zoë wollte losrennen, doch Paula packte sie im selben Moment am Arm.

»Oh nein!«, raunte sie ihr von der Seite zu. »Was hat denn die hier zu suchen?«

Zoë brauchte nur auf das Achterbahngefühl tief in ihrem Magen zu hören, um zu wissen, wen Paula meinte. Sie betete, dass sie sich irrte, und blickte nach links.

Es war eine Sache, David jeden Tag in der Schule zu sehen, aber eine ganz andere, zum ersten Mal wieder Ellen zu begegnen. Ellen, die überhaupt nicht hierhergehörte. Nicht in Zoës Leben, nicht an diese Schule und schon gar nicht an den Spielfeldrand, wo das Basketballteam auf den Schiedsrichter wartete. Eines war klar: Zwanzig Tage und acht Stunden mochten genügen, um Davids Anblick zu ertragen, aber sie waren nicht genug, um Ellen aus ihrem Leben zu verbannen. Auch vierzig Tage würden nicht genügen. Vielleicht nicht einmal hundert.

Im gleißend hellen Frühlingslicht sahen die beiden Gestalten am Rand des Basketballfeldes aus wie eine Skulptur, Teile aus verschiedenen Welten, die nun zu etwas Neuem, Unbegreiflichem verschmolzen waren. Ein monströses Wesen, bestehend aus zwei Teilen, und jeder von ihnen hatte Zoë bis vor Kurzem noch unendlich viel bedeutet.

»Wusstest du, dass die sich das Spiel ansehen will?«, fragte Paula.

»Woher sollte ich das wissen?«, erwiderte Zoë. »Glaubst du wirklich, Ellen und ich reden noch miteinander?«

Ihre Stimme klang seltsam – belegt und tonlos, aber wenigstens zitterte sie nicht.

»Sollen wir lieber wieder gehen?«, fragte Paula besorgt.

»Nein, wieso?«, gab Zoë unwillig zurück. Sie wunderte sich selbst, wie ruhig sie weitergehen konnte, einen Schritt nach dem anderen, als wäre die Welt noch völlig in Ordnung. Das Paar löste sich voneinander – gerade so viel, um wieder Luft zum Atmen zu haben.

Ellen schien ihre Aufmerksamkeit zu spüren. Als hätte Zoë sie gerufen, wandte sie den Kopf und fuhr ertappt zusammen. Immerhin – es tat gut zu sehen, wie Ellen blass wurde und sie mit offenem Mund anstarrte.

Was hast du denn geglaubt?, dachte Zoë grimmig. *Dass ich wegen David die Schule verlassen und diesen Teil der Stadt nie wieder betreten würde?*

Sie sahen sich in die Augen, bis Ellen errötete und den Blick senkte. Verlegen schob sie sich die halblangen, braunen Locken aus dem Gesicht hinter die Ohren. Die Vertrautheit dieser Geste war es, die Zoë am meisten schmerzte. Die Verbindung, die immer noch zwischen ihnen bestand, die Jahre, die randvoll waren mit Ellen und Zoë. Was nützte es, das Zimmer auszuräumen, das Lebkuchenherz vom elften Geburtstag unters Bett zu verbannen und Ellens Briefe zu verbrennen, wenn schon allein ihr Anblick genügte, Zoës Brust in einen Lavastrudel zu verwandeln. *Reiß dich zusammen!*, befahl sie sich.

David wollte Ellen den Arm um die Schulter legen und sie wieder zu sich heranziehen, aber sie trat einen Schritt zur Seite und sagte etwas zu ihm. Wie immer, wenn sie aufgebracht war, fuchtelte sie hektisch mit den Händen herum. Zoë kannte sie so gut, dass jede

Geste wie ein Wort war. Im Moment war Ellen ziemlich sauer. Natürlich hatte David gewusst, dass die Marathongruppe der Zehnten heute Nachmittag ebenfalls hier auf dem Sportplatz trainieren würde. Und dass die Chancen gut standen, dass Zoë auch da sein würde. Nur hatte er es Ellen nicht gesagt, sondern sie, ohne groß nachzudenken, zum Basketballspiel eingeladen. *Typisch David. Und blödes Pech für dich, Ellen. Mitten in den Fettnapf.*

Jetzt sah auch David zu ihr herüber. David mit seinem blonden Haar, in seinem schwarzen Trainingsshirt, das betonte, wie hochgewachsen und sportlich er war. Derselbe Junge, der ihr vor drei Monaten einen Metallstern vom Weihnachtsbaum vor der Börse geholt hatte. David, mit dem sie noch vor vier Wochen mitten in der Nacht zum höchsten Punkt der Stadt gefahren war, die Wange an seine Schulter gelehnt, während das Dröhnen seines Motorrads sie beide stumm machte und der eisige Februarwind durch ihre Haare fuhr. Und nicht zuletzt David, dessen Nachrichten sie vor zwanzig Tagen gelöscht hatte. Hundertdreißig Mal »Löschen«. Nur die letzte SMS hatte sie aufgehoben. Ausgerechnet die sprachloseste von allen, die nicht viel mehr war als eine lahme, nüchterne Entschuldigung, die hundertdreißig Liebeserklärungen zu wertlosen, leeren Buchstaben verblassen ließ.

Er hob die Hand und winkte ihr zu.

»Idiot!«, zischte sie und beschleunigte ihre Schritte. Paula hakte sich bei ihr unter. Die Nähe tat gut. Gemeinsam liefen sie zur Gruppe – sechs Mädchen aus Zoës und Paulas Jahrgang, die nun mit verschränkten Armen abwartend dastanden. In ihren Blicken konnte Zoë Mitleid sehen. *Willkommen bei der Vorher-nachher-Freakshow. Der Exfreund führt seine Neue aus der Südstadt-Schule vor – und hier kommt die Verlassene.*

Sie biss die Zähne zusammen. Auf diese Vorstellung würden sie lange warten können. Ellen konnte ihr David wegnehmen (oder David ihr Ellen, schwer zu sagen, was schlimmer war), aber zum Heulen würden sie sie nicht bringen.

»Schön, dass ihr doch noch zu uns stoßt!«, begrüßte Frau Thalis sie mit schneidender Ironie und tippte vorwurfsvoll auf ihre Armbanduhr.

Zoë murmelte eine Entschuldigung und hielt dem verärgerten Blick ihrer Sportlehrerin stand. Frau Thalis war groß, athletisch, die kurz geschnittenen Haare standen hinter dem Stirnband hoch wie Igelstacheln.

Während Zoë die Schuhe aus dem Beutel zerrte, musterte die Lehrerin sie unbarmherzig.

»Siehst ein bisschen mitgenommen aus«, bemerkte sie mit einem Unterton, den Zoë nicht so recht einordnen konnte. »Na ja, jedenfalls willkommen zurück im Team.«

Paula lächelte ihr von der Seite zu. Ihre Sommersprossen leuchteten in der Frühlingssonne, eine Brise wehte ihr die kupferroten Strähnen über die Wange, bis sie sie mit einem Gummi zusammenfasste.

Frau Thalis wandte sich an die anderen. »Zehn Minuten Stretchen und dann zweimal zweihundert zum Aufwärmen! Zoë, du machst am Anfang noch langsam.«

Zoë nickte und zog sich hastig die Turnschuhe an. Dann gesellte sie sich zu den anderen und konzentrierte sich ganz auf das Dehnungsziehen in der Wade. Der Schmerz fühlte sich beinahe tröstlich an. *Nicht hinsehen*, befahl sie sich. Und dennoch glaubte sie Ellens Blick zu spüren, ein heißes Prickeln im Nacken. Es kostete Kraft, so viel Kraft, gleichgültig und beherrscht zu wirken! Um sich zu beruhigen, zog sie den herben Gummigeruch der Bahn tief in ihre Lunge.

Die Mädchen lockerten die Muskeln, machten sich bereit.

»Los!«, rief Frau Thalis. Zoë startete, spürte das Federn der Bahn unter ihren Sohlen. Noch empfand sie den Wind als kühl, er kitzelte die Gänsehaut auf den Armen hervor. Paula holte auf, bis sie Seite an Seite liefen. Nach und nach fanden sie einen gemeinsamen Rhythmus. Schritt, Schritt, Atem. Schritt, Schritt, Atem. Erste Runde um das Basketballfeld.

Schon jetzt büßte sie für die lange Pause. Die Gelenke waren steif, die Müdigkeit zerrte an ihren Beinen. Sie zwang sich in den Rhythmus, und tatsächlich gelang es ihr, einen Zipfel der alten Leichtigkeit zu erhaschen: Sekunden, in denen sie einfach nur lief, befreit von allen Gedanken.

Zweite Runde. Am Ende der langen Bahnseite nahm sie eine Gestalt im Gegenlicht wahr. Die helle Jacke, die sie gemeinsam gekauft hatten, vor ... zwei Monaten? Ein grelles Erinnerungsbild flammte auf: Ellen, wie sie sich nach der Party hinter David aufs Motorrad schwang. War die Berührung damals schon vertraut gewesen? Oder sogar mehr als das? *Haben sie sich da schon geküsst? Sich verliebt? Oder die Nacht zusammen verbracht?*

Der Startpfiff auf dem Basketballfeld ging ihr durch jede Faser ihres Körpers. Beinahe wäre sie gestolpert. Der Pfiff war so laut, dass es in den Ohren wehtat. Irritiert blickte sie nach links. David dribbelte, sprang hoch und warf den Ball in den Korb. Im Vorübergleiten glaubte Zoë die Bewegungsabfolge wie eine Skizzenstudie zu sehen. »Bild 1, Titel: Hundertdreißig SMS« – »Bild 2, Titel: Sagt, er liebt dich« – »Bild 3: Schläft mit deiner besten Freundin«.

Überlaut schnitten ihr die Motorengeräusche und die Piepstöne von Handys ins Trommelfell. Als würden ihre Nerven plötzlich keine schützende Hülle mehr haben.

»Runter vom Gas, Zoë!«, hörte sie Frau Thalis' mahnende Stimme. Doch sie achtete nicht auf das Brennen in ihren Beinmuskeln und auch nicht auf das Seitenstechen. Sie ließ Paula zurück, holte mühelos zu zwei anderen auf und zog an ihnen vorbei.

Ellen trat noch dichter an den Bahnrand und rief ihr etwas zu, was Zoë nicht hörte. Zu laut summte irgendwo das Rad einer Straßenbahn auf dem Gleis. Hupen und das Schleifen von Bremsscheiben auf der Hochstraße.

Dann schnappte etwas in ihrem Inneren ein wie ein

Riegel. Etwas Seltsames geschah: Als würde sie einen Teil von sich selbst ausblenden, schnurrte die Tartanbahn zu einer Linie ohne Rechts und Links zusammen. Ihre Sohlen flogen nur so über das flirrende Orange. Bei jedem Sprung flatterten die Gedanken davon, als wären sie nichts weiter als ein wertloser Papiermantel. Zurück blieben ihr Körper und die reine, kalte Wut. Blankes, unmaskiertes Gefühl. Ihre Hände waren nur noch Fäuste. Und Ellen nur noch das Ziel.

Siebzig Meter, sechzig, vierzig ... Schritt, Schritt, *Kehle. Schau auf ihre Kehle!*

»Zoë, pass auf!«, schrie Paula irgendwo weit hinter ihr. Ein heransausender runder Schatten von links. Im Reflex wirbelte Zoë herum, strauchelte und fing den Basketball auf, der vom Spielfeld auf sie zugeflogen kam. Hart ruckte der Aufprall durch ihre Fingergelenke. Im Schwung ihres Sprunges drehte sie sich und nutzte die Wucht. Der Ball verwandelte sich in eine Waffe. Ellens Mund klappte auf. Eine Stummfilmheldin, die erkannte, dass der Mörder sie gefunden hatte. Ein hässlicher Aufprall, ihr Kopf ruckte herum, dann fiel sie.

Es war nur eine Sekunde, doch Zoë erschien es wie ein Moment ohne Zeit. Mit kaltem Interesse betrachtete sie Ellen. Und dahinter – am Zaun – fiel ihr ein anderes Gesicht auf. Finger, wie Affenpfoten um die Gitterdrähte gekrampft. Rissige Hände mit schmutzigen Fingernägeln. Eine Obdachlose mit verfilzten roten Strähnen stand am Zaun. Sie starrte Zoë an und grinste wie ein verrückter Golem.

Schlagartig fiel Zoë aus dieser seltsamen kühlen Trance in die Wirklichkeit zurück. Sie hörte ihr eigenes Keuchen, während sie immer noch weiterlief. Pfiffe schrillten. Nur noch aus den Augenwinkeln nahm Zoë die Basketballspieler wahr, allen voran David, der vom Spielfeld zu Ellen stürzte. »Spinnst du?«, brüllte er. Wie zwei Sprinter bewegten sie sich auf das liegende Mädchen zu. Ellen blinzelte und tastete benommen nach ihrem Gesicht. Blut lief aus ihrer Nase und am linken Wangenknochen zeichnete sich die rote Stelle ab, an der der Ball sie getroffen hatte. Sie sah Zoë heranrasen, krümmte sich sofort zusammen und schützte den Kopf mit den Armen. Wenige Sekunden vor David erreichte Zoë sie, sprang über die Liegende hinweg – und rannte. Nicht in die Kurve der Bahn, sondern weiter. Sie fegte durch das Tor. *Drehe ich jetzt völlig durch?* Endlich lösten sich ihre Sohlen von der Bahn und hämmerten auf Asphalt.

Sie hörte nicht das Hupen der Autos und nicht die empörten Rufe der Passanten, denen sie den Weg abschnitt. Wenn sie eine rote Ampel sah, nahm sie einen Umweg, um nicht anhalten zu müssen. Benommen sah sie die Häuser an sich vorbeiziehen. Und da war noch etwas: ein Schatten, der parallel zu ihr in den Seitenstraßen lief wie ein verzerrtes Spiegelbild. Als sie einen gehetzten Blick über die Schulter warf, glaubte sie zu erkennen, dass es ein Mann war. In einem schwarzen Trainingsanzug, ein Jogger. Sie bog auf die lange Straße ab und legte einen Sprint ein, holte alles aus sich heraus, was ihre Lunge noch hergab. Als würde die Energie ihr ausgehen, nahmen die Geräusche wieder eine normale Lautstärke an, die Schwere kehrte in ihre Beine zurück. Ein Lastwagen hupte und überholte sie auf der Höhe des Planetariums.

Zoë taumelte und keuchte und wurde langsamer. Gehetzt blickte sie sich um, denn sie hätte schwören können, dass jemand hinter ihr war. Aber die Straße war so gut wie leer. Mit Seitenstechen kam sie an der Straßenecke bei den Kiosks zum Stehen. Sie hätte erschöpft sein müssen, müde, aber die Unruhe pulsierte immer noch durch ihre Adern. Vielleicht zitterte sie deshalb am ganzen Körper. Ein Gefühl, als müsste sie aus ihrer Haut.

Am Ende der Straße erhob sich der getünchte Hochhausklotz, sie konnte den Balkon im sechsten Stock erkennen. Mit der Ernüchterung kamen die Scham und das Entsetzen. Ellens Blick, der stumme Aufschrei, das Blut. Und erschreckender als alles andere: Zoës Triumph, so hart getroffen zu haben. Verdammt, was war los mit ihr? Manchmal, in den Nächten, hatte sie sich tatsächlich gewünscht, ihrer Freundin wehzutun. Aber sie wirklich niederzuschlagen? Was auch geschehen war, es war immer noch Ellen!

Zoë schluckte und rang nach Luft – und dann brach sie in Tränen aus. Zwanzig Tage Wut und Stärke einfach weggewischt.

Eine Frau, die einen Kinderwagen aus einem Kiosk bugsierte, hielt inne und musterte sie fragend. Zoë wandte sich ab und suchte vergeblich nach einem Taschentuch. Sie schniefte und wischte sich mit dem Unterarm über die Nase. Mitten in der Bewegung erstarrte sie. Durch den Tränenschleier sah sie einen dicklichen Mann in ausgebeulten schwarzen Trainingshosen und einem ebenso ausgeleierten T-Shirt. Er stand halb im Schatten, an den Lotto-Kiosk gelehnt. Einen Augenblick lang war Zoë verwirrt. Aber es konnte unmöglich der Jogger aus der Nebenstraße sein. Erstens sah er gar nicht so aus, als wäre er trainiert, und zweitens war er im Gegensatz zu ihr kein bisschen außer Atem.

»Hi«, sagte er und strich sich mit einer seltsam gezierten Bewegung die quer gelegten Haare auf der Halbglatze glatt. Zoë fröstelte.

Seine Fingerknöchel waren aufgeschürft. Und er hatte rötlichen Dreck unter den Nägeln. Die Augen waren hellblau und hatten etwas Stechendes, Starres. *Hat er Drogen genommen?* Ein unangenehmer Geruch ging von ihm aus. Schweiß, der etwas zu scharf roch, dazu der Dunst ungewaschener Kleider.

Zoë drehte sich auf dem Absatz herum und machte, dass sie davonkam. *Ist es dumm, auf das Haus zuzulaufen?,* dachte sie beunruhigt. *Der Kerl beobachtet mich!*

Als sie keine Schritte hörte, wagte sie einen flüchtigen Blick über die Schulter und atmete auf. Er war verschwunden. Also doch nur irgend so ein Idiot, der nichts Besseres zu tun hatte, als Leute anzuquatschen. Dennoch blieb ein seltsames Gefühl zurück.

Atemlos kam sie bei der Bushaltestelle an. Beinahe wäre sie auf etwas getreten, was neben dem Fahrkartenautomaten lag. Eine Armbanduhr. Silber, gelbe Streifen. Sie wusste nicht warum, aber sie bückte sich und hob die Uhr auf. Im Laufen warf sie einen genaueren Blick darauf. Das Armband war gerissen, aber ansonsten sah sie neu aus. Allerdings hatte das Uhrglas aus Plastik einen Kratzer. Genau vierzehn Minuten vor drei war die Uhr stehen geblieben. Doch als Zoë mit dem Mittelfinger gegen das Gehäuse schnippte, ruckte der Sekundenzeiger und begann wieder zu laufen, als sei nichts gewesen.

Dschungelfunk

Diesmal war es ziemlich schlimm. Ehrlich gesagt verfluchte ich Zoë in dem Moment, in dem ich wieder zu mir kam. Ich versuchte die Augen zu öffnen. Schlechte Idee. Ich war blind. Eigentlich wollte ich aufschreien, aber das ist gar nicht so einfach, wenn man das Gefühl hat, gerade unter einer Dampfwalze hervorgekrochen zu sein. So kam nur ein Stöhnen über meine Lippen.

»Willkommen zurück«, sagte eine ruhige Stimme aus dem Off. Als hätte jemand meine Sinne wieder angeknipst, nahm ich auch mein Umfeld deutlicher wahr: Piepsen und Surren, das Klappern einer Tastatur. Und den Geruch nach Kellerstaub und durchgeschmorten Kabeln. Die Erleichterung ließ mich das Pochen in meinem Schädel für einige Momente vergessen. Ich war in Sicherheit!

»Gizmo?«, flüsterte ich. »Meine Augen ...«

»Nimm den Lappen runter«, kam die trockene Antwort. »Aber freu dich nicht zu früh – wenn das Eis weg ist, lässt die Taubheit nach.« Ich konnte den ironischen Unterton in seiner Stimme hören, als er hinzufügte: »Ich wette, Gefrierbrand wäre dir lieber.«

Ich schluckte mühsam und ließ die Informationen

langsam in mein Gehirn sickern. Irgendwie hatte ich es geschafft, zu Gizmo zu kommen. Zumindest meine Reflexe hatten nach dem Zusammenprall mit Maurice noch funktioniert. Ganz schwach erinnerte ich mich an den leicht metallischen Geruch des Flusses. Ich war wohl vom Planetarium aus nach Süden abgehauen. Wie war ich über die Brücke gekommen? (Ich hoffte nur, ich hatte Kleidung angehabt!) Was natürlich nur halb so interessant war wie die Frage, wie ich es geschafft hatte, Maurice zu entwischen, bevor er mich ganz auseinandernehmen konnte.

Lappen runternehmen, dachte ich. *Eins nach dem anderen.* Vorsichtig hob ich die Hand und tastete nach dem Kühlen, das meine Augen bedeckte. Meine Finger streiften meine Stirn. Das fühlte sich nicht gut an. Entweder hatte mir Gizmo einen ziemlich verknautschten Lappen über die Augen gelegt oder mein Gesicht sah aus wie ein ausgebeulter Kartoffelsack. Meine Fingerspitzen berührten kaltes Nass. Es war ein zum Beutel geschlungenes T-Shirt, mit Eiswürfeln gefüllt. Dann bestand für mein Gesicht ja noch Hoffnung. Vorsichtig hob ich den Packen herunter und blinzelte. Verschwommen sah ich Gizmos Keller. Alles auf einem Haufen: seine Macs, gestapelte Kisten, ein Kühlschrank. Leuchtstofflicht und verstaubte Glasbausteine, hinter denen keine Sonne war. War das da draußen noch die Morgendämmerung oder hatte ich etwa den ganzen Tag im Koma verbracht? Ich musste nicht erst auf mein Handgelenk schauen, um zu wissen, dass die Uhr weg war.

»Wie spät ist es?«, nuschelte ich.

Lippe: geschwollen, fuhr ich mit der Liste fort.

Als ich keine Antwort bekam, wandte ich den Kopf zu dem Verhau aus Regalen, die sich scheinbar willkürlich entlang der Wand auftürmten. Dazwischen Gizmos schmaler Rücken und drei Mac-Monitore, auf denen es flimmerte. Programmiercodes auf dem mittleren, rechts und links davon ein Nachrichtenkanal und eine der fünf Stadt-Webcams, deren Bilder Gizmo gern abrief. Im Moment war die Kamera, die die Skyline am Fluss zeigte, auf dem Schirm. Die Spinnweben und der graue Beton des Kellerraums bildeten einen harten Kontrast zu der Hightech-Szenerie. Ich fragte mich jedes Mal, wie Gizmo die ganzen Frequenzen und Piepsgeräusche aushielt, ohne durchzudrehen.

»Es ist gleich vier Uhr«, beantwortete mir Gizmo endlich meine Frage, während er weiter konzentriert auf der Tastatur herumhämmerte. »Am Nachmittag.«

»Mist!«, stieß ich hervor. »Dann habe ich meine Schicht verpasst.«

Gizmo tippte noch eine Zeile ein und schwang dann auf seinem Bürostuhl zu mir herum. Jedes Mal, wenn ich ihn ansah, konnte ich nicht fassen, dass er sein Geld mit Raubkopien und dem Verkauf geklauter Macs verdiente. Mit seiner runden Brille (einer Attrappe mit Fensterglas, das hielt er vermutlich für witzig) und dem Gesicht eines Klosterschülers wirkte er wie Schwiegermutters Traum. Man wollte ihn an die Sonne schicken, ihm ein Eis kaufen und einen Besuch beim Friseur spendieren, weil sein hellbraunes Haar so aussah, als würde er es bei Bedarf einfach mit der Kabelschere zurückstutzen. Ich vermutete jedenfalls, dass er genau das tat. Mit seinen sehr regelmäßigen Gesichtszügen und dem schlanken Körper sah er nicht schlecht aus, aber er trug fast nur spinatgrüne und türkisfarbene Polohemden. Wer uns zusammen sah, wäre niemals auf die Idee gekommen, dass wir irgendetwas miteinander zu tun hatten. Aber Kleidung täuscht niemanden über unser Wesen hinweg und spielt deshalb auch keine Rolle für uns. Genauso wenig wie Namen. Ich hatte sogar mal gewusst, wie Gizmo wirklich hieß, aber inzwischen erinnerte ich mich nicht mehr daran.

»Morgen kannst du deine Schicht auch vergessen«, sagte er trocken. »Es wird eine Weile dauern, bis du wieder Kisten schleppen kannst. Schon mal unter die Decke geschaut?«

»Decke« war nett ausgedrückt. Ich lag auf dem alten gelbbraun karierten Sofa vom Sperrmüll, das Gizmo als Bett diente, unter einer Luftpolsterfolie, die eigentlich für die Verpackung von Elektrogeräten gedacht war. Meine Nackenmuskeln begannen zu brennen, als ich mühsam den Kopf hob, bis mein Kinn die Brust berührte. Und als ich die Folie anhob, war wenigstens eine meiner Fragen beantwortet: Ich war tatsächlich nackt. Und quer über meinen Oberschenkel zogen sich vier dick verkrustete Kratzer. In dem Moment, da mein Blick auf sie fiel, fingen sie an, höllisch zu brennen. »Scheiße«, murmelte ich. Dabei hatte Maurice nicht mal richtig zugelangt. Ob er die Erinnerung daran irgendwie bewahrte? Träumte er davon und wachte mit einem zufriedenen Grinsen auf? Ich schwor mir, dass ich das nächste Mal von Anfang an alles vergessen würde: den Kodex, meine eigenen Gesetze – einfach alles. Nun, andererseits würde ich es ganz bestimmt nicht auf ein nächstes Mal anlegen.

In einem Anflug von diffuser Panik bewegte ich meine Füße auf und ab und war erleichtert. Keine Zerrungen und Stauchungen. Obwohl es glimpflich abgelaufen war, hatte ich vor allem auf Zoë und auf mich selbst eine Höllenwut. In diese Geschichte hatte ich mich selbst gründlich reingeritten. Die Verletzung bedeutete, ich würde mindestens eine Woche hinken und außer Gefecht sein. Dazu kam die Gefahr einer Infektion, was ohne Krankenkassenkarte kein Spaß war. Vielleicht würde ich den Job in den Lagerhallen verlieren, vielleicht würde ich nie wieder richtig laufen können und ...

»Das kommt schon wieder in Ordnung«, sagte Gizmo beruhigend. Er fing Stimmungen und Ängste ähnlich gut auf wie Irves. Nur spielte er das im Gegensatz zu Irves nicht gegen einen aus.

»Wie bin ich hergekommen?«, wollte ich wissen.

Gizmo lachte, was nicht oft vorkam. Seine Augen wurden dabei schmal – goldbraune, scharfe Augen ohne eine Spur des Schattens. Ich fragte mich, wie er das machte. Die Lehne seines Schreibtischstuhls knarzte, als er sich zurücklehnte und die Arme verschränkte. »Unser Freund Irves hat mich angerufen«, erklärte er und streckte die langen Beine aus. »Muss so um drei Uhr morgens herum gewesen sein. Er war gerade auf dem Weg ins *Exil.* Er hat mir von deinem Selbstmordkommando erzählt. Und heute Morgen gegen sieben dachte ich, ich schau mal, ob du noch lebst. Aber dein Handy ...«

»Weg, ich weiß«, murmelte ich. *Verdammt. Auch das noch!* Warum hatte ich nicht daran gedacht, es in irgendeinem Mülleimer zu deponieren? Bestimmt hatte Choi mindestens zwanzigmal versucht, mich zu erreichen, weil ich nicht bei der Schicht erschienen war, und sicher war er fuchsteufelswild. Ich konnte es mir nicht leisten, diese Arbeit zu verlieren. Es gab nicht viele Chefs, die Leute ohne Papiere beschäftigten. *Neues Handy besorgen,* fügte ich meiner Liste hinzu. *Choi anrufen. Zu Kreuze kriechen.*

»Ich musste heute ohnehin mit dem Lieferwagen in den Norden«, fuhr Gizmo fort, »und auf dem Rückweg habe ich mal auf gut Glück auf der Brücke nachgesehen. Und rate mal, wer sich im Versteck verkrochen hatte?« Er zog vielsagend die Brauen hoch.

Ich biss die Zähne noch fester zusammen.

»Danke fürs Mitnehmen«, sagte ich heiser. Das Seltsame war: Obwohl ich keinen Einfluss auf den Blackout hatte, schämte ich mich. Zum tausendsten Mal fragte ich mich, wie die anderen es ertragen konnten. Klar, vermutlich konnte ich stolz sein, es aus eigener Kraft aus der Todeszone geschafft zu haben. Irgendein Bild drängte an die Oberfläche, etwas, was ich kurz vor dem Blackout gesehen hatte. Doch sosehr ich auch danach suchte, ich fand nur das Gefühl der Angst wieder. Symptom ohne Ursache. Außerdem wollte ich mir lieber nicht vorstellen, wie Gizmos Bergungsaktion an der Brücke ausgesehen hatte. Vielleicht stammten die blauen Flecken an meinen Armen von ihm. Er war weitaus stärker, als er aussah. Auf eine Art war ich sogar froh, auf diese Erinnerung verzichten zu können: nackt in eine Polsterfolie gewickelt zwischen Hehlerware im Lieferwagen durch die Stadt kutschiert zu werden. *Tiefer geht es nicht mehr, Gil,* dachte ich niedergeschlagen.

»Ich hoffe jedenfalls, das Mädchen war die Aktion wert«, bemerkte Gizmo. »Obwohl mir immer noch schleierhaft ist, was das Ganze sollte. Du kannst nicht der Retter in der weißen Rüstung sein. Wenn die anderen sie erwischen, erwischen sie sie eben.«

Ich zog scharf die Luft ein. Bisher war ich einfach nur verstimmt gewesen, jetzt aber war ich wütend. Diese dumpfe, pochende Wut, die gefährlich war und nach der ich doch immer wieder die Hände ausstreckte, trotz der Gewissheit, mich daran zu verbrennen.

»Der Dschungelfunk zwischen euch funktioniert ja wirklich gut«, zischte ich. Gerade eben hatte ich noch gedacht, Zoë könnte mir gestohlen bleiben, aber jetzt überkam mich wieder die Sorge um sie. Zumindest letzte Nacht hatte sie mir zu verdanken gehabt, dass sie ruhig schlafen konnte. Und heute Morgen aufstehen und ihr Leben leben wie an jedem anderen Tag. Seit so ziemlich genau fünf Monaten wusste ich, wie unendlich kostbar das war. Doch, ein Retter in weißer Rüstung, genau das war ich!

»Lass sie aus dem Spiel«, knurrte ich gereizt. »Das ist meine Sache.«

»Deine Sache?«, erwiderte Gizmo lakonisch. »Sieh zu, dass du dich um deinen eigenen Kram kümmerst.«

»Jeder für sich«, murmelte ich bitter. »Keiner für alle.«

»Komm wieder runter, Gil«, sagte Gizmo versöhnlich. Er stand seelenruhig auf und ging zu der Waschmaschine und dem Trockner, die in der Ecke standen. Er bewegte sich völlig lautlos und fließend. Besonders auf Frauen wirkten seine geschmeidigen Bewegungen immer wieder irritierend, so wenig passten sie zu seinem unscheinbaren Äußeren. Und er gab sich keine Mühe, es zu verbergen. Einen Augenblick beneidete ich ihn glühend – auch um seine Skrupellosigkeit. Für ihn war das Leben in Ordnung, wie es war. Er scherte sich nicht um die ganze Sache, für ihn war das alles nur ein Vorteil beim Geschäft. Nicht, dass Geld ihm wichtig gewesen wäre, er hatte mehr als genug davon. Ihm ging es allein um die Jagd. Nicht alle von uns wurden dafür kriminell, aber er war einer von denen, die eine Kunst daraus machten, ihre Sinne als Mittel zum Zweck zu nutzen. Es hatte Vorteile, wenn man leiser und schneller war als die Gegner und um ein Vielfaches besser sah und hörte. Ich hätte gerne geglaubt, dass er mich nur deshalb von der Brücke geholt hatte, weil er mich mochte, aber die

Chance dafür stand bei fünfzig Prozent. Und fünfzig Prozent, dass es ihm nur um das Adrenalin ging, um das Risiko, dass jeden Moment die Polizei auftauchen konnte. Er hatte mir schon einige Jobs angeboten, aber so tief unten war ich nicht. Noch klammerte ich mich an das ganz normale Dasein eines Menschen. Vielleicht war es möglich. Es musste verdammt noch mal möglich sein! Ich weigerte mich jedenfalls, etwas anderes zu glauben.

Ich fluchte und stieß die Polsterfolie von mir. In diesem Augenblick hasste ich sogar den kriminellen Samariter Gizmo, ich hasste die ganze Welt.

»Los, gib mir schon ein Handy!«, sagte ich nicht besonders freundlich. »Ich muss bei meinem Chef anrufen und mich abmelden.«

Gizmo verzog keine Miene. »Schau in der obersten Schublade nach«, meinte er nur. »Das rote müsste geladen sein und eine volle Karte haben.«

Drei Meter bis zum Schreibtisch. Ich presste die Lippen zusammen und stemmte mich mit kreischenden Muskeln vom Sofa hoch. Das rechte Bein antwortete auf die Anspannung mit einem brennenden Stechen. Mit dem Gewicht auf dem linken kam ich einigermaßen zum Stehen. Jetzt lagen meine Nerven wirklich blank. Das Surren und Piepsen der Geräte hallte in meinem Schädel wider und machte mich wahnsinnig. Ich spähte zum Spiegel, der über dem winzigen Waschbecken neben dem Trockner hing.

»Tu dir selbst einen Gefallen und lass es«, sagte Gizmo, ohne den Blick von dem Wäschehaufen zu wenden, in dem er gerade herumwühlte. »Schaffst du es allein zum Tisch?«

Ich nickte verbissen und machte mich humpelnd auf den Weg.

»Oh Mann«, sagte Gizmo kopfschüttelnd. »Sieh dich an. Was hat dich nur geritten?«

Unvermittelt wie ein Flashback erschien Zoës zartes Gesicht vor mir. Und ein anderes Gesicht – eingebunden in eine verwackelt gefilmte Nachrichtensequenz, die ich liebend gerne vergessen hätte. Ich hätte alles dafür gegeben, um diese eine Erinnerung auslöschen zu können.

»Ich erwarte nicht, dass du es verstehst«, gab ich heiser zurück. »Dir ist doch sowieso alles egal, solange du nur dein erbärmliches kleines Gettoleben führen kannst.«

Gizmo zog aus dem Haufen von Kleidungsstücken eine weite Jeans heraus und kam zum Schreibtisch. Er warf mir die Hose zu und zog selbst die Schublade auf, bevor ich danach greifen konnte. Nur an der energischen Bewegung konnte ich erkennen, dass er langsam sauer wurde. Schraubendreher, CDs, Kabel, Handys – das ganze Durcheinander rutschte durch den Schwung nach vorne und prallte gleich einer Welle aus Plastik und Metall scheppernd gegen den Schubladenrand. Ich zuckte bei dem Geräusch zusammen. Ganz vorne in der Schublade lagen mit Gummiband zusammengehaltene Geldscheine. Vier oder fünf Rollen, zusammen mindestens tausend Euro. Geld bedeutete Gizmo schon lange nichts mehr. Früher oder später geht es uns allen so.

Dinge, die ein Menschenleben bestimmen, werden unwichtig. Dann ist ein Sofa vom Sperrmüll genauso gut wie ein Designerbett oder eine Parkbank. Am Anfang hatte ich Mitleid mit Leuten wie Barb gehabt, aber das hatte ich hinter mir. Für Mitleid musste man mit jemandem leiden, der litt. Und Barb litt nicht. Im Gegenteil.

Gizmo zeigte mir ein sarkastisches Lächeln, nahm ein zerkratztes Handy, das wer weiß wem gehört hatte, und reichte es mir. Als ich es an mich nahm, bemerkte ich, dass meine Finger dunkel von rußigem Schmierfett waren. Gizmo schien mir anzusehen, wie krampfhaft ich nach einem Erinnerungsbild suchte, einem Geruch, einer Berührungssequenz, nach irgendetwas.

»Immer noch auf der Suche, Gil?«, sagte er und sah mir in die Augen. »Ich kann es dir nur immer wieder sagen: Hör auf, damit zu hadern. Hör auf, so zu tun, als wäre es etwas, was du ändern kannst.«

»Ich weiß, dass ich es nicht ändern kann«, erwiderte ich heftig. »Aber ich will nicht so leben wie ...«

Abrupt verstummte ich.

»So wie ich?« Gizmo zuckte mit den Schultern. »Zwingt dich ja niemand dazu. Aber es ist wie mit dem Schwimmen: Lass dich drauf ein und du bleibst oben. Stemm dich gegen die Wellen und du wirst früher oder später absaufen.«

Auf dem Bildschirm mit dem Nachrichtensender holte die Kamera gerade einen Reporter ins Bild, der im Nachmittagslicht auf der Brücke stand. Hinter ihm schwenkte eine Gruppe von Leuten mit grünen Pullovern und Hüten Bierflaschen. »Zur Feier des St. Patrick's Day wird in diesem Jahr der Fluss zum ersten Mal in der Geschichte der Stadt grün eingefärbt«, erklärte er. »Das berühmteste Vorbild dieser irischen Tradition am St. Patrick's Day, der heute in aller Welt gefeiert wird, ist der Chicago River. Auch bei uns wird zum Einfärben des Wassers Uranin verwendet.« Die Kamera fing einige Boote des Technischen Hilfswerks ein, die mit der Chemikalie an Bord stromaufwärts fuhren. Und dahinter die Häuserfront am Fluss. In allen Hochhausfenstern standen Leute, sahen sich das Spektakel an und lachten.

Ich musste schluckten. Das normale Leben zog mit dem »Live«-Vermerk vor mir vorbei.

»Macht es dir nichts aus?«, fragte ich leise.

»Nö«, sagte Gizmo. »Wozu auch? Warum soll mich interessieren, warum es gerade mich getroffen hat – oder dich? Alles Fragen, auf die es keine Antwort gibt. Aber wenn du mich fragst: Etwas Besseres kann einem nicht passieren.«

»Etwas Besseres!« Ich spuckte diese zwei Worte verächtlich aus. »Du hast den ganzen Rücken voller Narben, ich habe es gesehen. War das echt das Beste, was dir im Leben passieren konnte?«

»Vielleicht ja«, sagte Gizmo so ernst, dass ich mich wieder einmal fragte, ob er sich insgeheim nicht doch über mich lustig machte. »Wunden verheilen. Man lernt daraus.«

Okay, er meinte es tatsächlich ernst. Das Piepsen und Surren der Geräte war lauter geworden. Ich atmete durch.

Da war es wieder: das Aufblitzen irgendwo in den Gedanken. Irgendwas mit Maurice. Ich hatte es ganz deutlich gesehen.

»Hör zu, Philosoph«, fuhr Gizmo geduldig fort. »Den Kodex lernt man nun mal am eigenen Leib. Ist wie das Geborenwerden und Sterben. Es ist kein besseres oder schlechteres Leben. Es ist das neue Leben. Das endgültige. Ein anderes kriegst du nicht!«

Jetzt hatte ich wirklich gute Lust, einen dieser Monitore zu nehmen und ihn gegen die Wand zu schmettern.

»Hört ihr euch eigentlich selbst zu – du und Irves?«, fuhr ich ihn an.

Oh ja, mein endgültiges Leben! Du betrittst das Revier eines anderen – und bereust es. Zwangsläufig lernst du hinzusehen, wahrzunehmen. Du lernst, dass dir keiner hilft, wenn es zur Sache geht. Du lernst, zu fliehen und dich unsichtbar zu machen. Lernst, einsam zu sein. *Ohne Ghaezel und ihre Kinder. Ohne ...*

»Gesetz des Dschungels«, sagte Gizmo, als hätte er meine Gedanken gelesen. Jetzt hätte ich auch noch heulen können. Je schwächer ich war, desto deutlicher fühlte ich den Phantomschmerz an der Stelle, an der es vor fünf Monaten noch ein Leben gegeben hatte.

»Vergiss es«, presste ich zwischen zusammengebissenen Zähnen hervor.

Gizmo schnaubte, als wäre er genervt. »Hör zu, Gil«, sagte er verärgert. »Von mir aus geh raus und wirf dich Maurice in den Weg. Deine Entscheidung. Wenn du enden willst wie Rubio: bitte schön! Vielleicht wäre das ja genau das Richtige für dich, dann hättest du ganz deine Ruhe, wäre das nicht angenehm?«

Ich versuchte, die schneidende Ironie in seiner Stimme zu überhören. Das wirklich Witzige daran war, dass er mich erwischt hatte. Ich dachte manchmal tatsächlich darüber nach, wie es wäre, wenigstens für eine Stunde Rubios Freiheiten zu haben. Tauchte er auf der Straße auf, wurde er wie ein Unsichtbarer behandelt. Jeder ging ihm aus dem Weg – keiner griff ihn an. Ob aus Respekt oder Verachtung, hatte ich noch nicht herausgefunden. Ständig saß er am Fenster seines Zimmers und behielt die Straße im Blick, obwohl es nichts zu sehen gab. Irgendwann – nicht einmal Irves wusste etwas darüber – war sein Gebiet zur neutralen Zone geworden. Jeder durchquerte das Terrain schnell und vermied es, zu Rubio hochzuschauen, auch wenn Rubio seine Zone ganz sicher nicht mehr verteidigen konnte. Jemand wie wir ist im Rollstuhl schlichtweg nur nutzlos.

Meine Hände zitterten, als ich versuchte, in die Jeans zu steigen, ohne dabei umzufallen. Meine Hand, die um die Hose gekrampft war, wirkte durch den Schmutz dunkler denn je. Zwei Nägel waren abgebrochen. Unter den anderen waren Krusten. Vielleicht war es ja Ruß? Hoffentlich nur Ruß. Speichel sammelte sich in meinem Mund, nur mit Mühe konnte ich ein Würgen unterdrücken.

Ich erinnerte mich an Zoës weiße Haut. *Mädchen aus Schnee.* Sie ahnte nichts, sie lebte einfach. Und wusste nicht, dass ihr ganz normaler Kummer nichts gegen das war, was ihr in ihrer Stadt zustoßen konnte.

»Hör auf, für das Mädchen zu denken«, sagte Gizmo etwas freundlicher. »So funktioniert das nun mal nicht.«

Ich glaube, es war genau dieser Moment, in dem ich beschloss, dass der Dschungel mich kreuzweise konnte.

»Wie es funktioniert, entscheide ich«, erwiderte ich.

Gizmo runzelte missbilligend die Stirn, doch diesmal sparte er sich seine Belehrungen.

Ich fluchte, als ich mir die Jeans über die Hüften zog. Sie war weit genug, aber dennoch konnte ich nicht verhindern, dass das Reiben des Stoffes die Verletzung in Flammen setzte. Als mir Gizmo auch noch eines seiner grottenhässlichen grünen Poloshirts hinhielt, schnaubte ich. Meine schwarze Lederjacke war neu gewesen. Ich mochte mir nicht vorstellen, in welcher Gosse sie nun lag.

»Hast du kein anderes?«

Gizmo deutete auf den Fernsehbericht. »Fröhlichen St. Patrick's Day!« Eine orangefarbene Pulverwolke bauschte sich im Wasser des Flusses, löste sich und verwandelte sich unter dem Applaus und dem Jubel der Leute am Ufer in ein fluoreszierendes Grün. »Perfekte Tarnung in der grün gekleideten Meute«, meinte Gizmo. »Und mit dem Gesicht gehst du heute ohnehin glatt als Ire durch«, setzte er grinsend hinzu.

Mürrisch nahm ich das Shirt entgegen und versuchte es mir über den Kopf zu ziehen, ohne dabei mein geschwollenes Gesicht zu streifen. *Rippen geprellt*, fügte ich der Liste hinzu. *Höllischer Muskelkater in den Schultern.*

Als ich wenig später mit umgeschlagenen Hosenbeinen über den Hinterhof in Richtung Straße humpelte, kam ich mir vor wie ein Clown. Ich wandte mich in Richtung Süden und achtete darauf, mich dicht im Sichtschatten der Häuser zu halten. Mir blieb auch nichts anderes übrig, denn ab und zu musste ich mich an der Wand abstützen. Vier angetrunkene Kerle mit grünen Hemden und albernen Kleeblatt-Hüten hielten mich für einen der Ihren und pfiffen mir hinterher.

Der Wind kam von der Flussseite und trug mir den Lärm der St.-Patrick's-Parade zu, die sich vom Flussviertel aus in Richtung Hauptbahnhof bewegte. Dazu die Musik aus den Kneipen, irische Fiedeln und schnelle Bässe. Kaum auszuhalten. Nur weg vom Trubel! An der Haltestelle Kunstmuseum blieb ich stehen, schloss die Augen und orientierte mich. Es musste schon beinahe halb fünf sein. Um diese Zeit war es in dieser Gegend für mich sicher. Nur Nummer 7 (der glatzköpfige Verkäufer, der um die Ecke die Obdachlosenzeitung feilbot) konnte etwas ungemütlich werden. Und in meinem Zustand sollte ich mich auf kein Spielchen mehr einlassen. Nein, es war besser, gleich in neutrales Gebiet abzutauchen und mit der U-Bahn die fünf Stationen bis zu meinem Viertel zu fahren. Dumm nur, dass ich kein Geld hatte. Ohne viel Hoffnung steckte ich die Hand in die Hosentasche – und fand tatsächlich einen Geldschein darin. Die Wahrscheinlichkeit, dass Gizmo ihn nicht nur zufällig in der Jeans vergessen, sondern extra für mich dort hineingesteckt hatte, stand wie immer 50:50.

Ich weiß nicht, wie viele Leute mich in der U-Bahn anstarrten. In dem Funzellicht der Waggonbeleuchtung konnte ich mich im Spiegel der Scheibe sehen. Gizmo hatte Recht gehabt: Es gibt Spiegelbilder, auf die man verzichten kann. Ich stellte mir vor, was Ghaezel bei meinem Anblick sagen würde. Oder ob sie überhaupt in der Lage wäre zu verstehen, was mit mir – *mit uns* – geschehen war?

Meine Wohnung, wenn man sie so nennen konnte, lag hinter den Autohöfen, dort, wo die Zimmer billig sind und keiner einen Ausweis sehen will, wenn du ihm die Miete bar auf die Hand gibst. Ich hatte sogar doppeltes Glück: Weil die Vermieterin mich mochte, hatte ich die winzige Wohnung unter dem Dach bekommen. Vom Dach aus konnte ich über das große Autohaus hinweg zu den Hochhäusern am Fluss schauen. Ich musste von der U-Bahn nicht besonders weit laufen, dennoch war ich so am Ende, dass meine Gedanken sich bereits mit den Vorläufern von Traumbildern vermischten.

In dieser Gegend war der St. Patrick's Day nicht angekommen. Keine grünen Flaggen und Bänder, keine Musik schallte aus den Fenstern. Im Laufen holte ich das fremde Handy hervor und gab Gizmos Standardcode ein. Ein greller Startton erklang. Mit gesenktem Kopf schleppte ich mich in den mit Taubendreck gepflasterten

Innenhof, der nicht größer als eine Briefmarke war, und hinkte zu den Postkästen. Die Schrauben an der Halterung meines Postkastens waren so locker, dass es einfach war, ihn mit einem bestimmten Dreh an der Seite auszuhebeln. In dem kleinen Hohlraum in der Mauer, wo ich den Mörtel entfernt hatte, lag mein Schlüssel. Ich hatte ihn nie bei mir. Doch allmählich sollte ich mir angewöhnen, in der Stadt auch hier und da etwas Geld zu hinterlegen.

Mit dem Schlüssel in der Hand lehnte ich mich stöhnend an die Hauswand und hob das Handy vor meine verschwollenen Augen. Die wichtigen Nummern hatte ich im Kopf, schwierig war nur das Eintippen. Ich versuchte, dabei nicht auf meine Fingernägel zu schauen.

»Herr Choi«, meldete sich die strenge Stimme. Ich hatte keine Ahnung, wie mein Chef mit Vornamen hieß. Sogar wenn er sich ganz offiziell vorstellte, sagte er nur: »Ich bin Herr Choi aus Pusan.« Als gäbe es in jeder koreanischen Stadt nur einen Mann mit diesem Namen und jeder müsste ausrufen: Ach, *Sie* sind das!

»Herr Choi, Gil hier ...«

Weiter kam ich nicht. Eine Welle von Verwünschungen brach über mich herein, die sich allesamt mit meinem fragwürdigen Charakter und meiner düsteren Zukunft als drogensüchtiger Arbeitsloser auf der Müllkippe hinter der Stadt befassten. (In seiner Vorstellung war jeder unter zwanzig drogensüchtig.) Herr Choi beherrschte es, auch vom Tonfall her gemein zu klingen. Und die Lautstärke, mit der er ins Telefon bellte, gab mir den

Rest. Ich musste das Telefon von mir weghalten, um den wild pochenden Kopfschmerz zu ertragen.

»Ich bin zusammengeschlagen worden«, erklärte ich, sobald Choi doch einmal Luft holte. Endlich stutzte er. Die Sekunde Pause war unendlich wohltuend.

»Von der Polizei?«, kam anschließend die misstrauische Frage.

Fast hätte ich gelacht. Für Choi war immer ganz klar, wer auf der dunklen Seite der Macht stand.

»Nein ... ein paar Betrunkene.«

»Du hast sie provoziert, ja?«

»Nein, Herr Choi! Ich war einfach nur zur falschen Zeit am falschen Ort. Es war Pech. Ich hätte Sie heute Morgen angerufen, aber ich war bewusstlos und die Typen haben mir mein Handy geklaut.«

Eine Pause, lang genug, um in aller Ruhe eine Münze zu werfen. Vermutlich tat er genau das. *Schmeiße ich ihn raus oder nicht?* Vielleicht kontrollierte er auch nur auf der Rufnummernanzeige, ob es wirklich eine andere Handynummer war. Ich schluckte und wartete angespannt. Im Geiste sah ich mich schon nach der nächsten Arbeit suchen.

»Und wann bist du wach genug, um wieder zu arbeiten?«, keifte er so plötzlich in mein Ohr, dass ich zurückzuckte. Vielleicht hatte auch meine verwaschene Aussprache ihn überzeugt, dass ich die Wahrheit sagte. *Fast die Wahrheit.*

»Mitte der Woche ... hoffe ich jedenfalls«, nuschelte ich. Am Eingang zum Innenhof ging eine Frau vorbei.

Das betäubend schwere Lavendelparfüm hätte ich auch zehn Meter gegen den Wind gerochen. Jeder Treffer mit dem hohen Absatz auf dem Asphalt klang wie ein Schuss, der in meinem Schädel widerhallte. Sie passte nicht in dieses Viertel. Hier gingen die Leute mit Lockenwicklern und knisternden Synthetik-Jogginghosen zum Einkaufen. Sie dagegen hatte einen braunen Business-Dress an, aufgepeppt mit einem teuren, St.-Patrick's-Day-grünen Seidentuch. *Klack – klack – klack …*

»Entweder du kommst gleich am Dienstag wieder zur Frühschicht«, kam es von der anderen Seite der Leitung, »oder gar nicht mehr.«

Aber das hörte ich kaum noch. Und auch nicht das Knacken, als Choi auflegte. Der Flashback sprang mich so überraschend an, dass ich nur noch wie angeschossen nach Luft japsen konnte, während mein Puls in die Höhe schnellte. Das *Klack – klack* bekam einen Hall. Und dann war ich wieder vor Zoës Haus.

Es war nur eine Sequenz: die aufgehellte Nacht. Der Augenblick, in dem ich gegen die Wand geschleudert wurde und sah, wie meine Uhr davonflog. Die Lederjacke, die ich im Sprung von den Schultern streifte, bevor Maurice mich ein zweites Mal erwischte.

»Die Kleinsten werden die Größten sein.« Das hatte Irves einmal im Scherz zu mir gesagt. Doch das hier war kein Scherz.

Ich sah beide Gestalten: den kleinen, bulligen Mann mit den lächerlich dünnen Beinen und den Schatten, seine wahre Gestalt. Wahnsinn.

Dreihundert Kilo, schätzte ich. *Vielleicht sogar noch schwerer.*

In Sekunden, die sich zur Ewigkeit dehnten, verfolgte ich, wie meine Hand ihm über Schulter und Kiefer fuhr, die Finger zu Krallen gebogen. Es war also kein rußiges Fett unter meinen Nägeln. Das Hochhaus rutschte ins Bild, die Kräne, die geparkten Autos, und rechts – eine huschende Bewegung! Ich wirbelte herum und fühlte die Zähne, die meine Kniekehle streiften und sie nur deshalb nicht erwischten, weil ich mich instinktiv fallen ließ und abrollte. Es hatte Vorteile, kleiner und wendiger zu sein.

Der Flashback verebbte so plötzlich, wie er gekommen war, und ließ mich keuchend und mit klappernden Zähnen zurück. Der Schock des Begreifens kam erst jetzt. *Verdammt, die Kniekehle!* Mir war nicht klar gewesen, wie viel Glück ich gehabt hatte. Kodex hin oder her: Dieser verfluchte Mistkerl hätte mir tatsächlich die Kniesehne durchgebissen, wenn ich ihm die Chance dazu gegeben hätte!

»Brauchen Sie Hilfe?« Mein Kopf ruckte hoch. Das Klacken der Absätze war verstummt, die Frau stand am Eingang zum Hinterhof. Die Farbe ihrer leicht getönten Designersonnenbrille passte perfekt zu ihrem Haar. Es war glänzend braun, auf Kinnlänge geschnitten, strenger Mittelscheitel. Ein Hochglanzbild wie aus der Werbung. Dazu passte auch das garantiert teure Parfüm, das auf meiner Nasenschleimhaut brannte wie Feuer.

Ich musste sie anstarren wie ein Wahnsinniger.

»Sie ... sind verletzt«, sagte sie beinahe verlegen, als müsste sie mir erklären, warum sie mich angesprochen hatte. Obwohl sie spätestens jetzt sehen musste, dass ich noch keine achtzehn war, siezte sie mich immer noch. Nun deutete sie auf mein Hosenbein. Ich schluckte und sah an mir hinunter. Einer der Kratzer blutete wieder.

»Alles in Ordnung«, sagte ich heiser. Ich wandte mich ab und rammte den Schlüssel in das Türschloss. Ein Wunder, dass er nicht abbrach.

Es ging einfacher, wenn ich Hände und Füße benutzte, um die Treppe hochzukriechen. Nach dem Parfüm die nächste Folter: Der Geruch von Zitrusputzmittel und altem Linoleum ätzte sich in meine Nase ein. Erst ganz oben wurde es besser. Meine Hände zitterten, als ich die Wohnungstür aufsperrte und in die Wohnung stolperte, wo mich der vertraute Geruch nach staubigem Holz, Taubenfedern und Papier umgab.

Ich hatte das Fenster offen gelassen. Der Durchzug ließ die unzähligen Blätter, die ich an die Wände gepinnt hatte, rauschen. Ein mit Bleistift gezeichneter Plan der Stadt löste sich von der Wand und segelte auf den Boden. Vorsichtig schälte ich mich aus Gizmos Klamotten und ließ mich unter dem Fenster auf den verzogenen Dielen nieder. *Sicherheit!* Es tat gut, den kalten Frühlingswind auf dem Rücken zu spüren und die Augen zu schließen.

Ich musste Zoë warnen. Aber ich war zu erschöpft, um jetzt etwas zu unternehmen. Ich musste schlafen. Es raschelte wieder. Vor mir auf dem Boden rutschte der Plan im Luftzug ein Stück in Richtung Tür. Schraffierte Zeitzonen, Skizzen und Schnittmengen der Reviere und an den Rand gekritzelt: die Steckbriefe. Bleistiftskizzen der Gesichter und daneben Namen, alle mit Nummern versehen. Bei vielen, deren Namen ich nicht kannte, waren es lediglich Skizzen und Nummern.

Nummer 3: Der orientalisch wirkende Grauhaarige, der immer dieselben Bücher mit sich herumschleppt und trotz seines Alters so tut, als würde er studieren.
Nummer 8: Die Frau mit der karierten Artistenjacke, die beim Krankenhaus für ein paar Cent jongliert.
Nummer 11: Der Obdachlose mit dem langen, blonden Haar, der die Restaurantmeile durchstreift.

Vierzehn Leute waren es. Und unzählige Fragezeichen.

Nummer 12: Maurice
Gefahr: 6?
Alter: 45-50?
Größe: ?
Wohnung: Nordteil?
Zeiten: Nachtaktiv. 23 bis ca. 3 Uhr ab Planetarium bis Neubaugebiet. Ab 3 Uhr Börsenviertel, oft am Fluss. Einzelgänger, mag Wasser. Duldet Rubio (klar), Barb?
Schatten: ?

Ich fischte nach dem Plan, zog ihn zu mir heran und hob einen abgekauten Bleistift auf, der unter dem Fenster lag. Ich strich die Sechs so fest aus, dass die Spitze des Stiftes das Papier fast durchstieß.

Gefahr: 12!!!, korrigierte ich in krakeliger, zittriger Schrift und umkringelte die Zeile noch dreimal.

Größe: Ca. 3,40

Wow! Aber es stimmte tatsächlich.

Ich musste eine ganze Weile gegen das beklemmende Gefühl der Bedrohung ankämpfen, bevor ich das Fragezeichen bei *Schatten* ausstrich und dann in Druckbuchstaben dahintersetzte: *panthera tigris altaica.*

Frau aus Glas

Zoë wusste, dass es Paula war, noch bevor ihre Mutter sich ihr mit dem Telefon am Ohr zuwandte und den Namen mit den Lippen formte. Sie schüttelte den Kopf. Ihre Mutter verzog den Mund und bedeckte die Mikrofonöffnungen mit dem Daumen. »Sie sagt aber, sie muss unbedingt mit dir sprechen«, flüsterte sie.

»Und ich sage: Ich bin nicht da«, murmelte Zoë.

Ihre Mutter rollte genervt die Augen und wandte sich ab. »Sie ruft dich gleich morgen an, Liebes«, sagte sie sanft ins Telefon. »Ja ... ja, natürlich, ich richte es ihr aus.« Sie drückte die Auflegetaste, knallte das Telefon auf den Küchentisch und verschränkte die Arme. »Was ist los? Habt ihr euch gestern etwa gestritten?«

»Ich habe dir schon dreimal gesagt, ich melde mich bei ihr«, erwiderte Zoë. »Und zwar morgen. Das habe ich ihr auch schon in meiner Mail geschrieben.«

»Heute oder morgen – als würde das einen Unterschied machen«, erwiderte ihre Mutter. »Sei doch nicht so stur, Paula ist wirklich nett.«

Netter als meine Problemtochter, ergänzte Zoë im Stillen. Doch vielleicht war es unfair, ihrer Mutter solche Gedanken zu unterstellen. Sie machte sich eben Sorgen – an ihrer Stelle hätte Zoë wahrscheinlich ebenso gedacht. Und wenn ihre Mutter wüsste, dass ihre Tochter nicht nur stur war, sondern auf dem besten Weg, gewalttätig zu werden und völlig durchzudrehen, dann wäre Paulas Seelenleben sicher ihr geringstes Problem.

»Sie lässt dir jedenfalls ausrichten, dass sie mit ein paar Leuten aus deiner Klasse nachher im *O'Reilly's* ist, falls du noch Lust hast, dorthin zu kommen«, fuhr ihre Mutter fort. »Sie schauen sich die Parade am Fluss an. Und ... sie sagt, sie hat gestern deine Schuhe mitgenommen. Die hast du wohl auf dem Sportplatz vergessen?«

Zoë konnte nicht verhindern, dass ihr das Blut in die Wangen schoss. Von einer Sekunde auf die andere war das Gefühl der Enge in ihrer Brust wieder da. Hastig beugte sie sich tiefer über Leons prall gefüllten Rucksack und stopfte auch noch seinen Kapuzenpulli und drei zu Bällen geformte Sockenpaare mit aller Gewalt hinein.

»Ja«, murmelte sie. »Habe sie dort liegen lassen. War etwas ... hektisch.«

»Und es hat nicht zufällig etwas mit David zu tun?«, bohrte ihre Mutter weiter.

»Lass mich endlich mit David in Ruhe!«, schnappte Zoë.

Ihre Mutter zog nur die Brauen hoch und schwieg. Immerhin sparte sie sich heute ihre Litanei über den Wert von alten Freundschaften und die Frage, wann Ellen und sie sich denn endlich wieder vertragen würden. *Als wären wir noch in der vierten Klasse und würden uns mit unseren Barbies darum prügeln, wer Ken bekommt*, dachte Zoë missmutig.

Wie ein Film, den sie immer noch vergeblich zu analysieren versuchte, zog der Vorfall auf dem Sportplatz an ihr vorbei. Seit gestern war die Unruhe noch um ein Vielfaches schlimmer geworden. Und wenn sie ehrlich war, hoffte sie insgeheim bei jedem Telefonklingeln, dass es Ellen sein würde. Ellen, die ihr empört entgegenschleuderte: »Was zum Teufel sollte das denn?« Aber dafür kannte sie Ellen viel zu gut.

Eigentlich war für Leons Stoffhasen kein Platz mehr, aber Zoë drückte mit aller Kraft und quetschte ihn noch ins Seitenfach. Mit einem zweifelnden Blick auf den beinahe explodierenden Rucksack bemerkte ihre Mutter: »Manchmal habe ich den Verdacht, du willst Leon loswerden.«

»Du etwa nicht?«, erwiderte Zoë. »Er ist doch ein kleines Monster.«

Immerhin reagierte ihre Mutter auf diesen Scherz und lachte. Sie sah nett aus, wenn sie lachte. Zoë konnte verstehen, dass die Patienten sie mochten und ihr gerne das Herz ausschütteten. Manchmal hätte sie es auch gerne getan, aber aus irgendeinem Grund war das unmöglich. Ihre Mutter hatte genug andere Probleme.

»Wann holt Fabio Leon morgen ab, Mama?«

»Schon um halb neun. Er will los, solange die Autobahn noch leer ist. Und am Freitag um fünf bringt er ihn wieder zurück.«

Natürlich sprach ihre Mutter nur von Fabio und nicht

von beiden. Zoë verkniff sich die Frage, wohin Leons Vater und seine neue Freundin mit ihrem Bruder in Urlaub fahren würden. Ihre Mutter nahm wieder das Messer zur Hand und begann Gemüse zu schneiden. Wie jeden Samstag würde es auch heute Spaghetti geben – mit Tomatensoße für Leon und Tomatensoße mit Knoblauch, Basilikum und Chili für die »Großen«.

»Ich habe übrigens mit Maria getauscht und übernehme heute ihre Nachtschicht«, fuhr ihre Mutter im Plauderton fort.

Zoë fuhr hoch. »Heißt das, ich muss heute Nacht auf den Kleinen aufpassen? Ich wollte heute Abend weggehen!«

Ihre Mutter hob nur die linke Augenbraue. »Mit Paula?«, fragte sie ironisch. »Tut mir leid, Schatz, aber heute musst du bei dem Kleinen bleiben. Es geht nicht anders.«

Sie schüttelte bedauernd den Kopf. Eine blonde Strähne rutschte aus ihrer hastig hochgesteckten Frisur.

Zoë schnaubte und lehnte sich mit verschränkten Armen zurück. Den ganzen Tag fieberte sie schon der Nacht entgegen – und jetzt das!

»Du machst in letzter Zeit wohl nur noch Nachtschichten«, sagte sie missmutig. »Morgen bist du doch auch schon eingeteilt! Und dann wunderst du dich, warum du nichts auf die Reihe bekommst und ständig so erschöpft bist!«

Ihre Mutter lachte. »So besorgt?«, meinte sie und

seufzte. »Ja, du hast ja Recht. Aber es ist nur noch dieses eine Mal. Und der nächste Samstag gehört dir ganz allein, versprochen!«

Der nächste Samstag klang wie *nächstes Jahr*. Schon jetzt hatte Zoë das Gefühl, in der Wohnung nicht mehr atmen zu können.

»Ehrlich gesagt ist es mir ohnehin lieber, wenn du heute hierbleibst«, fuhr ihre Mutter fort. »In der Stadt ist gerade der Teufel los – und dann die ganzen Betrunkenen! Letztes Jahr wurden bei uns zwei Jugendliche eingeliefert, die in eine Messerstecherei verwickelt wurden. Sie konnten beide überhaupt nichts dafür! Waren einfach am falschen Ort ...«

Zoë hörte kaum noch hin. Die Luft erschien ihr plötzlich so dicht wie Rauch. Sie ging zum Küchenfenster und öffnete es. Obwohl Samstag war, drang das Geräusch eines Schlagbohrers unerträglich laut in die Küche. Dennoch: Die frische Luft tat gut. Zoë hielt sich am Fensterbrett fest und schaute zum Kran hoch, der gerade einen Stapel Eisenstangen über die Baustelle schwenkte. Dabei fiel ihr Blick auf die alte Feuertreppe, die von Stockwerk zu Stockwerk bis hoch zum Flachdach des Hauses führte – ein Überbleibsel aus der Zeit vor der Renovierung. Eine Amsel saß auf einer Sprosse und betrachtete Zoë mit schief gelegtem Kopf. Dann, als hätte irgendetwas sie erschreckt, flatterte sie davon. Zoë zog sich wieder in die Sicherheit des Zimmers zurück und ließ sich auf den Küchenstuhl fallen. Ihre Mutter nahm eine Tomate und schnitt sie in Achtelstücke. Wieder einmal fiel Zoë auf, wie behutsam ihre Mutter mit allem umging, was sie in die Hände bekam. Ihre Bewegungen hatten etwas Graziles. *Wie eine Frau aus Glas*, dachte Zoë. *Hart, aber zerbrechlich.* Es war schwierig, wirklich wütend auf sie zu werden.

»Ach so – und da ist noch etwas«, sagte ihre Mutter nun, ohne den Blick vom Gemüse zu wenden. »Dr. Rubio hat mich gestern angerufen.«

Zoë wusste nicht weshalb, aber sie horchte auf. Dr. Rubio war früher einmal Arzt in dem Krankenhaus gewesen, in dem Zoës Mutter als Krankenschwester arbeitete. Er lebte am Lindenplatz in der Nähe der Klinik. Ab und zu half ihm Zoës Mutter bei der Hausarbeit oder kaufte für ihn ein. Leicht verdientes Geld, wie die Mutter sagte. Ein Nebenjob, der die Kindergartengebühr für Leon einbrachte.

»Und?«, fragte Zoë. »Was wollte er?«

»Ich ... soll morgen bei ihm vorbeikommen.«

»Was? Am Sonntag?«

Ihre Mutter lächelte flüchtig und nickte. »Nur eine Stunde«, sagte sie entschuldigend. »Ich soll ihm helfen, das Zimmer umzuräumen, er will das Bett ans Fenster stellen.«

»Soll ich mitkommen?«

»Du weißt genau, dass er keinen außer mir in der Wohnung duldet. Nein, es ist keine große Sache – ich gehe einfach auf dem Rückweg von der Schicht bei ihm vorbei. Nur ... bin ich dann leider nicht da, wenn Fabio morgen Früh den Kleinen holt.«

Zoë stöhnte auf. »Du willst also Fabio nicht sehen und ich muss es ausbaden! Habt ihr euch wieder gestritten? Wegen der Unterhaltszahlungen? Oder …«

… *wegen Fabios Neuer, die sich zu gut mit Leon versteht?*

»Moment mal!«, fuhr ihre Mutter ihr scharf ins Wort. Jetzt war von ihrer Müdigkeit nichts mehr zu spüren. Ihre Augen funkelten. »Es geht nicht anders, klar?«

»Das glaubst du doch selbst nicht«, erwiderte Zoë gereizt. »Das war Absicht! Du drückst dich um das Treffen mit Fabio. Und ich soll wieder stille Post zwischen euch spielen.«

Die Messerschneide blitzte in der Luft auf, als ihre Mutter herumfuhr. Die Stimmung kippte so abrupt, dass Zoë den eisigen Hauch beinahe körperlich spüren konnte.

»Vorsicht, Fräulein! Lass deine schlechte Laune nicht an mir aus! Nur weil du Liebeskummer hast, muss ich deine Zicken noch lange nicht ertragen!«

»Aber es ist auch nicht meine Sache, dass du Leons Vater nicht sehen willst!«, konterte Zoë.

Ihre Mutter war tatsächlich wie Glas: zerbrechlich, aber an den Bruchkanten so scharf, dass es gefährlich war, ihr nahezukommen. »Deine Probleme möchte ich haben!«, zischte sie. »Herrgott, mit deinem Egoismus und deiner ewigen Unzufriedenheit bist du wirklich die Tochter deines Vaters! Glaubt ihr eigentlich, ich mache hier Urlaub? Ich schufte mich kaputt, damit du und der Kleine gut leben könnt. Damit das mal klar ist! Und ich verlange von dir nur, dass du mir etwas Unterstützung dabei gibst.« Sie griff zu einer geschälten Knoblauchzehe und knallte sie auf das Hackbrett. »Nur *etwas* Unterstützung, ist das zu viel verlangt?«

Zoë hörte, wie das Messer mit einem leisen, saftigen Ratschen durch die Knolle glitt, und zuckte irritiert zurück. Der Geruch ... explodierte! Eine Wolke von scharfen Molekülen. Mit schneidender Intensität fuhren sie ihr in die Nase bis zur Stirn hoch. Ihre Mutter schimpfte immer noch, doch Zoë hörte gar nicht hin. Ihr Körper reagierte ganz von selbst. Der Stuhl fiel um, als sie aufsprang und hinausstürzte. Erst als sie schwer atmend im Badezimmer stand und sich kaltes Wasser ins Gesicht schaufelte, kam sie wieder zu sich. Dennoch musste sie durch den Mund atmen, um nicht würgen zu müssen. Der Knoblauchgeruch schien als schwerer, gelblicher Dunst durch die ganze Wohnung zu wabern – vermischt mit dem stechend chemischen Duft von Seife und anderen Gerüchen, die sie nicht zuordnen konnte.

»Zoë?« Ihre Mutter tauchte in der Badezimmertür auf. »Was ist denn los?«

»Keine Ahnung«, sagte Zoë mit schwacher Stimme und wischte sich Wasser vom Kinn. »Irgendwas ist mit dem Knoblauch. Von dem Gestank ist mir ganz plötzlich schlecht geworden.«

Ihre Mutter starrte sie an. Fünf Sekunden lang. Zehn. Eine Ewigkeit, in der Zoë verfolgte, wie ihr Gesichtsausdruck von Besorgnis in Schrecken überging.

»Was ist denn?«, rief Zoë.

In derselben Sekunde riss ihre Mutter die Augen auf und schlug die Hand vor den Mund. »Oh mein Gott!«, stieß sie hervor.

Zoë blinzelte unwillkürlich zum Spiegel hinüber. Halb erwartete sie, ein Monster zu sehen, aber da war nichts Ungewöhnliches.

»Du bist doch nicht etwa schwanger?«, hauchte ihre Mutter. »Von diesem Jungen, der mit dir Schluss gemacht hat? Deshalb benimmst du dich so merkwürdig! Oh Gott, weißt du überhaupt, was ...«

Zoë klappte die Kinnlade hinunter. Eine Ohrfeige hätte nicht überraschender treffen können. »Bist du jetzt völlig übergeschnappt?«, fauchte sie. »Nein!«

»Weißt du es sicher? Hast du ...«

»Mama, es reicht!« Bevor ihre Mutter sie aufhalten konnte, drängte sich Zoë an ihr vorbei, floh in ihr Zimmer und knallte die Tür hinter sich zu. Vor Wut drehte sie auch noch den Schlüssel um.

Die Klinke wurde hinuntergedrückt, dann klopfte ihre Mutter an die Tür.

»Komm schon, mach auf! Ich wollte doch nur wissen ... Ich mache mir nun mal Sorgen. Und mit sechzehn ist es eine Katastrophe, wenn ...«

»Du musst es ja am besten wissen«, murmelte Zoë, während sie in ihrer Schultasche nach ihrem MP3-Player suchte. In einem Anfall von Jähzorn packte sie die Tasche und kippte sie auf dem Boden aus. Bücher und Stifte prasselten auf den Teppich. Der Schülerausweis landete wie ein Falter mit aufgeklappten Flügeln am Rand des Federmäppchens. Und daneben – endlich! – der zerkratzte alte MP3-Player, den sie einem Mitschüler abgekauft hatte. Sie stöpselte den Kopfhörer ein und drehte die Musik auf. Die Klinke bewegte sich noch ein paarmal auf und ab, aber Zoë tauchte in die pulsierenden Bässe ihrer Trance-Musik ein und starrte auf das Chaos auf dem Boden. Der Plastikfalter rutschte vom Mäppchen zu Boden und klappte beim Aufprall wieder auf, so als würde er ihr auffordernd zuwinken. *Sonntag: Buddha Lounge,* prangte dort in Irves' Schrift.

Switch

Ich hatte zu lange geschlafen. Draußen war es bereits Nacht, und wenn mein Zeitgefühl mich nicht täuschte, sogar weit nach Mitternacht. Ich stellte fest, dass ich mit dem Kopf auf meinem Stadtplan eingeschlafen war – einfach dort, wo ich gesessen hatte, auf dem Boden. Vorsichtig drehte ich mich auf den Rücken.

»Hey!«, sagte eine vertraute Stimme. Im ersten Moment konnte ich Irves nur als kopfstehenden Schattenriss wahrnehmen. Er saß mit angezogenen Beinen auf meinem Fensterbrett, nur mit seiner hellgrauen Jeans bekleidet, und natürlich war er barfuß. Mantel, Schuhe und den Rest seiner Kleidung hatte er vermutlich unten im Hof deponiert. Ich überlegte, ob er jemals durch meine Tür gegangen war wie jeder normale Mensch. Vermutlich nicht.

»Gizmo hat nicht übertrieben«, sagte er mit einem Blick auf mein Bein. »Was hast du dir dabei gedacht, Maurice in die Krallen zu springen? Hast du wirklich geglaubt, dass du noch Welpenschutz genießt?«

Welpe. Sehr witzig.

Ich hätte auf Irves sauer sein müssen und das war ich auch. Aber irgendwo im hintersten Winkel meines

Zorns wusste ich auch, dass mein Schlamassel in diesem Fall zu neunzig Prozent meine eigene Schuld war.

»Du kannst jedenfalls nicht behaupten, ich hätte dich nicht gewarnt«, setzte Irves nun auch prompt hinzu.

»Halt einfach die Klappe, okay?«, sagte ich mit belegter Stimme. Gut, ich konnte nicht behaupten, dass ich in meiner Verfassung in der Lage gewesen wäre, eine Lektion von Irves einzustecken. Andererseits war er zur Abwechslung auf meinem Territorium. »Was willst du überhaupt hier?«

»Komm raus aus deiner Papierhöhle, du Hitzkopf. Du kannst etwas Abkühlung vertragen.«

Der Muskelkater war nicht besser geworden. Das Bein war vom Zustand des allgemeinen Schmerzes in den Zustand gemeinen Schmerzes übergegangen.

»Wie spät ist es?«, wollte ich wissen, während ich aufstand und zu meinem Kleiderregal humpelte.

»Fast halb drei. Sonntagmorgen. Deine Schicht fängt in zwei Stunden an.«

Ich schüttelte nur den Kopf und gab mir einige Sekunden, um diese Information mit allen Konsequenzen einzuordnen. Halb drei. Hoffentlich kam Zoë nicht genau jetzt auf die Idee, auf die Straße zu gehen. Und wenn sie doch draußen sein sollte, war sie hoffentlich mit ihrem Freund in der Südstadt unterwegs, inmitten von Feiernden. Oder – noch besser – sie lag in ihrem Bett und schlief tief und fest. Ich nahm eine Shorts und ein T-Shirt vom Regal und zog mich vorsichtig an. »Hast du es gewusst?«, fragte ich so ruhig wie möglich.

»Was?«

»Dass Maurice einer von den ganz Großen ist!«

Irves wirkte beeindruckt, aber nicht sehr überrascht.

»Ich habe nur davon gehört«, antwortete er betont gleichgültig. »Aber man hört vieles. Nur bin ich im Gegensatz zu dir nicht scharf drauf, jedes Gerücht gleich zu überprüfen.« Er machte eine Pause, bevor er leiser fragte: »Und?« Nun schwang Anspannung in seinem Tonfall mit, ein Interesse, das er zu verbergen suchte.

»Amurtiger«, murmelte ich.

Irves stieß einen Pfiff aus. »Erinnerst du dich daran?«

»Nur ein kurzer Flashback«, antwortete ich. »Aber einer, auf den ich verzichten könnte.«

Er schien ein wenig enttäuscht zu sein, aber er nickte und streckte mir die Hand hin. Das hieß etwas bei Irves. Und es hieß etwas bei mir, dass ich sie trotz allem nahm. Ich umfasste sein Handgelenk und spürte, wie sich seine Finger um das meine schlossen. Dann ließ ich mich über das Fensterbrett nach draußen ziehen. Erst als ich auf den steil abfallenden Dachziegeln balancierte, fühlte ich mich wieder sicher. Irves lief bereits voraus, mit lautlosen Schritten erklomm er die Schräge und ließ sich genau neben dem Kamin auf dem Dachfirst nieder. Ich brauchte einige Sekunden länger, um mich hochzuquälen, aber als ich endlich mit dem Rücken gegen den roten Backstein gelehnt dasaß, ging es mir tatsächlich ein ganzes Stück besser.

»So-iiii?«

Eine kleine kalte Hand an ihrer Schulter, schneller Atem an ihrer Schläfe. Sie tauchte aus einem Traum hoch, der so tief und schrecklich war, dass nur noch die Farbe in ihrem Hirn nachglühte: ein gleißendes, bedrohliches Graublau. Die Ahnung von Schattenlöchern. Oder ... Augen? Und natürlich – wie immer – Ellen und David. Heute hatten sie sie verfolgt, auf Davids Motorrad. Noch jetzt konnte sie die Anspannung in ihren Beinmuskeln fühlen, die Starre, die es ihr im Traum unmöglich machte, von der Stelle zu kommen. Ihr Puls hämmerte in ihrer Kehle und an ihrer Schläfe.

»So-i?«

Und schon wieder Leon, dachte sie ganz benommen. Ihr Mund war so trocken, dass sie ihre Zunge vorsichtig vom Gaumen lösen musste, bevor sie ihrem kleinen Bruder antworten konnte.

»Was ist denn, Löwe?«, flüsterte sie. »Kannst du nicht schlafen?«

Statt ihr eine Antwort zu geben, kletterte ihr Bruder auf das Bett, krabbelte hastig mit spitzen Knien und Ellenbogen über ihren Bauch. »Autsch«, sagte Zoë. »Pass doch auf, ich bin nicht dein Stoffhase!«

Er kroch zu ihr unter die Decke. Seine verschwitzte Kinderstirn presste sich an ihren Oberarm. »Da war ein Räuber«, sagte er mit ganz kleiner Stimme. »Er hat komische Augen gehabt. Die haben geglüht.«

Ach, du wurdest auch im Traum verfolgt?, dachte Zoë.

Das war die andere Seite ihres kleinen Bruders: tagsüber ein trotziges Ungeheuer, nachts ein kleiner, zaghafter Junge, dem jeder Schatten Angst machte.

Als hätte Leons Traumbild auch ihre Gespenster zum Leben erweckt, ergriff die Unruhe sie wieder: ein elektrischer Impuls in jeder Zelle ihres Körpers, der sie dazu drängte, aufzuspringen und hinauszurennen. Nur mit Mühe gelang es ihr, sich zusammenzureißen.

»Ist gut, der Räuber ist doch jetzt weg«, murmelte sie und nahm Leon tröstend in den Arm. »Mach die Augen wieder zu, hier passiert dir bestimmt nichts. Ich passe auf, dass er nicht mehr herkommt.«

So widerspenstig er am Tag war, so leicht ließ ihr Bruder sich später in der Dunkelheit überzeugen. *Little Leon und Mr Hyde.*

»Warum kommt Elli nicht mehr her?«, fragte er plötzlich.

Zoë seufzte. War ja klar, dass das wieder einmal kommen musste. Ihr Bruder liebte Ellen und konnte nicht verstehen, dass sie nie wieder hier auftauchen würde.

»Sie hat jetzt eben andere Freunde und keine Zeit mehr«, erwiderte Zoë knapp.

»Und wo ist Mama?«, quengelte er weiter.

»Mama muss arbeiten. Sie hat dir gestern Abend ganz viele Abschiedsküsse gegeben, das weißt du doch bestimmt noch.«

»Nein«, sagte er mit einem Anflug seines trotzigen Tages-Ichs. »Weiß ich gar nicht mehr.«

»Aber klar. Du und Mama, ihr habt Spaghetti ohne Knoblauch gegessen. Ich hatte keinen Hunger. Du hast gekleckert. Und Mama hat sich mit einer Nudel einen Spaghettischnurrbart unter die Nase geklebt, damit du lachst.«

Leon lauschte und zupfte am Träger ihres Shirts, gedankenverloren, fast schon wieder im Schlaf.

»Und danach hat sie dich umarmt und dir sechs Küsse gegeben«, flüsterte ihm Zoë ins Ohr. »Für jeden Tag, den du weg bist, einen. Weil du morgen mit deinem Papa und mit Andrea für eine ganze Woche wegfährst. Stimmt's?«

»Hmm.«

»Freust du dich schon?«

Ein schwaches, klebriges Nicken an ihrem Schlüsselbein.

»Andrea hat sicher einen Kuchen gebacken«, sagte Zoë. »Mit Gummibärchen obendrauf.«

»Gummihasen«, kam es schläfrig von unten.

»Ach ja? Dann hat sie den Gummibärchen die Ohren lang gezogen und kleine Hasen daraus gemacht?«, raunte Zoë. Sie lauschte, doch von Leon kam keine Antwort mehr. Sein Kopf wurde mit jedem Atemzug schwerer.

Zoë spähte zum Wecker. Es musste Vollmond sein, im Zimmer war es erstaunlich hell. Halb drei. Und ihr Herz raste immer noch, als hätte sie Fieber. Ungeduld zuckte in ihren Muskeln. Obwohl das Fenster geschlossen war, hörte sie, wie auf der Straße ein paar Betrunkene grölten und jemand seltsam heiser lachte. Und da war noch ein anderer Laut, ein Aufkreischen – vielleicht von einer Katze –, das ihr durch und durch ging. Plötzlich hielt sie es nicht mehr aus – weder die Wärme des Bettes noch Leons Nähe, nicht einmal das Gewicht seines Kopfes. Vorsichtig entzog sie sich ihm, rollte dann hastig aus dem Bett und floh aus dem Zimmer. Erst als sie in der Küche das Fenster aufriss und sie in der kalten Nachtluft Gänsehaut bekam, hatte sie das Gefühl, wieder Luft zu kriegen. Sie klammerte sich am Tisch fest und atmete eine ganze Weile, während etwas Dumpfes, Beängstigendes in ihrem Bauch pochte. Fühlte sich so etwa eine Panikattacke an?

Am liebsten hätte sie ihre Schlüssel geschnappt und wäre zum Tanzen gegangen, irgendwohin, wo Musik war und die Bässe das Pochen überlagerten. Aber natürlich ging das nicht. Wenn Leon aufwachte ...

Sie unterdrückte auch den kleinen, gemeinen Impuls, sich zu wünschen, Leon gäbe es nicht und sie hätte nur davon geträumt, an einen jüngeren Bruder gekettet zu sein.

Kein Grund durchzudrehen, ermahnte sie sich. *Morgen. Morgen gehe ich raus!*

Sie überlegte, ob sie den MP3-Player holen sollte, aber im Augenblick waren ihr selbst die Geräusche von der Straße zu viel. In der Helligkeit der Mondnacht entdeckte sie, dass ihr Handy noch auf dem Küchenregal lag – neben den Notizblöcken und der Dose mit dem Kleingeld. Seit drei Wochen war es ausgeschaltet. Okay, irgendwann würde sie es wieder anmachen müssen, also konnte sie es auch gleich hinter sich bringen.

Erst als sie danach griff, merkte sie, dass ihre Hände zitterten wie unter Hochdruck. Hastig machte sie das Handy an, schaltete alle Signaltöne aus und betrachtete nur das Blinken von ankommenden SMS-Benachrichtigungen. Dreiundzwanzig Stück. Zwanzig Morsezeichen von Ellen, das letzte war eine Woche alt. Zwei Nachrichten von Paula – gestern. Und die neueste war von heute Morgen. Sie kam von Frau Thalis. Zoë stutzte und drückte mit einem mulmigen Gefühl auf »Öffnen«.

Ich möchte am Montag mit dir reden, schrieb die Lehrerin. *Nach der sechsten Stunde, Lehrerzimmer.*

Das hörte sich nicht gut an. Zoë schluckte, dann löschte sie alle Nachrichten, ohne die restlichen zu lesen. Ihr Daumen schwebte eine Weile unschlüssig über der Ausschalttaste. *Buddha Lounge.*

Sie sah einen hellen Mantel, weißes Haar und Augen wie Perlmutt. Und sie musste sich eingestehen, dass sie neugierig war, Irves wiederzusehen. Er hatte etwas an sich gehabt, eine Ruhe, unter der sich Rastlosigkeit verbarg.

Erstaunlicherweise hatte sie sich Irves' Nummer gemerkt. *22 Uhr B. L.*, tippte sie als Nachricht ein und machte das Handy aus.

Irves roch nach künstlichem Nebel und Cola von seiner allnächtlichen Tour. Gemeinsam sahen wir zum Fluss hinüber. Nun, Fluss war zu viel gesagt, aber von hier aus konnte man zwischen den Bürohäusern tatsächlich ein winziges Stück Wasser erkennen. Im Moment war das Flussviertel noch das Revier von Nummer 11. Andere durften zwar unbehelligt passieren, aber gern sah er es nicht. Und in einer halben Stunde würde Maurice dort seine letzte Nachtrunde drehen.

Die Lichter der Brücke waren immer noch eingeschaltet und spiegelten sich im Wasser, und auch wenn die grüne Farbe längst mit der Strömung aus der Stadt getragen worden war, sah es immer noch schön aus. In Momenten wie diesen liebte ich die Stadt und wünschte mir, nirgendwo anders zu leben.

Ein leises Klickgeräusch verriet, dass Irves eine SMS bekam. Er zog das Handy aus der Hosentasche und rief die Nachricht ab. Im Lichtschein des Displays leuchteten seine Augen auf.

»Was Wichtiges?«

Irves grinste. »Vielleicht«, antwortete er mit einem geheimnisvollen Unterton und steckte das Handy wieder ein. Dann schwiegen wir wieder. Das ging mit Irves am besten. Gizmo hätte mir jetzt irgendein Gespräch über seinen neuesten Coup aufgedrückt. Nun, heute war ich an der Reihe, die Stille zu zerstören.

»Irves?« Ich musste mich räuspern. »Maurice ... er hätte mich beinahe schwer verletzt. Ich meine: wirklich schwer.«

Irves runzelte die Stirn und betrachtete mein Bein.

»Nicht die Kratzer«, sagte ich. »Die Sehnen. Wenn er mich erwischt hätte, dann hätte ich nicht mehr laufen können. Und um ein Haar hätte er mich gehabt.«

Er zog nur kurz die Brauen hoch, dann winkte er ab. »Sei doch keine Memme, *French*!«, meinte er spöttisch. »Das war bestimmt eine Warnung, nichts weiter.«

»Woher willst du das wissen, warst du etwa dabei?«, fuhr ich ihn an.

»Hey, kein Grund, mir gleich ins Gesicht zu springen! Du hast selbst gesagt, du hast nur im Flashback gesehen, was passiert ist. Das ist, als ob du ein Bild aus einem Daumenkino herausgreifst und darauf erkennen willst, was vorher und nachher geschieht. Einzelne Bilder können erschreckend sein. Ich weiß das auch, glaub mir. Aber sie sind nur Ausschnitte des Ganzen. Die Alten können unberechenbar sein, aber auch für die gilt der Kodex. Wenn du auf der Flucht vor Maurice nicht gerade aus Dummheit in ein Auto rennst, stehst du danach wieder auf.«

»So wie Rubio?«, wandte ich ironisch ein.

Irves starrte in die Ferne. Wie immer konnte ich auch heute nicht erraten, was er dachte.

Zoë saß schon eine Ewigkeit in der dunklen Küche. Zumindest kam es ihr so vor. Doch die Unruhe war keinen Deut besser. Außerdem knurrte ihr Magen. Sie sprang auf, riss den Kühlschrank auf und kniff die Augen zusammen, so hell war das Licht, das darin aufleuchtete. Die Gerüche schlugen ihr so überdeutlich entgegen, dass ihr beinahe übel wurde. Das Aroma der übrig gebliebenen Tomatensoße, Käse, der Milchduft von Butter – und ein anderer, fremder Geruch, der ihr das Wasser im Mund zusammenlaufen ließ. Sie griff zwischen die Behälter und zerrte eine noch verschweißte Schale aus dem untersten Fach. Plastikgeruch – und inmitten all der Chemie dieser schmelzende, starke Duft, der ein Ziehen in ihrem Kiefer hervorrief. Viel zu fest schlug sie die Kühlschranktür zu und riss die Plastikfolie von der Kunststoffschale ab. Ein Mosaik aus Aromen füllte ihren Kopf und dockte an ihrem Gaumen an. Sie konnte es *schmecken*! Wie Duft, den sie mit der Zunge am Gaumen verreiben konnte. Die Folie segelte zu Boden. Dann gruben sich ihre Finger in die kalte, nasse Masse von klebrigen Würfeln.

Das machst du nicht wirklich, Zoë!, dachte sie entsetzt, während sie ein rohes Stück Rindergulasch nahm und es sich vor die Nase hielt. Sie zögerte, doch es war schwer, sich zu beherrschen. Dann steckte sie es in den Mund und biss zu. Fasern knirschten und es war so kalt, dass ihre Zähne schmerzten. Aber es schmeckte – ganz anders als Fleisch, eigentlich nach nichts und dann wieder nach allem. *Alle Farben löschen sich gegenseitig aus und werden zu Weiß*. Zoë schloss die Augen und spürte dem Widerstand zwischen ihren Zähnen nach. Dann hielt sie erschrocken inne, warf die Schale auf den Tisch und spuckte das Fleischstück aus. Panik flammte in ihr auf. Sie würgte und stolperte zurück, bis sie an die Spüle stieß. *Keine Sorge, Mama. Ich bin nicht schwanger. Ich werde nur verrückt.*

Sie warf das Fleischstück in den Mülleimer, riss ein Stück Tuch von der Küchenrolle ab und wischte sich angewidert über die Finger und über den Mund. Nachdem sie die Schale wieder im Kühlschrank verstaut hatte, rannte sie aus der Küche, schnappte sich eine noch ungebügelte Jogginghose und eine Fleece-Jacke aus dem Haufen trockener Wäsche und zog sich an. Sie nahm die Schlüssel am Frotteearmband, die sie immer zum Joggen mitnahm. Die Haustür lehnte sie nur an und stellte einen von Leons Schuhen auf die Fußmatte – das Zeichen zwischen Leon und ihr, dass sie gleich wiederkommen würde. Dann rannte sie.

Es tat unendlich gut, die Kälte in der Lunge zu spüren. Obwohl die Straßenbeleuchtung ausgeschaltet war, erkannte sie jede Einzelheit. An der Straße bei der Bushaltestelle standen zwei Damen, die wohl irgendwo gefeiert hatten. Sie trugen schmal geschnittene, teure Mäntel und standen nur da, als würden sie auf den Bus warten, der um halb drei Uhr morgens ganz sicher nicht kommen würde. Wahrscheinlich warteten sie auf ein Taxi.

Zoë fegte an ihnen vorbei und wurde schneller. Am Ende der Straße bog sie ab. Die Sorge, dass Leon aufwachen würde, spornte sie an, noch schneller zu laufen. Frau Thalis hätte sie für diese Art zu laufen sofort zusammengestaucht. Aber in gewisser Weise tat das

Brennen in den Beinmuskeln sogar gut. *Fünf Minuten um den Block und dann wieder nach Hause*. Die dunklen Toreinfahrten glitten an ihr vorbei, dann setzte die Trance der verschwimmenden Umgebung ein, die sie am Laufen so liebte. Nur noch ihr Atem, die Strecke und das Gleiten. Sie erreichte das Ende des Häuserblocks, legte sich in die Kurve und schnellte weiter. Lange bevor sie an der Kneipe vorbeikam, hörte sie den Lärm. Dort wurde immer noch gefeiert. Ein paar Leute standen an der Straße und ließen ein kleines Straßenfeuerwerk los: handtellergroße, rotierende Funkenscheiben in einem gleißenden Weiß, die sich auf dem Asphalt bewegten. Lachende Gesichter leuchteten gespenstisch im tanzenden Licht auf. Eine Frau trug eine grüne Plastikperücke. Zoë wurde langsamer und wechselte die Straßenseite. Dort, im Schatten hinter den geparkten Autos, würde sie hoffentlich unbemerkt von den Feiernden vorbeilaufen können. Unwillkürlich duckte sie sich, als das unangenehme Zischen der nächsten Funkenscheibe erklang. Im Laufen sah sie nach rechts. Und wurde im selben Moment entdeckt.

»Guckt mal, die joggt!«, rief ein Mann und prostete ihr mit der Bierflasche zu.

»Hey! Hey! Hey!«, feuerte sie ein anderer im Takt ihrer Schritte an. Die grünhaarige Frau fiel mit ein und klatschte in die Hände – und schon hatte Zoë einen Pulk um sich, der ihr mit Klatschen und Rufen auf die Sprünge helfen wollte, als wäre sie bei einem Marathonlauf. Zoë gab ihre Deckung auf und wurde wieder schneller. Das hatte ihr gerade noch gefehlt! Im Stockwerk über der Kneipe flog bereits ein Fenster auf. Eine entnervte Frau beschwerte sich über den Lärm und drohte, die Polizei zu rufen, wenn nicht bald Ruhe wäre.

Zoë wollte sich gerade wieder auf den Weg konzentrieren, als sie den Mann entdeckte. Derselbe, der sie gestern beim Kiosk angesprochen hatte. Er hielt sich etwas abseits der Gruppe, vielleicht war er ein Teil von ihr, vielleicht war er jedoch auch gerade aus der Gasse getreten. Im zitternden Schein des verlöschenden Feuerwerks erkannte sie sein Gesicht in aller Deutlichkeit. Offenbar hatte er sich geprügelt oder war gestürzt. Jedenfalls hatte er an Hals und Kieferlinie einige dünne Kratzer. Heute trug er keinen schwarzen Jogginganzug, sondern Stoffhosen, die ehemals hell gewesen waren, nun aber verfärbt waren – grünlich, als hätte er ungeschickt versucht, sie zu färben. *Oder als wäre er im Fluss geschwommen*. Aber das war natürlich absurd. Auch auf seinem weißen Unterhemd zeichneten sich schlierenförmige Flecken ab. Während die Kneipengäste mit der Anwohnerin diskutierten, starrte er Zoë nur an.

Sie zuckte zusammen, als ihr die Sicht auf die Kneipe plötzlich von einem geparkten Lieferwagen abgeschnitten wurde. Zwei Atemzüge, drei große Laufschritte, dann war sie am Wagen vorbei. Die Kneipe tauchte wieder in ihrem Sichtfeld auf. Und der Mann war verschwunden.

Ich fragte mich, warum Irves hier war. Er hatte gesehen, dass ich in Ordnung war, an jedem anderen Tag wäre er jetzt wieder gegangen. Verstohlen betrachtete ich ihn von der Seite. Irves hatte für alles einen Grund. Und offenbar wollte er etwas von mir. Nun, ich wollte ja auch etwas von ihm: Informationen.

»Ist denn nie etwas passiert?«, wollte ich wissen. »Keine schwere Verletzung? Oder ... Schlimmeres?«

Irves stand auf und klopfte sich den Staub von der Jeans.

»Klar doch«, erwiderte er beinahe gleichgültig. »Das passiert schon mal. Letztes Jahr ist einer zu schnell gefahren. Saß auf einem Motorrad und überholte ...«

»Ich rede nicht von Unfällen«, fuhr ich ihm ungeduldig dazwischen. »Ich meine – wurde schon mal jemand getötet? Von ... einem anderen?«

Nun wandte er sich mir zu. Ein Ziegel knirschte bedenklich unter seinem Fuß, aber er kümmerte sich nicht darum. Er balancierte mühelos sein Gewicht aus, ohne auch nur die Arme ausstrecken zu müssen. Ich mochte es nicht, wenn er so auf mich herunterschaute, aber ich hatte auch keine Lust aufzustehen.

»Nein«, antwortete er spöttisch. »Wir sind ja schließlich keine Bestien.«

Wie auf Knopfdruck erschien Ghaezels Gesicht vor mir. Und mit ihren Zügen die Erinnerung an einen zusammengekrümmten Körper. Wie immer war es wie ein Schlag. Ich hätte Irves etwas über Bestien erzählen können, aber ich hielt wohlweislich die Klappe.

»Nicht?«, fragte ich leise. »Niemals? Kannst du es überhaupt wissen?«

»Für einen Neuen stellst du aber ganz schön viele Fragen«, sagte er.

»Schon möglich«, erwiderte ich. »Und man kann nicht behaupten, dass ich viele Antworten bekomme.«

Er lachte zwar, aber an der Spannung in seinen Schultern konnte ich sehen, dass da noch etwas anderes war. Irgendetwas trieb ihn um und brachte ihn zum Grübeln.

»Du denkst also, Maurice ist eine Bestie?«, fragte er nachdenklich. »Und du denkst wirklich, er hält sich nicht an den Kodex?«

»Kommt auf die Definition von ›Bestie‹ an. Vielleicht haben wir alle schon mal im Blackout jemanden zur Strecke gebracht.«

Ich zuckte unwillkürlich zusammen, als er auf mich zukam. Aber er lief nur wieder zum höchsten Punkt des Daches und ging in die Hocke. Ohne zu schwanken, balancierte er mit den Fußballen auf dem Dachfirst, die Ellenbogen auf die Knie gestützt. Sein Blick war so konzentriert in die Ferne gerichtet, dass ich überzeugt war, er habe meine Gegenwart vollkommen vergessen. Für einige Momente waren wir so weit voneinander entfernt wie nie zuvor. Zwei Leute, die das Schicksal durch Zufall mit den gleichen Symptomen geschlagen hatte.

»Hast du nie etwas gehört?«, fragte ich weiter. »Du bist schon ein Jahr länger als ich in der Stadt. Ist denn nie was vorgefallen? Vielleicht war sogar Maurice dabei?«

Irves rieb die Hände, bog die Finger, ließ eines nach dem anderen die Gelenke knacken.

Das war's, dachte ich nach einer Weile. *Ende des Gesprächs*. Das große Schweigen. Wieder einmal. Ich wollte schon aufstehen und gehen, als Irves mich überraschte.

»Warte mal«, sagte er. Dann, nach einer Ewigkeit, fügte er hinzu: »Es heißt, Rubio hätte einmal einen erledigt.«

Zoës Atem hallte in ihren Ohren, als sie um die Ecke bog und dabei auf einer Spur von verstreutem Kies ausrutschte. Sie fing sich und kam mit einem Seitwärtssprung wieder ins Gleichgewicht. Irgendwo hinter ihr waren Schritte, aber sie widerstand der Versuchung, sich umzusehen. Sie konnte sich auch so denken, dass der Kerl mit der Halbglatze sich einbildete, ihr Angst machen zu können. Er glaubte doch nicht im Ernst, dass er in der Lage war, sie einzuholen? Verärgert beschleunigte sie wieder. Vor ihr lag die Straße an der Baugrube. Irgendwann im nächsten Jahr würde hier ein neuer Wohnblock stehen, im Moment war es jedoch nur eine Ansammlung von Schotterbergen hinter dem Zaun. Kies knirschte unter Zoës Sohlen, während sie am Zaun entlangrannte. Am Ende der Straße sah sie bereits die helle Fassade ihres Wohnhauses. Leon war nicht aufgewacht, stellte sie bei einem prüfenden Blick auf das oberste Stockwerk fest. Die Fenster waren dunkel. Nur noch zweihundert Meter trennten sie von ihrem Zuhause. *Endspurt!*

Irgendwo hinter ihr fiel eine Mülltonne mit einem Poltern um. Zoë zuckte leicht zusammen. *Schau genauer hin, du Idiot!*, dachte sie grimmig. Sie stellte sich vor, wie der Mann hinter ihr herrannte, krebsrot im Gesicht und nach Luft schnappend. Nach ein paar Metern warf sie einen kurzen Blick über die Schulter, aber den Kerl konnte sie nirgendwo entdecken. Vielleicht hatte sie sich nur eingebildet, dass er sie verfolgte? Und dennoch hörte sie etwas, was Schritten ähnelte – und auch wieder nicht. Als würde jemand mehr spür- als hörbar auf Socken in seltsam unregelmäßigen Sätzen rennen.

Die Folie, die über ein Gerät neben dem Zaun der Baustelle gebreitet war, raschelte plötzlich, als würde etwas sie streifen. Jetzt machte ihr Herz einen Satz. Reflexartig sprang sie vom Gehsteig und rannte mitten auf der Straße weiter. Bisher hatte sie keine Angst gehabt, jetzt aber ließ doch ein Anflug von Unbehagen sie unsicher werden. *Der Mann kann es nicht sein*, beruhigte sie sich selbst.

Jetzt hörte sie eine Art Schnaufen. Vielleicht streunte ein Hund herum? Sie erinnerte sich daran, dass einer der beiden riesigen Kampfhundmischlinge, die dem Kioskbetreiber gehörten, hin und wieder ausbüxte. Einmal hatte er sie auf der Straße angeknurrt, als sie mit Leon zum Spielplatz ging. Jetzt bekam sie es wirklich mit der

Angst zu tun. Ein so großer Hund konnte sie auf jeden Fall einholen. Und während sie noch versuchte, sich ins Gedächtnis zu rufen, was sie tun könnte, falls er sie als Beute betrachten sollte, huschte links in ihrem Augenwinkel etwas Dunkles, Längliches zwischen zwei geparkten Autos vorbei. Zoë schrie auf. Dann bestand sie nur noch aus Reflexen: Sie schlug einen Haken und sprang mit einem gewaltigen Satz über eine Absperrung am Rand der Straße. Ihre Jacke blieb an einer Absperrbake hängen. Es gab einen Ruck, der sie zum Straucheln brachte, dann polterte ein rot-weißes Brett mit Getöse zu Boden. Ohne nachzudenken, streifte Zoë die in der Bake verhakte Jacke ab. Und während sie nach einem abgebrochenen Stück Holz von der Baustelle griff, um wenigstens eine Waffe zu haben, jagte ihr ein Laut wie ein Knurren einen elektrischen Schauer über das Rückgrat. Sie spürte die eisige Nachtluft an ihrer Schulter. Und dann einen Stoß heißer Atemluft.

Kälte machte mir schon seit einer Weile nicht mehr viel aus, aber jetzt fröstelte ich. »Wen soll Rubio erledigt haben?«

Irves zuckte mit den Schultern. »Keine Ahnung. Muss vor unserer Zeit gewesen sein.«

»Und wer hat es dir erzählt?«

»Niemand. Aber unsere Penner-Kassandra redet viel, wenn sie vor der Börse ihre bekritzelten Pappschilder hochhält. Hast du schon mal zugehört, was sie vom

Stapel lässt? Wenn jemand sie ernst nehmen würde, dann wüsste er schon so ziemlich alles über uns.« Es klang verärgert.

Ich dachte an die Obdachlose mit dem wirren roten Haar. Und daran, wie sie Zoë von ihrer Bank aus hinterhergeschaut hatte. Unbehaglich streckte ich mein Bein aus, um es zu entlasten.

»Barb hat dir also gesteckt, dass unser Rubio ein Killer ist?«, fragte ich. »Und seit wann redet die alte Verrückte mit uns?«

»Tut sie nicht. Aber auf ihre eigene, durchgeknallte Art erzählt sie es allen Leuten, die auf der Straße an ihr vorbeilaufen«, antwortete Irves. »In ihren Predigten vor der Börse nennt sie ihn manchmal ›Lahmbein Schädelfresser‹ und ›Kehlenzerfetzer‹.«

»Ja, aber sie erzählt auch vom Ende der Welt«, gab ich zu bedenken. »Von der Apokalypse und von Bestien, die alle verschlingen werden. Kein Mensch nimmt das ernst.«

Irves hob die Schultern. »Aber sicher ist dir auch schon aufgefallen, dass keiner von uns Rubio zu nahe kommt? Vielleicht aus gutem Grund?«

Er lachte, als er mein Gesicht sah, und ich wusste wieder einmal nicht, ob er mich aufzog oder mir die Wahrheit sagte. Doch ich spürte sehr genau, dass sich hinter seiner lockeren, spöttischen Art eine ganz neue Art Interesse verbarg. Er wollte etwas von mir, sonst wäre er schon längst wieder weitergezogen. Manchmal war ich auch gut darin, die Frequenzen zu empfangen.

Nun war ich es, der stumm blieb und wartete. Und ich lag mit meiner Vermutung richtig.

»Warum ist dir das Mädchen eigentlich so wichtig?«, fragte er. »Was willst du beweisen, French?«

Und leider traf er damit genau meinen wunden Punkt. 1:1 für ihn.

»Ich will gar nichts beweisen. Ich will einfach, dass sie heil aus der Sache rauskommt«, murmelte ich.

Ich hätte erwartet, dass er sich nun über mich lustig machen würde, aber irgendetwas in meinem Tonfall schien ihm zu signalisieren, wie ernst ich es meinte.

»Na ja, ›heil‹ ist relativ«, meinte er. »Und jeder von uns hat mal als Läufer angefangen. Schmetterlinge sind nun mal Raupen, bevor sie aus dem Kokon kriechen. Bei den Massai müssen die jungen Männer über zehn Rinderrücken rennen, um einen Platz im Dorf zu bekommen, und einen Löwen töten, um zum Jäger zu werden. Bei uns ist es eben etwas verdrehter: Wir sind Beute, damit wir Jäger werden.«

»Und manche von uns überleben es nicht.«

Irves zuckte wieder mit den Schultern. »Du meinst den Läufer im letzten Jahr?«, meinte er nur trocken. »Unfall. Hat es nicht ganz geschafft und sprang in den Fluss. Konnte keiner ahnen, dass er nicht schwimmen konnte, oder?«

»›Hat es nicht ganz geschafft‹«, wiederholte ich mit kaum verhohlenem Sarkasmus.

Er sah mich so aufmerksam an, dass mir unbehaglich zumute wurde.

»Weißt du, manchmal würde es mich wirklich interessieren, was mit dir passiert ist«, sagte er lauernd. »Was hast du beim ersten Switch angestellt, Killer? Vielleicht Nachbars Kinder gefressen?«

Ich würde den Teufel tun und ihm antworten. Diese Schwingung spürte er sofort und hob die Hände. »Uh! Falsche Frage! Weißt du, was dein Problem ist? Du würdest am liebsten in einem Disney-Film leben. Singende Eichhörnchen, Harmonie und gute Feen. Du hast eine Scheißangst davor, das zu sein, was du nun mal bist.« Er grinste. »Dabei bist du gar nicht so harmlos – wer sich mit Shir Khan anlegt, muss lange Krallen haben. Vielleicht hättest du ihn sogar in die Flucht geschlagen? Du hättest dich viel besser wehren können, wenn du dich ganz darauf eingelassen hättest.« Seine Augen hatten diesen faszinierten Glanz bekommen, der mir unheimlich war. »Mach endlich was aus deinen Fähigkeiten. Es ist eine Gabe, kein Fluch, kapierst du das nicht?«

Für Irves war das eine lange Ansprache. Aber heute ließ ich mich nicht provozieren.

»Ich weiß ja nicht, wie dein Leben bis Punkt X verlief«, erwiderte ich frostig. »Aber ich kann dir genau sagen, wie deine Zukunft aussieht. Warte noch ein paar Jahre und du wirst nicht mehr durch die Clubs streifen. Du wirst nämlich das Interesse an der Musik verlieren. Du wirst vergessen, dich zu waschen, und verlernen, mit Leuten zu reden. Du wirst deine Wohnung aufgeben und auf Parkbänken rumlungern. Und schließlich wirst du zu einem elenden Müllfresser wie Nummer 11 mutieren und in den Tonnen hinter den Restaurants nach abgefressenen Hühnerbeinen wühlen. Oder wie Barb von Tauben und Hunden leben. Und du wirst es völlig in Ordnung finden.«

»Ich werde ganz sicher kein Hundefresser«, erwiderte Irves ruhig.

»Vielleicht hat Barb das früher auch gesagt«, ereiferte ich mich. »Und sieh dir Gizmo an – er rutscht schon ab. Es dauert nicht mehr lange, da wird auch er nur noch an den Fäden seiner Instinkte hängen. Und das Schlimmste ist: Es wird ihm ebenfalls nichts mehr ausmachen. Vielleicht nehmen die Blackouts zu, je mehr man sich darauf einlässt. Wenn du dir die Alten anschaust: Hast du nicht den Eindruck, dass sie alle mal Leute waren und heute keine mehr sind? Weißt du, ob Maurice überhaupt noch wache Augenblicke hat? Vielleicht ist man am Ende nur noch ein Tier in einer menschlichen Hülle.«

Irves lachte, was mich noch wütender machte. »Weißt du, das mag ich so an dir, French! Du bist nicht so abgestumpft wie der Rest der traurigen Gestalten. Du denkst nach und nennst die Dinge beim Namen. Nur Marionetten an den Fäden der Instinkte, ja? Spannender Gedanke, so habe ich das Ganze wirklich noch nie betrachtet. Dann wäre ein Mord an einem Müllfresser wie Nummer 11 also nicht schlimmer, als wenn man eine streunende Katze erschießt. Bestechend logisch.«

»Das habe ich nicht gemeint!«

»Gesetz des Dschungels, wie Giz sagen würde«, spann er ungerührt den Faden weiter. »Na ja, und seien wir doch mal ehrlich: Kodex hin oder her – keiner würde solche Typen wie Nummer 11 und Maurice vermissen, oder?«

»Hör auf, Irves!«

»Ist doch nur ein Gedankenspiel«, sagte er mit einem hinterhältigen Lächeln. »Du hast angefangen.« Wieder einmal waren wir bei dem Punkt angelangt, an dem es nichts mehr zu sagen gab, es sei denn, ich wollte, dass Irves mir jedes Wort im Mund umdrehte. Ein und derselbe Gedankengang führte bei uns immer in völlig unterschiedliche Richtungen. Schwarz und Weiß. Nun, immerhin hatte er mich in eine neue Richtung gebracht: Rubio.

Wie alt mochte er sein? Achtzig? Jedenfalls war er der Einzige von den Alten, der noch eine Wohnung hatte. Vielleicht hatte das ja etwas zu bedeuten. Vielleicht sollte ich den Bann, der auf ihm lag, ignorieren und mich näher heranwagen. Ich musste darüber nachdenken. Morgen. Wenn ich weniger zerschlagen sein würde.

Irves wurde wieder ernst. »Du versuchst rauszufinden, wie die ganze Sache mit uns funktioniert, nicht wahr? Du suchst das Muster.« Er sah mich an und jetzt wirkten seine Augen unruhig. »Es muss ein System geben.«

Ich nickte. »Schon möglich.«

»Und?«

»Ich bin dran, aber ich habe noch nicht viel gefunden. Wenn es einen Weg gäbe, sich zu erinnern ...« *Dann gäbe es vielleicht einen Weg, es zu stoppen.*

»Ein Switch bei vollem Bewusstsein?«, murmelte Irves fasziniert. Ich konnte sehen, dass er Feuer gefangen hatte, aber ich wusste nicht, ob es mir gefiel. »Nette Vorstellung«, sagte er leise. »Stell dir das mal vor: Alle Instinkte und Kräfte deines Schattens und dazu Bewusstsein und Intelligenz eines Menschen. Dann könnten Typen wie Maurice einpacken.«

Als er meinen Gesichtsausdruck sah, zeigte er ein zähnefletschendes Lächeln. Irves, der Clown, der den Bösewicht aus *James Bond* gab. »Mach nicht so ein Gesicht, *French*«, flüsterte er mir zu. »Man wird doch von der Weltherrschaft träumen dürfen!« Während er aufstand, warf er einen kurzen Blick auf die Uhr. »Fast drei«, meinte er und streckte sich gähnend. »Entspann dich! Von Maurice hat deine Kleine heute jedenfalls nichts mehr zu befürchten.«

Ich sah ihm zu, wie er am Dachfirst entlanglief und dachabwärts zum Vorsprung an der Dachrinne tauchte. Von dort aus sprang er über den schmalen Spalt zwischen den Häusern auf das nächste Dach und kam so federnd und mühelos auf, dass ich mir für einen Moment einbildete, auch seinen Schatten wahrzunehmen.

»Hey!«, rief ich ihm hinterher. »Du hast dir ihren Schülerausweis genau angesehen, stimmt's?«

Er verharrte halb geduckt, bereit zum nächsten Sprung, und zeigte mir wieder sein arrogantes Geistermann-Grinsen. »Zoë Valerian«, antwortete er, ohne zu zögern. »Geboren am 10. Mai 1994. Zehnte Klasse, Albert-Einstein-Schule.«

Im ersten Augenblick war Zoë sicher, aus einem ihrer Fluchtträume erwacht zu sein, in ihrem Bett liegend, den starren Blick auf die leuchtenden Zeiger des Weckers gerichtet. Aber dazu passte nicht der Wind, der an ihren Haaren riss und ihre verschwitzte Stirn kühlte. Doch sie zitterte nicht vor Kälte am ganzen Körper, sondern weil das Blut durch ihre Adern pumpte, als hätte sie eben etwas Ungeheuerliches geleistet. Der Himmel mit den dahintreibenden Wolkenfetzen erschien ihr so hell, als wäre es schon beinahe Morgen. *Himmel?*, dachte Zoë verwundert. *Wolken?* Mühsam schluckte sie und versuchte sich zu erinnern: Die Flucht, das Knurren – all das war Wirklichkeit gewesen. Und sie ... lag irgendwo draußen unter freiem Himmel. Jetzt schnappte sie erschrocken nach Luft. Ihre Hand krampfte sich zusammen, doch sie umschloss nicht mehr das Stück Holz, das sie aufgehoben hatte, sondern griff ins Leere und ballte sich zur Faust. Ihre Fingerknöchel strichen über eine kalte Metallfläche. Ihr Körper schien sich krampfhaft an etwas erinnern zu wollen, die Muskeln wussten, dass sie gelaufen war, eine Prellung am Ellenbogen erzählte, dass sie gestürzt sein musste, außerdem hatte sie ein kaltes, taubes Gefühl am Unterschenkel. Aber in ihrem Gedächtnis war nur unbarmherziges, wolkiges Grau.

Offenbar hatte sie den Hund abgeschüttelt. Vielleicht war sie dabei ausgerutscht, gestürzt und kurz ohnmächtig geworden? Gehirnerschütterung? Das würde den Blackout erklären, unter dem sie ganz offensichtlich litt. *Ruhig bleiben,* befahl sie sich. *Alles halb so schlimm, ich bin bei Bewusstsein.* Kein Kopfschmerz, keine Übelkeit, kein Schwindel. Und Arme und Beine spürte sie ebenfalls. *Hoffentlich bin ich nicht in eine Baugrube gefallen.* Aber da waren keine Wände, die neben ihr aufragten, und auch keine Häuser. Nur ein Kran. Beziehungsweise der oberste Teil eines Krans, erschreckend groß und so nah, dass sie sogar den *Greenpeace*-Aufkleber an der Scheibe der Kranführerkabine erkennen konnte. Sie brauchte weitere fünf Sekunden, um wirklich zu begreifen, dass sie *auf einer Höhe* mit der Kabine war. Ihre Gelenke knackten, als sie sich herumwälzte, sich auf ihren zitternden Armen mühsam in eine sitzende Position hochstemmte und sich umsah.

Der Schwindel erfasste sie so jäh, dass sie sich unwillkürlich duckte und nach Luft japsend auf allen vieren verharrte. Alles Blut schien innerhalb von einer Sekunde aus ihrem Kopf zu fließen. Sie befand sich auf dem Flachdach des Hauses! Über dem sechsten Stock!

Ein Windstoß drückte gegen ihre Seite und ließ sie vor Schreck aufschreien. Für einen Moment war sie überzeugt, dass der Wind sie zum Abgrund schieben würde, unaufhaltsam, bis sie die Kontrolle verlieren und stürzen würde. Keuchend rutschte sie auf allen vieren zurück. Mit einem metallischen Schaben rutschten die Schlüssel an ihrem Handgelenk über das verzinkte Dachblech. Endlich stießen ihre Sohlen gegen die erhöhte Klappe in der Mitte des Dachs. Bei dieser Gelegenheit stellte sie fest, dass sie keine Schuhe mehr trug. Und als sie einen irritierten Blick über die Schulter warf, entdeckte sie, dass der Hund das linke Hosenbein erwischt hatte. Zwei lange Risse zogen sich vom Knie bis zum verdreckten Hosensaum. Zitternd klammerte sie sich an den Riegel der Klappe. Er war zugeschnappt, sie musste sich mit ihrem ganzen Gewicht dagegenlehnen, um ihn wieder aufzuhebeln. Verklebte Gummidichtungen lösten sich mit einem schmatzenden Ratschen.

Die Panik ließ schlagartig nach, sobald der muffige Geruch des Treppenhauses ihr in die Nase drang. Zittrig tastete sie mit dem Fuß nach der obersten Holztreppe. Während sie Zentimeter für Zentimeter in die Sicherheit des Hauses zurückglitt, versuchte sie fieberhaft, die vergangene halbe Stunde (Oder eine ganze Stunde? Oder zwei?) zu rekonstruieren. Keine Chance. Sie musste tatsächlich gestürzt sein und dadurch einen kurzzeitigen Gedächtnisverlust erlitten haben. Leichte Gehirnerschütterung ohne die typischen Symptome? Unten an der Treppe angekommen, tastete sie ihren Kopf ab und zuckte zusammen, als sie eine schmerzhafte Schwellung am Hinterkopf fand. Sie war also hingefallen und hatte sich wieder aufgerappelt. Dann war sie offenbar die Treppen hochgehetzt, bis zur Dachtreppe und dann aufs Dach. Sonst – sie schauderte bei der bloßen Vorstellung – müsste sie an der Außenseite des Gebäudes über die verrostete Feuerleiter hinaufgeklettert sein. Und das war ganz und gar unmöglich.

Rasch schloss sie die Klappe über sich und schlich

hinunter bis zu ihrer Wohnungstür. Sie war immer noch angelehnt. Sie huschte ins Bad und entledigte sich der zerrissenen Hose. Hastig knüllte sie sie zusammen und stopfte sie ganz unten in die Schmutzwäsche. Ihr Blick fiel auf ihre Hand. Getrocknete bräunliche Flüssigkeit klebte am Daumenballen und unter den Fingernägeln. Mit einem schnellen Blick vergewisserte sie sich noch einmal, dass sie nicht blutete. Nein, das hier musste noch von dem rohen Gulasch stammen. *Und wenn nicht, dann hoffentlich von dem verdammten Köter!*, dachte sie grimmig.

Angewidert griff sie nach der Seife und der Nagelbürste und begann die Haut und die Nägel unter heißem Wasser sauber zu schrubben. Sie war so verbissen und wütend bei der Sache, dass sie die Gestalt in der Tür erst bei einem flüchtigen Seitenblick bemerkte. Erschrocken prallte sie zurück. Die Nagelbürste landete mit einem Klappern im Spülbecken.

»Himmel, Löwchen, hast du mich erschreckt!«, stieß Zoë hervor. »Was ist?«

Wie ein kleiner Geist mit verschlafenen Augen stand Leon in der Tür. »Durst«, murmelte er.

Zoë schnappte immer noch nach Luft. »Geh ins Bett, ich bringe dir was.«

Doch Leon starrte sie immer noch mit gerunzelter Stirn an. »Der Räuber war da«, sagte er leise. »Er hat durchs Fenster geguckt.«

Zoë seufzte und ging in die Hocke, damit sie ihm in die Augen sehen konnte. Dabei fiel ihr Blick auf die

Uhr im Flur. Jetzt wurde ihr noch einmal heiß vor Schreck. Halb vier schon? *War ich so lange auf dem Dach?*

So ruhig wie nur möglich sagte sie: »Das hast du geträumt, Löwe.«

Voller Ernst schüttelte er langsam den Kopf. Jetzt erst bemerkte sie, dass er blass war und verweinte Augen hatte. »Du warst weg«, sagte er dann.

Zoë schluckte. Das schlechte Gewissen drückte wie eine Zementplatte auf ihre Brust. *Bravo*, dachte sie. *Du rennst raus wie eine Bekloppte, bringst dich in Gefahr und lässt auch noch den Kleinen im Stich.*

Von ihren nassen Händen tropften Wasser und schmutziger Seifenschaum. Seltsamerweise war sie in diesem Moment nicht nur auf sich selbst wütend, sondern vor allem auf David und Ellen. Wegen dieser Geschichte flippte sie völlig aus. *Es reicht*, dachte sie. *Es ist vorbei. Schluss damit, endgültig!*

»Ich war nur kurz draußen und habe den blöden Räuber verjagt«, sagte sie beruhigend. »Der wird sich nie, nie wieder auch nur in unsere Nähe wagen.«

Und das Verrückteste an dieser Nacht war, dass es sich seltsamerweise nicht nach einer Lüge anhörte.

Streifgebiete

Rubio sollte also einen erledigt haben. Wann? Wie lange saß er schon im Rollstuhl? Oder hatte das eine mit dem anderen nichts zu tun? Die Frau an der Kasse der Tankstelle um die Ecke hatte mir zumindest sagen können, dass sie schon seit acht Jahren dort arbeitete und Rubio au ch so lange schon vom Sehen kannte. »Komischer alter Mann«, sagte sie. »Schaut sich den ganzen Tag die U-Bahn-Haltestelle an. Als gäbe es da irgendwas zu sehen.«

Sie hatte Recht. Es gab nichts zu sehen. Noch nicht mal Nummer 11 streifte auf der Suche nach Essbarem hier herum, obwohl es genug Restaurants gab und das Gebiet neutrale Zone war. An diesem Sonntagmorgen führten nur ein paar wirklich alte Rentner ihre nach Hundejahren noch älteren Kläffer aus. Einige der Tiere wurden nervös, sobald sie mich witterten, zogen den Schwanz ein und stemmten sich winselnd gegen die Leine. Gizmo machte sich bei solchen Gelegenheiten gern einen Spaß daraus, wie zufällig direkt auf sie zuzugehen und sie damit in Panik zu versetzen.

Es nieselte, aber die Kühle tat meinem Gesicht gut. Und es störte mich auch nicht, dass meine uralte Jeansjacke nass wurde. Ich lehnte einfach am Gatter der U-Bahn-

Haltestelle neben dem Schild und starrte zu Rubios Fenster im zweiten Stock hoch. Gizmo hatte mir erzählt, dass Rubio manchmal aus seinem Loch kam, zur Tankstelle um die Ecke rollte und sich ein Sixpack Bier holte. Mit den Dosen auf dem Schoß kehrte er dann in seine Wohnung zurück, und wenn er dabei einen von uns traf, fuhr er an ihm vorbei, als wäre derjenige Luft – oder als würde er uns gar nicht mehr erkennen. Gizmo hielt Rubio für senil. Vielleicht war das ein Ansatz? Musste man den Schatten vergessen, um ihn loszuwerden? Oder hatte Rubio nur den einen Käfig mit dem anderen vertauscht – das Vergessen durch seinen Schatten gegen das Vergessen der Demenz?

Heute erschien Rubio nicht am Fenster. Die Vorhänge waren zugezogen. Aber hinter den Vorhängen erahnte ich Bewegungen. Wenn ich genau hinhörte, glaubte ich hinter dem Fensterglas ein Schleifen zu hören, so als würde jemand in der Wohnung Möbel verrücken. Nach einer Weile wurde es so ruhig, dass ich nervös wurde.

Der Platz vor dem Haus war leer, nur eine Frau kam aus der Richtung von Rubios Wohnhaus auf mich zu, ohne mich zu beachten. Sie war sicher noch keine vierzig. Aber auf eine erschöpfte Art wirkte sie älter. Sie trug einen unförmigen, blaugrauen Wollmantel, der zur Farbe ihrer Augen passte, hatte blondes, hochgestecktes Haar und weiche Gesichtszüge. Ihr Gesicht war das eines Mädchens, das nach einem Dornröschenschlaf im Körper einer müden, erwachsenen Frau aufgewacht ist und sich damit abgefunden hat, ohne es zu verstehen.

Ich weiß nicht warum, aber sie war mir nicht besonders sympathisch. Ich blickte ihr nach, als sie an mir vorbeiging. Doch ihr Ziel war nicht die U-Bahn, sondern ein heruntergekommenes Café auf der anderen Straßenseite. Sie holte sich eine zerlesene Zeitschrift vom Tresen und setzte sich an einen Tisch am Fenster. Dann blickte sie auf die Uhr, aber nicht hastig, als wäre sie in Eile, sondern eher müde, als müsste sie überlegen, wie sie noch etwas Zeit vertrödeln könnte.

Als ich mich wieder dem Haus zuwandte, entdeckte ich Rubio hinter dem spiegelnden Glas. Sein hageres Gesicht, die buschigen Brauen und das schüttere, zerzauste Haar, auf dem immerhin noch ein sandbrauner Farbhauch lag. Wie immer trug er auch heute ein weißes Hemd. Noch eine Hornbrille dazu und er hätte in jedem Film die Rolle des verrückten Professors spielen können.

Sein Blick schweifte über den Platz und sparte mich dabei auf diese typisch absichtlich-unabsichtliche Art aus. Ich wunderte mich, wie viel Mut es mich immer noch kostete, auf einen von uns zuzugehen. Nun, in rund neunzig Prozent der Fälle war es ja auch schiefgegangen. Und Rubio war zwar alt und lahm, aber man konnte nie wissen.

Während ich mich humpelnd in Bewegung setzte, versuchte ich mir vorzustellen, dass die gebrechliche Gestalt da oben wirklich jemanden umgebracht hatte. Mit einem kribbelnden Unbehagen überschritt ich die unsichtbare Grenze zur Tabuzone seines Lebensraums.

Die Eingangstür erinnerte an das Tor zu einem Hochsicherheitstrakt. Weiß gestrichenes Metall, doppeltes Sicherheitsschloss. Daneben Klingelschildchen, ebenfalls aus Metall. Vielleicht reichte die Gegensprechanlage fürs Erste, um die weiße Fahne zu schwenken.

In den nächsten Minuten drückte ich mindestens zehn Mal auf den noch völlig neu aussehenden Knopf neben dem Schild »G. Rubio«. Ich konnte das Schrillen im Haus hören. Wie hielt er das nur aus? Vielleicht war er taub. Die Sprechanlage blieb jedenfalls stumm. Aber als ich das elfte Mal klingelte, brach das Schrillen abrupt ab, obwohl mein Finger noch auf den Knopf drückte. Offenbar hörte Rubio also doch noch gut genug und hatte einfach die Klingel abgeschaltet. »Na dann, alter Mann«, murmelte ich und zog den Zettel hervor, den ich heute Morgen geschrieben hatte. Ein paar Fragen, meine Handynummer und meine Mailadresse. Ich warf ihn in den Briefkasten und ging. Als ich den Lindenplatz überquerte, blickte ich noch einmal zurück. Rubio saß wieder am Fenster. Und er hatte tatsächlich eine altmodisch wirkende, klobige Kamera vor der Nase. Das Objektiv war direkt auf mich gerichtet. Sein Zeigefinger bewegte sich, als er das Foto schoss. Dann fiel der Vorhang wieder zurück.

Die meisten Internetcafés in der Stadt verlangten einen Ausweis. Das am Hauptbahnhof war eine Ausnahme, außerdem hatte es fast rund um die Uhr geöffnet. Das aufdringliche Blau und die nach Plastik stinkenden Stühle waren zwar kaum zu ertragen, aber wenigstens konnte ich gut abgeschirmt in meiner Ecke sitzen. Und der Drucker funktionierte meistens. Hier war eigentlich das Gebiet von Nummer 3, aber um diese Zeit befand er sich auf dem Campus und starrte in ein Physikbuch von 1969, während er in Wirklichkeit auf Tauben lauerte.

Ich holte meine Notizen heraus und legte sie neben die Tastatur. Die Bleistiftskizze war nicht sensationell, aber ich fand, ich hatte das hagere Gesicht gut getroffen. »G. Rubio« gab ich in die Suchmaschine ein. Wie ich vermutet hatte: Falls er ein erwähnenswertes Leben gehabt hatte, dann war es wohl vor der Zeit des Internets gewesen. Wenn Rubio überhaupt sein richtiger Name war.

»Zoë Valerian« brachte mehr Treffer. Sie hatte einen Streitschlichterkurs an ihrer Schule absolviert. Da stand sogar eine Kontakt-Mailadresse. Außerdem gehörte sie zur Sportmannschaft ihrer Schule. Ein Bild zeigte sie inmitten einer Volleyballmannschaft nach einem Sieg gegen eine andere Schule. Ich war nicht darauf vorbereitet gewesen, Zoë lachend zu sehen. Ich wählte einen Ausschnitt und vergrößerte das Bild, bis ihr grob gepixeltes Gesicht den halben Bildschirm ausfüllte. Zum ersten Mal bemerkte ich, dass sie graue Augen hatte. Ich klickte auf »Drucken«. Im Hintergrund lief nervtötend laut der Fernseher. Die Stimme der Nachrichtensprecherin mit dem S-Fehler übersteuerte leicht.

Genervt holte ich die Silikonstöpsel aus der Jacke und schob sie mir in die Ohren. Dann suchte ich weiter nach dem, was Irves »das System« nannte.

Suchbegriffe: »Revierverhalten – Katzen«.
7760 Treffer und nicht viel Neues.
Klick.

Als Revier bezeichnet man ein Gebiet, in dem die Anwesenheit seines Bewohners die Anwesenheit von gleichgeschlechtlichen Artgenossen oder von artgleichen Konkurrenten ausschließt.

Klick.

Katzen unterscheiden zwischen dem Heimgebiet und dem Streifgebiet. Manchmal wird auch von verschiedenen »Funktionszonen« gesprochen (Jagd-, Ruhezone etc.).

Klick.

Auf engem Raum, zum Beispiel in Städten, können sich die Reviere mehrerer Katzen überlappen. Diese Territorien werden von benachbarten Katzen gemeinsam, aber nicht gleichzeitig benutzt.

Klick.

Für das unsichtbare Wegenetz existiert ein Wegerecht, das von verschiedenen Katzen zu bestimmten Tageszeiten genutzt werden darf. Hierbei folgen die Katzen einem genauen Zeitplan, um Streit zu vermeiden.

Streit vermeiden. Klar. So weit die Theorie. Wahrscheinlich war es einfach nur Masochismus, aber ich atmete durch und gab »Amurtiger« ein.

Sibirischer Tiger. Gehört zur Gattung der Panthera (Großkatzen). Bis zu 300 Kilogramm schwer, 1,15 Meter hoch und bis zu 3 Meter lang. Größte Wildkatze der Welt.

Klick.

Einzelgänger.

Klick.

Beute: Hirsche und Wildschweine, kleinere Säuger und Vögel. Jagdverhalten: Anschleichen und Anspringen. Größere Tiere werden oft durch einen Biss in die Kniesehne zu Fall gebracht. Tötung durch Kehl- oder Nackenbiss.

Bei den letzten Sätzen schnellte mein Puls wieder in die Höhe. Rasch klickte ich die Seite weg und loggte mich bei meinem Mailprovider ein in der vagen Hoffnung, dass Rubio vielleicht schon reagiert hatte. Dabei wusste ich nicht mal, ob er Internet in der Wohnung hatte. Und wenn doch – warum sollte er mir antworten? Natürlich war das Postfach leer. Auch keine Nachricht von Ghaezel. Kurz entschlossen rief ich »Verfassen« auf, gab Zoës Mailadresse ein und setzte in den Betreff »Warnung«. Dann begann ich zu tippen. Keine Ahnung, wie sie darauf reagieren würde, aber je schneller sie die Warnung erhielt, desto besser. Selbstverständlich unterschrieb ich nicht, wozu auch? Es reichte, wenn sie wusste, dass sie außerhalb von Maurice' Reichweite bleiben musste. Das Blöde war, dass ich nun selbst wieder nervös wurde. Ich sah auf die Uhr am Monitor (8.50 Uhr), dann loggte ich mich aus, raffte meine Ausdrucke zusammen und ging.

Ganz bestimmt würde ich nicht bei Zoë klingeln und sie mit meinem Matschgesicht erschrecken. Ich hoffte einfach, sie vielleicht von Weitem zu sehen und mich so zu vergewissern, dass es ihr gut ging. Obwohl Maurice tagsüber hier nicht auftauchte, mied ich den Weg, der am Planetarium vorbeiführte, und machte einen Umweg. Wieder einmal ärgerte ich mich, dass ich meinen Stadtplan nicht mitgenommen hatte, aber soweit ich mich erinnerte, musste ich an den Sportplätzen vorbei. Die gehörten zwar gerade noch zu Barbs Zone, aber wenn ich Gizmos Auskunft glauben durfte, duldete sie andere, solange sie das Gebiet zügig durchquerten und die Finger von den Mülleimern ließen. Na ja, zumindest Letzteres bedeutete keine wirkliche Überwindung.

Trotz der Ohrstöpsel hörte ich den Lärm. Fünfzig Stimmen, vielleicht mehr. Je näher ich dem eingezäunten Sportplatz kam, desto deutlicher wurden die Wellen: Adrenalin, Aggression, die surrenden Schwingungen technischer Geräte. Viel Technik. Als ich auf der einen Seite den Stöpsel rausnahm, überrollte mich schon die Lawine: das Klicken von Digicams und das schnalzende Geräusch der Fotohandy-Auslöser. Das Geräusch von Regenmänteln und aufgespannten Regenschirmen, die aneinanderschabten. Sprechfunk. Ein Spiel so früh am Sonntagvormittag? Ich zögerte und wollte gerade wieder umkehren und doch einen anderen Weg suchen, als mich mit einem Windstoß ein ganzer Fächerschlag weiterer Informationen erreichte: regennasse Kleidung und feuchtes Haar, aber lange nicht so viel Schweiß, wie es bei einem Spiel der Fall gewesen wäre. Ich zog den Reißverschluss meiner Jacke bis zum Kinn hoch, damit die Papierausdrucke darunter vor dem stärker werdenden Regen geschützt waren, holte auch noch den anderen Silikonstöpsel aus dem Ohr und bog dann um die Ecke.

Das Erste, was mir auffiel, war der Stau auf der Hochstraße, die sich wie eine geschwungene Tribüne ein Stück über dem Rand des Sportplatzes erhob. Leute fotografierten aus den Autofenstern. In den Gesichtern spiegelte sich die stumpfe Faszination, die manchmal in den Mienen der Gaffer an Unfallschauplätzen zu sehen ist.

Jetzt hatte ich plötzlich Herzrasen. Ich reckte den Hals und spähte durch die Lücken zwischen den Köpfen zum Basketballplatz. Hinter den Regenschirmen konnte ich nicht viel erkennen. Irgendwo am Rand tauchte jemand mit rotem Haar in die Menge ab und verschwand. Vermutlich Barb, die sich vom Acker machte. Einen Augenblick überlegte ich, ob ich ihr folgen sollte, aber sie würde ohnehin kein Wort mit mir reden. Also versuchte ich mir selbst ein Bild zu machen. Ich sah ein leuchtend orangefarbenes Stück Tartanbahn, außerdem die gestreiften Absperrbänder der Polizei, die im Wind schaukelten. Ein Unfall? Oder Schlimmeres? Im Hintergrund liefen einige Polizisten herum, sicherten Spuren.

Vorsichtig schob ich mich an ein paar Gaffern vorbei. Mein Gesicht musste einige erschrecken, vielleicht nahmen sie auch mein Anderssein wahr. Mir war es nur recht, dass sie Platz machten. Links neben dem Zaun, ein ganzes Stück hinter einem abgesperrten Terrain, parkte der Übertragungswagen eines Fernsehsenders. Ein Kameramann, dem das Wasser in den Kragen lief, hielt tapfer die plastikgeschützte Kamera. Doch der Reporter stand ungünstig. Durch den Geräuschteppich der Leute und den Wind, der die Worte in die andere Richtung trug, schnappte ich nur einzelne Sätze auf.

»Heute Morgen um sieben Uhr ... aufgefunden ... Hinweise an die Polizei ...«

»Scheiß-Gangs«, brummte ein massiger Mann, der mir die Sicht versperrte.

»Quatsch, ist bestimmt nur von der Brücke da oben gesprungen«, antwortete ein anderer mit einem kantigen kahlen Schädel.

»He, was ist da passiert?«, rief ich den beiden zu. »Wen hat es erwischt?«

Die beiden drehten sich abrupt nach mir um und glotzten mich an.

»Offenbar dich«, knurrte Quadratschädel. »Was hast du denn gemacht? 'ne Gruppe von Iren beleidigt?«

Er erntete ein paar Lacher von den Umstehenden, doch meine Frage beantwortete er nicht. Dann drehte plötzlich der Wind.

Und ich wusste es auch so.

Meine Nasenflügel blähten sich und ich konnte nicht anders als einzuatmen und zu wittern. Es war wie ein Reflex. Ich hasste es und konnte doch nichts dagegen tun. Im Bruchteil einer Sekunde rutschte ich gefährlich nah an die Grenze zur anderen Seite. Meine Wahrnehmung veränderte sich. Das Orange der Tartanbahn, ein purpurroter Regenschirm und ein schreiend karminroter Lippenstiftmund – all das verblasste zu einem Grauschleier. Ich stand da wie ein Idiot und spürte dem Blutgeruch nach, der einen Teil meines Verstandes auszuknipsen drohte. Erst als Quadratschädel an mich herantrat, holte eine Wolke von stechendem Aftershave mich in die Welt der Farben zurück.

Der Kerl starrte mir misstrauisch in die Augen.

»Junge, ich geb dir 'nen guten Rat«, raunte er mir dann mit aufdringlicher Vertraulichkeit zu. »Du solltest wirklich besser die Finger von den Drogen lassen.«

»Wer ist tot?« Ich brachte es gerade so heraus, ohne ihn anzuschreien. »Ist es … ein Mädchen?«

Quadratschädel runzelte die Stirn, dann schüttelte er zu meiner unendlichen Erleichterung den Kopf. »Nee, irgendein Opa. Oder vielleicht auch 'ne alte Frau. Muss noch identifiziert werden. Die Polizei rückt nichts raus.«

Ich blickte hoch zur Brücke. Unwahrscheinlich, dass jemand von dort oben gesprungen war. Ich hatte getrocknetes Blut gewittert, also musste es sich irgendwo befinden, wo der Regen nicht hinkam. Von der Tartanbahn hätte der Regen es längst abgewaschen, also befand es sich unter dem überdachten Stück am Rand. Dann hätte der Mann beim Absturz wie Superman eine Kurve fliegen müssen.

Wollte er unters Dach flüchten?, überlegte ich. Hat sich der Fluchtweg dann als Sackgasse und damit als Falle entpuppt?

Eine Bewegung ließ mich innehalten. Goldbraune Augen und ockerschwarzes Fell. Polizeihunde! Nicht gut. Im Gegensatz zu den Rentnertölen waren die Schäferhunde Kummer gewöhnt und ließen sich nicht so einfach einschüchtern. Gleich würde es ein Riesentheater geben. Als der Hund nun auch prompt so aggressiv in meine Richtung bellte, dass die ganze Gafferfront einen erschrockenen Schritt zurücktrat, machte ich, dass ich wegkam.

Was auch immer sie in der vorigen Nacht erlebt hatte, von einer Gehirnerschütterung war sie weit entfernt. Bis auf einen leichten Muskelkater in Rücken und Schultern und die Beule am Kopf spürte sie nichts. Keine Kopfschmerzen. Keine Übelkeit. Nicht einmal besonders müde war sie. Wenn sie ehrlich war, hatte sie sich schon lange nicht mehr so hellwach gefühlt.

Und dennoch war es ein unwirkliches Gefühl, am Sonntagvormittag mit ihrer Mutter auf dem Wohnzimmersofa zu sitzen, beide einander wie Spiegelbilder zugewandt, mit hochgezogenen Beinen und der Teetasse in der Hand, während der Fernseher ohne Ton vor sich hin flimmerte. Es war ein Ritual aus ferner Zeit. Ein Stück aus Zoës früherem Leben, in dem es noch keinen kleinen Bruder gegeben hatte. So unfair der

Gedanke gegenüber Leon auch war: In Augenblicken wie diesen merkte Zoë, wie sehr sie es vermisste, ihre Mutter ganz für sich zu haben.

»Hat der Kleine sich benommen?«, fragte ihre Mutter und gähnte. Sie hatte noch nasse Haare vom Duschen und trug ihren blauen Bademantel, bereit, sich die Nachtschicht aus den Knochen zu schlafen.

»Ja, heute war er ein braves Monster«, antwortete Zoë. Die nicht ausgesprochene Frage nach der neuen Freundin von Leons Vater lag in der Luft, doch ihre Mutter stellte sie nicht und Zoë hütete sich, etwas über Andrea zu sagen. Ihre Mutter wäre sicher nicht begeistert gewesen zu hören, dass Andrea wirklich nett war – und dass Leon sie zur Begrüßung umarmt hatte.

Zoë drehte die Tasse in den Händen und starrte auf den roten Spiegel des Früchtetees. Immer noch kämpfte sie mit sich, ob sie ihrer Mutter nicht doch erzählen sollte, was heute Nacht passiert war. Aber wie anfangen? *Filmriss – über eine Stunde, Mama. Erste Zeichen von Wahnsinn.*

»Und bei dir?«, fragte sie stattdessen. »Wie war es denn bei Dr. Rubio?«

Ihre Mutter seufzte. »Das Übliche. Er hortet immer noch Vorräte – Hunderte von Konserven. Und ich meine wirklich: Hunderte! Ich musste fünf Kisten wegschleifen, damit das Bett vor das Fenster passte. Und den alten Monitor durfte ich auf den Dachboden schleppen.« Nachdenklich schwenkte sie den Tee in ihrer Tasse. »Ich mag ihn gern, aber manchmal erinnert er mich an die

Sorte von Leuten, die glaubt, dass sich unter der Bäckerei um die Ecke geheime Labore befinden. Seit Neuestem hat er eine Kamera auf dem Fensterbrett liegen – immer griffbereit. Mir will er weismachen, er habe einfach ein altes Hobby wiederentdeckt. Dabei geht er ohnehin nie raus, um Fotos zu machen. Ich denke eher, es gibt ihm das Gefühl, Kontrolle über seine Umgebung zu haben. Irgendwie traurig, was?«

Kontrolle, dachte Zoë. *Das klingt gar nicht traurig. Ehrlich gesagt klingt es toll.*

Sie ertappte sich dabei, wie sie mit den Fingern auf ihrer Tasse herumtrommelte. Ihre innere Unruhe war nicht abgeklungen.

»Fängt es so an, wenn man ... verrückt wird?«, fragte sie.

Ihre Mutter zog die Brauen hoch. »Ich bin kein Arzt und verrückt ist wahrscheinlich zu viel gesagt. Na ja, Dr. Rubio ist furchtbar jähzornig und lässt inzwischen nicht einmal mehr den Postboten ins Haus. Manchmal führt er Selbstgespräche. Und er sitzt nächtelang wie besessen entweder am Fenster oder vor dem Computer. Ich frage mich, ob er überhaupt jemals schläft.« Sie seufzte. »Na ja, aber wenn man es so betrachtet: Könnte wirklich so wie bei einer Psychose sein. Man sieht Bedrohungen und Zusammenhänge, wo keine sind. Manche bekommen sogar einen richtigen Verfolgungswahn. Vielleicht sollte ich mal genauer darauf achten, wenn ich das nächste Mal bei ihm bin.«

Psychose. Eine lange Pause entstand. Das wäre Zoës

Einsatz gewesen. Doch der Zeitpunkt verstrich. Ihre Mutter gähnte wieder und lehnte den Kopf ans Sofa. »Ach, genug von diesen Geschichten«, meinte sie und lächelte. »Die Arbeit auf der Station kommt mir schon zu den Ohren raus. Ich sehe schon überall Kranke. Dabei habe ich heute noch gar nicht gefragt, wie es meiner Großen geht. Du bist ein bisschen blass um die Nase, Süße.« Sie streckte ihre Hand aus und strich Zoë zärtlich eine Strähne hinter das Ohr. »Rabenhaar«, murmelte sie verträumt. »Als er jung war, hatte dein Vater auch solches Haar. Und er trug es lang, fast bis zur Hüfte. Allerdings war er schon damals eher herb als schön. Und wenn ich dich so anschaue, denke ich: Meine Güte, wie komme ich nur zu so einer wunderhübschen, dunklen Tochter?«

Es waren diese Momente, in denen Zoë ihrer Mutter so viel verzieh.

»Denkst du noch viel an ihn?«, wollte ihre Mutter wissen. »An den Jungen, meine ich?«

»Ab und zu«, sagte Zoë und nahm hastig einen Schluck Tee. Vielleicht sollte sie ihr von dem Wutausbruch auf dem Sportplatz erzählen. Doch bei ihrer Mutter war so etwas schwierig. Wort für Wort musste sie prüfen, ob ihre Mutter das Gewicht ihrer Sorgen aushielt. Zoë legte sich die Worte sorgfältig zurecht. Sie wollte gerade beginnen, als ihre Mutter auf die Uhr sah.

»Oh, wieder so spät!«, rief sie und griff zur Fernbedienung. »Bleiben noch die Nachrichten, um wenigstens ein bisschen was vom Leben mitzukriegen. Und dann ein paar Stunden Schlaf, mir fallen ja jetzt schon die Augen zu. Gegen neun muss ich wieder los. Ich kann dir sagen, ich mache drei Kreuze, wenn ich mal wieder eine Nacht durchschlafen kann. Bist du so nett und holst mir noch einen Orangensaft aus der Küche?«

Zoë blieb sitzen, während ihre Mutter den Fernseher laut stellte.

»Mama, ich ...«

»Oh, und wenn du nachher rausgehst, könntest du den Müll mit runternehmen.«

Ihre Mutter starrte auf den Fernseher, vollkommen auf das Geschehen konzentriert.

»Hörst du mir eigentlich nie zu?«, platzte Zoë heraus. »Immer wenn ich etwas sagen will, ist etwas anderes wichtiger.«

Fast hoffte sie, dass ihre Mutter wütend reagieren würde, dass sie sich anschreien und richtig streiten würden. Aber ihre Mutter sah nur überrumpelt und enttäuscht aus.

»Sei nicht ungerecht, Liebes. Ich höre den ganzen Tag zu«, sagte sie sanft. »Jeder Patient lädt seinen Kummer bei mir ab, vielleicht sind mir deshalb die Nachtschichten lieber. Im Moment habe ich das Gefühl, mein Kopf platzt. Und heute Nacht mussten wir einen Patienten dreimal umlagern und sein Bett neu beziehen. Der wog bestimmt hundert Kilo! Mein Rücken ist so verspannt, dass ich mich kaum von der Stelle rühren kann.«

Arme Märtyrerin, dachte Zoë erbost. Verärgert schoss sie hoch und ging in die Küche. Heute roch der Kühlschrank nur nach Plastik und Kälte. Ein Stück Normalität. Vielleicht – hoffentlich! – war es vorbei.

Im Wohnzimmer stellte ihre Mutter den Ton des Fernsehers noch lauter, doch Zoë hörte nicht zu. Sie stützte sich am Kühlschrank auf, schloss die Augen und ließ den Kopf hängen, bis ihre Nackenmuskeln sich erst spannten und dann langsam nachgaben. Die Dehnung tat gut.

In Gedanken zählte sie die Stunden. Noch elf Stunden und vierzehn Minuten bis zu dem Treffen in der *Buddha Lounge*. Elf Stunden bis zur Musik, zum Eintauchen in die weiße Zeit. Sie stutzte, als sie bemerkte, dass sie zum ersten Mal seit drei Wochen wieder in die Zukunft rechnete, statt nur die vergangene Zeit abzuzählen. Vielleicht war sie wirklich über den Berg. Im Augenblick machte ihr nicht einmal der Gedanke an David etwas aus. Und sie sollte Paula endlich anrufen.

»Zoë!«

Sie schreckte hoch und fuhr herum. Ihre Mutter stand totenblass in der Tür.

»Hast du das eben gehört?«, fragte sie atemlos. »In den Nachrichten. Jemand ist ermordet worden – auf eurem Sportplatz!«

Es war wie verhext. Ich erreichte Gizmo nicht und auch bei Irves war nur die Mailbox dran. Gut, Irves war tagsüber beinahe nie wach. Er hasste die Sonne, was ich bei seiner lichtempfindlichen Albinohaut absolut verstehen konnte. Aber Gizmo war um diese Zeit eigentlich immer ansprechbar. Entnervt sprach ich noch ein viertes Mal auf seine Mailbox, dann tippte ich die Nachricht zur Sicherheit auch noch einmal als SMS ein: *Todesfall in Barbs Revier. Brauche Infos. Alle Nachrichten aufnehmen!!!*

Dann war die Karte fast leer und auch der Akku – offenbar nicht mehr der jüngste – war kurz vor dem Aufgeben, das Handy piepste schon. Sicherheitshalber schaltete ich es aus, um noch etwas Saft zu sparen, und warf wieder einen Blick zum Haus hinüber.

Bisher war mir nicht bewusst gewesen, wie nervös ich gewesen war. Klar wurde es mir in dem Moment, als ich Zoë völlig unversehrt vor die Tür treten und mit einem vollen Müllbeutel zu den Tonnen gehen sah. Und mir sofort mindestens ein Zentner Gewicht von der Seele rutschte.

Zoë ließ den Deckel der Mülltonne zufallen und trat wieder zur Tür. Hier holte sie hastig das Handy hervor

»Na endlich!«, rief Paula am anderen Ende der Leitung. »Wenn du dich heute nicht gemeldet hättest, hätte ich eine Vermisstenanzeige aufgegeben.«

Irgendwie tat es doch gut, dass Paula sich so viele Sorgen um sie machte.

»Tut mir leid«, sagte Zoë zerknirscht. »War etwas ... hektisch die letzten Tage.«

»Das kann man wohl sagen«, erwiderte Paula ironisch. »Und? Hast du dich von deinem Anfall erholt? Was war nur los mit dir? Du bist ja vollkommen ausgerastet! Frau Thalis ist wirklich sauer auf dich.«

»Ich weiß. War alles ... nicht so toll.« Und bevor sie sich beherrschen konnte, rutschte ihr schon die Frage heraus: »Ist Ellen in Ordnung?«

»Ein bisschen Nasenbluten und ein blauer Fleck im Gesicht. Ansonsten hat sie es überlebt. Aber sie war stinksauer. Und kaum war sie wieder auf den Beinen, haben sie und David sich gestritten. Ich glaube, da hast du eine Krise ausgelöst. Die kommt sicher nicht wieder mit zu den Spielen.«

Zoë schluckte. Das war fast schon mehr, als sie an Infos verkraften konnte.

»Hast du heute die Nachrichten gesehen?«, fragte sie.

»Nein, warum?«

»Bei uns in der Nähe wurde jemand ermordet. Auf dem Sportplatz.«

»Was?«, rief Paula so laut, dass Zoë den Hörer vom Ohr weghalten musste. »Wann war das? Was ist da passiert?«

Zoë leckte sich über die Lippen und begann zu erzählen. Ihr Nacken kribbelte, als würde jemand sie beobachten. In der Erwartung, den schmierigen Typ im Trainingsanzug zu sehen, drehte sie sich abrupt um und ließ ihren Blick alarmiert über die Straße schweifen. Aber da war nichts Ungewöhnliches. Einige Leute standen am Kiosk, schüttelten die Regenschirme aus und diskutierten, ein paar Kinder ließen immer wieder einen Fußball durch die Pfützen hüpfen und dann gegen einen Baustellenzaun krachen. Und an der Bushaltestelle auf der anderen Straßenseite saß ein schlanker, junger Typ in einer abgewetzten, nassen Jeansjacke, die überhaupt nicht zu seinen viel zu weiten und langen Hosen passte. Er beugte sich so tief über sein Handy, dass Zoë sein Gesicht nicht erkennen konnte. Nur das schwarze, lockige Haar, das ebenfalls nass vom Regen war, fiel ihr auf.

Während sie weitersprach, wandte sie sich von ihm ab und senkte die Stimme. *Völlig idiotisch,* dachte sie im selben Augenblick. *Ist das schon Verfolgungswahn?*

»Na ja, und jetzt ist meine Mutter völlig außer sich«, beendete sie leise ihre Ansprache. »Sie will sogar ihre Nachtschicht absagen, weil sie den Gedanken nicht aushält, dass ich allein zu Hause bin, während der Killer noch im Viertel herumschleicht. Wahrscheinlich bildet sie sich gerade ein, dass er es ausgerechnet auf mich abgesehen hat und so lange an den Haustüren klingeln wird, bis er mich gefunden hat.«

Sie hatte versucht, gleichgültig zu klingen, aber jetzt wurde ihr wieder ganz flau bei der Vorstellung, dass sie heute Nacht draußen gewesen war. Vielleicht zur selben Zeit, als nur zehn Straßen weiter ...

»Warte mal, ich mach mal den Fernseher lauter«, sagte Paula. »Hier kommt gerade der Bericht.«

Ohne dass Zoë es wollte, schweifte ihr Blick wieder

zu dem Jungen. Sie hatte den Eindruck, dass er sein Gesicht absichtlich vor ihr verbarg. Es beunruhigte sie, ohne dass sie hätte sagen können, warum. Misstrauisch musterte sie ihn. Er war drahtig, nicht besonders groß. An seinen Händen konnte sie sehen, dass seine Haut einen dunklen, fast bronzebraunen Teint hatte. War er einer von den Arabern oder Indern, die hier im Viertel lebten? *Vielleicht ist er ja sogar der gesuchte Mörder? Es könnte jeder sein.*

»Oh Gott, das ist ja ekelhaft«, hörte sie Paulas entsetzte Stimme. »Oje, ich werde nie wieder auf der Bahn laufen können! Du kannst heute bei mir schlafen.«

Zoë atmete erleichtert auf. »Danke«, sagte sie aus vollem Herzen. »Ich muss einfach raus hier, ich halte es gerade nicht mehr aus.«

»Soll ich meiner Mutter sagen, dass sie deine anrufen soll?«, wollte Paula wissen.

»Nein, nicht nötig. Das erkläre ich ihr schon selbst. Aber ... da ist noch was.«

Wieder blickte sie über die Schulter. Jetzt war die Bank an der Bushaltestelle leer. Der Araber musste wohl in die Straße dahinter eingebogen sein.

»Ich brauche für heute Abend ein Alibi«, raunte sie Paula zu. »Nur für eine Stunde. Oder zwei. Ich ... will in einen Club gehen.«

Eine Weile lang herrschte fassungslose Stille. Sie konnte fast hören, wie der Groschen am anderen Ende der Leitung fiel.

»Moment mal!«, sagte Paula dann. »Nur für die Akten: Auf unserem Sportplatz wird jemand umgebracht, es gibt Stress mit deiner Mutter – und du willst in aller Ruhe tanzen gehen? Jetzt erzähl mir nur noch, dass du ein Date hast!«

Zoë zögerte. Aber dann sagte sie sich, dass das auch zur Normalität gehörte. Paula war ihre Freundin. Es wurde Zeit, dass sie aufhörte, sich so zu benehmen, als würde sie das Leben eines Geheimagenten führen. Was war schon dabei, ein Geheimnis mit einer Freundin zu teilen, auch wenn es nicht Ellen war?

»Kein Date, sondern ein Treffen«, sagte sie zögernd. »So was in der Art jedenfalls.«

Sie konnte sich nur zu gut vorstellen, wie Paula zu grinsen begann.

»Jetzt verstehe ich!«, sagte sie nun auch prompt. »Alles klar. Da würde ich auch nicht mit meiner Mutter zu Hause sitzen wollen. Wie heißt er? Kenne ich ihn? Wo trefft ihr euch? Ich will alle Details, verstanden?«

Jetzt musste Zoë doch lächeln. »Wir sind um zehn verabredet. Aber es ist nicht so, wie du denkst.«

Paula schwieg viele, sehr deutliche Worte lang. »Na ja, wenn du es sagst ...«, sagte sie dann bedeutungsvoll. »Du kriegst dein Alibi – mal sehen, wie wir es mit meinen Eltern hinkriegen. Und wenn es nicht so ist, wie ich denke, dann kann ich ja mitkommen und mir deinen Neuen ansehen.«

Zoë war sicher – zumindest bis Maurice heute Nacht wieder auf Tour ging. Ich fragte mich, ob ich ihr aufgefallen war. Und wenn ja, was sie wohl in mir gesehen hatte. Sicher keinen Killer. Das Laufen fiel mir immer noch schwer, aber ich war zu ruhelos, um auf fremdem Terrain zu lange herumzutrödeln. Als es wieder zu regnen begann, wich ich auf neutrales Gebiet aus – in die U-Bahn. Haltestelle Kunstmuseum. Eine der belebteren Stationen. Nicht wegen des Museums, sondern weil die Kinos und das McDonald's direkt daneben waren.

Ich ließ mich auf eine Metallbank an den Gleisen nieder und streckte mein Bein aus. Obwohl ich immer noch Gizmos weite Jeans trug, musste ich aufpassen, dass ich die Kratzer nicht wieder aufriss. Wunden heilen bei uns zwar schneller als bei anderen – vielleicht heißt es deshalb, dass Katzen neun Leben haben. (Haben sie nicht, sie halten nur mehr aus.) Dennoch schmerzten die Kratzer noch.

Eine Frau mit streng nach hinten gekämmtem dunklem Haar und einer blau getönten Brille starrte mich an und drückte ihre Aktentasche an sich. Vermutlich dachte sie darüber nach, ob ich es auf ihre Brieftasche abgesehen hatte.

An der gegenüberliegenden Wand, hinter den Gleisen, befand sich das, was ich hier gesucht hatte: Auf einem Infoscreen lief Werbung, die ab und zu von den neuesten Nachrichten unterbrochen wurde. Zumindest konnte ich mich hier darauf verlassen, dass auch die blutrünstigsten Meldungen garantiert übertragen wurden.

Eine Gruppe gelangweilter Dreizehnjähriger schlenderte auf dem Bahnsteig in Richtung Rolltreppe. Zwei der Jungs rauchten, obwohl es hier unten verboten war. Im Vorbeigehen bliesen sie den Rauch betont in meine Richtung, grinsten über mein Outfit und starrten halb neugierig, halb neidisch auf meine Blessuren. Einer machte schon den Mund auf, um etwas zu sagen, doch als ich ihn scharf ansah, überlegte er es sich noch mal und hielt die Klappe. Schlaues Kerlchen. Sie versperrten mir noch ein, zwei Sekunden die Sicht auf den Schirm, dann waren sie endlich weg und ich konnte in Ruhe warten.

Handywerbung mit halb nacktem Model.

Tourismuswerbung mit halb nacktem, braun gebranntem Model.

Eine Anzeige des Kunstmuseums mit gemaltem Impressionismus-Aktmodell.

Und dann – endlich – ein paar Nachrichten. Als der Reporter auftauchte, der heute Morgen vor dem Übertragungswagen gestanden hatte, beugte ich mich vor und kniff die Augen zusammen. Das Kreischen einer bremsenden Bahn am Bahnsteig, das mir trotz der Ohrstöpsel fast die Schädelplatte durchsägte, übertönte die Stimme des Reporters. Wie ein besorgter Goldfisch, der im Regen schwimmt, klappte er stumm den Mund auf und zu. Ein Stück der Tartanbahn wurde eingeblendet, ein Leichenwagen, Polizisten, die sich über eine Plane beugten. Dann erschien ein Foto. Eine Frau, die selbstbewusst in die Kamera lächelte. Der Schnitt ihrer Bluse und die Frisur ließen vermuten, dass das Foto schon älter war – vielleicht aus den Achtzigern. Die Farben des Bildes waren grünlich ausgebleicht und am Rand war ein Stanzloch – als wäre das Foto an einen Ausweis getackert gewesen. Ich starrte das lächelnde Gesicht an. Die Frau war hübsch. Stark geschminkt, schmales Gesicht, rotes, gepflegtes Haar, zu einer dramatischen Lockenfrisur hochgesteckt.

Das Bremsgeräusch verebbte und langsam wurde die Stimme des Sprechers wieder deutlicher.

»... haben heute in den Morgenstunden die grausam zugerichtete Leiche entdeckt. Inzwischen konnte die Tote identifiziert werden.«

Immer noch starrte ich das Foto an. Irgendetwas ließ mich stutzig werden. Die klaren Augen und die etwas zu breiten Lippen. Vor allem aber das rote Haar. Als ich endlich begriff, sprang ich von der Bank hoch. Barb! Es war tatsächlich Barb!

»Es handelt sich um die dreiundfünfzigjährige Obdachlose Barbara Ruth Villier«, verlas der Sprecher nun mit sachlicher Stimme. »Die ehemalige Börsenmaklerin lebte seit mehr als zwanzig Jahren auf der Straße ...«

Mir fiel fast das Handy aus der Hand, als ich es aus der Tasche riss. Dann fiel mir ein, dass es hier unten keinen Empfang gab. Was ohnehin keine Rolle mehr spielte, weil der Akku, kaum dass ich Gizmos Nummer wählte, mit einem letzten wehleidigen Piepsen endgültig den Geist aufgab.

Durga

Paula sah heute atemberaubend aus: Die roten Locken zu einer noch wilderen Mähne gekämmt, dazu ein schmaler, kurzer Rock und eine gelb-rote Jacke – und das alles zu blauen Leggings und hohen Schuhen, die ihre durchtrainierten Beine gut zur Geltung brachten.

»Ist dein großer Unbekannter etwa Stummfilmfan?«, fragte sie beim Blick auf Zoës schlichte weiße Jeans und das schwarze Oberteil.

»Nein, die Trennung von David war so ein Schock, dass ich vor lauter Heulen farbenblind geworden bin«, konterte Zoë trocken.

Paula versank auf der Stelle in betretenes Schweigen und Zoë fragte sich wieder einmal, ob ihr Humor tatsächlich so schwer zu verstehen war. Nervös klimperte sie mit ihrem Kleingeld in der Jackentasche, während sie das Programmkino links liegen ließen und zur *Buddha Lounge* weitergingen. Das Viertel hier war belebt, Innenstadt, der Verkehr rauschte um die Verkehrsinseln.

»Du kennst ihn wirklich überhaupt nicht?«, fragte Paula nach einer Weile.

»Nur einmal gesehen«, erwiderte Zoë.

Paula schüttelte den Kopf. »Ich kann immer noch nicht glauben, dass du nachts heimlich abhaust.« Aber es klang eher bewundernd als fassungslos.

Zoë hätte ihr gerne gesagt, dass sie sie manchmal um die Freiheit beneidete, solche Aktionen nicht nötig zu haben. Paulas Eltern waren von ihren älteren Söhnen Schlimmeres gewohnt und nahmen es locker, wenn die Jüngste nur tanzen gehen wollte. Selbst wenn es Sonntagnacht war. Und um Punkt zehn nach elf würde Paulas ältester Bruder mit dem Auto beim Treffpunkt am Kino vorfahren und sie abholen. Zur Abwechslung war das mal ein wirklich rundum behüteter Ausflug. Zwar hatte Zoë nur eine Stunde. Aber das war besser als nichts.

Der Eingang zur *Buddha Lounge* war fast unsichtbar – ein unauffälliges, von Abgasruß bedecktes Leuchtschild, eine Treppe, die in einen Keller führte. Leute standen oder saßen auf den Stufen und rauchten. Viele schon weit über zwanzig, einige sogar jenseits der dreißig, die wenigsten von ihnen waren besonders aufgedonnert. Einige trugen ausgeleierte schwarze Sweatshirts und sahen aus, als würden sie nur von Chips und Fertigpizza leben. Aber die Musik, die Zoë schon am Eingang erahnen konnte, hörte sich gut an – fast altmodisch klingende E-Geigen und Drums.

Einige Minuten blieben sie vor dem Eingang stehen und warteten. Dann, als sie es kaum noch aushielt, sah Zoë ungeduldig auf die silbergelbe Uhr an ihrem Handgelenk. Sie musste sie seitlich halten, um die Zeiger unter dem zerkratzten Uhrglas zu erkennen. Schon fast

Viertel nach zehn! Und immer noch kein Irves weit und breit. Versetzt zu werden war heute das Letzte, was sie brauchte.

»Komm mit«, sagte sie und fasste Paula am Handgelenk.

»Hey, willst du nicht warten?«

Zoë schüttelte den Kopf. »Wer zu spät kommt, darf mich suchen«, sagte sie verärgert. »Wir gehen rein.«

Der Eintritt war ein teurer Spaß, aber jetzt spielte das auch keine Rolle mehr. Immerhin war die Musik nicht schlecht. Sie erinnerte an eine Mischung aus Trance und Bombay Dub Orchestra, ein treibender Beat, der ihr auch sofort in die Beine ging.

Die *Lounge* war ein labyrinthisch verwinkelter Gewölbekeller. Die Wände waren schwarz gestrichen, in den Nischen waren goldene Buddhas und andere Gottheiten platziert und farbig angeleuchtet.

»Wie alt ist dein Irves eigentlich?«, fragte Paula misstrauisch. »Doch wohl hoffentlich kein vierzigjähriger Esoteriker, oder?«

Zoë musste grinsen. »Achtzehn ... schätze ich jedenfalls. Und er ist nicht ›mein Irves‹.«

»Wie sieht er aus?«

»Gut genug.«

Paula schnaubte und rollte die Augen, doch dann sah sie sich unternehmungslustig um. Zwischen den vielen schwarz gekleideten Leuten hier unten fiel sie auf wie ein Paradiesvogel. Doch sie kümmerte sich nicht um die neugierigen oder abschätzenden Blicke.

»Ich hol uns was zu trinken!«, rief sie Zoë zu. »Eine Cola?«

Zoë nickte. Sie sah sich ein letztes Mal nach Irves um, dann hielt sie die Ungeduld nicht länger aus und ging auf die Tanzfläche zu.

Jedes Mal war sie aufs Neue überrascht, wie einfach es war: Es war wie Fallen, nur ohne den Angstschwindel. Sie machte einen Schritt auf die Tanzfläche und die Bässe fingen sie auf. Weißes Rauschen im Kopf. Angenehm und erlösend wie eine Narkose. Sie schloss die Augen halb, bis sie nur das Gleiten von Licht und die schattenhaften Bewegungen der anderen Tänzer wahrnahm. Dann überließ sie sich der Musik.

Es war wie verhext. Gizmo war den ganzen Tag nicht zu erreichen gewesen. Ich hatte vor seiner Kellertür gewartet, dann aber entnervt aufgegeben. Gegen Abend war der Sportplatz endlich wieder leer und begehbar. Die Leute saßen vor den Abendnachrichten oder beim Essen und machten sich vermutlich genau die gleichen Gedanken wie ich: Was war passiert?

Die Tatortreinigung hatte am Nachmittag gründliche Arbeit geleistet. Auf dem gesamten Sportplatz fand sich keine Spur von Blut mehr. Der Geruch des Eiweißlösers, mit dem die Blutflecken entfernt worden waren, reizte meine Nase. Außerdem hatten irgendwelche Anwohner die obligatorischen Betroffenheitsblumen und süßlich riechende Kerzen aufgestellt. Viel konnte ich nicht erkennen – ein paar verbogene Maschen im Zaun, vielleicht hatte Barb versucht zu fliehen und über den Zaun zu klettern? Anscheinend war ihr das nicht gelungen. Dann war sie in die falsche Richtung gelaufen – oder hatte jemand sie absichtlich in die Ecke in den Unterstand getrieben? In der aufgehellten Dunkelheit konnte ich zumindest ein paar Kratzer in der Bahn erkennen, die neu aussahen. Als hätten Absätze gegen den Boden geschlagen.

Die Polizei sprach auf allen Kanälen von einem Gemetzel. Man mutmaßte, dass es mehrere Täter gewesen sein könnten. Mit vielen Messern. Wegen der zerfetzten Kehle dachte man, es könnte auch ein Hund im Spiel gewesen sein. Nun, das glaubte ich allerdings ganz und gar nicht.

Ich hatte noch nie so lange in einem fremden Revier herumgeschnüffelt. Und wohl war mir nicht dabei, als ich versuchte, Schritt für Schritt Barbs Wege zurückzuverfolgen. Auch wenn ihr Gebiet nun verwaist war, gehörte es immer noch zu ihr wie ein Fingerabdruck. Überall waren ihre Zeichen: ein gezeichnetes Muster an einer Wand, Taubenfedern und abgenagte Reste hinter einem sichtgeschützten Sicherungskasten. Ein paar Hundehalsbänder, die sie wie Trophäen um die Aufhängungen einiger Mülleimer geschlungen hatte. Auf ihre Art hatte sie wohl einen ziemlich kranken Humor gehabt.

An der Bank vor dem Schuhgeschäft beugte ich mich hinunter und sah genauer hin. Die Stelle, an der ihr Kopf oft gelegen hatte, war blanker und glatter als der

Rest. Das hier war ihr Ruheplatz gewesen. Nachts. Das Heimgebiet. Alles roch hier noch schwach nach Barb. Feuchtes Zeitungspapier, ranzig verfettete Kleidung. Ich entdeckte sogar ein rotes Haar, das sich in einem Spalt verfangen hatte. Mit der neuen Erinnerung ihres Bildes als Barbara Ruth Villier machte es mich noch trauriger. Du meine Güte – eine Börsenmaklerin! Das heißt, sie hatte ein Leben gehabt, von dem ich nur träumen konnte. Eine Ausbildung, eine Karriere, Kollegen. Vielleicht hatte sie jemanden geliebt. Und das war nun ihr Ende: Mitglied im Club der verrückten Hundefresser. *Grausam zugerichtet, unkenntlich, zahllose Wunden.*

Wer konnte einem von uns so gefährlich werden?

Nur einer von uns, schloss ich grimmig den Gedankengang. *Einer, dem der Kodex gründlich am Arsch vorbeigeht.*

Es war kaum eine Minute vergangen, als es losging: Die Musik war plötzlich viel zu laut, die Luft begann zu leben. Parfüm und Haut, der süßlich pudrige Geruch des künstlichen Nebels wurde um ein Vielfaches verstärkt. Zoë wusste, was das bedeutete, und von einem Augenblick zum anderen hätte sie einfach nur heulen können. Die Überempfindlichkeit kam zurück. Hinter den geschlossenen Lidern setzte sich ein Teppich aus einzelnen Eindrücken zusammen. Eine Art Webmuster. Unbedeutende Gerüche wurden zum blassen Grundmuster, andere stachen wie farbige Fäden heraus. Und dann war da ein lauter, roter Duft, der in ihrer Wahrnehmung wie ein Ruf war. Verwirrt öffnete sie die Augen.

Irves.

Er stand am Rand der Tanzfläche und starrte sie mit einer solchen Intensität an, dass sie die Musik und die Leute um sich herum vergaß und zu tanzen aufhörte. Sein Haar und sein weißer Mantel waren in hellblaues Licht getaucht. Aber das Verrückte war, dass seine Erscheinung im Augenblick gar nicht zählte. Sondern nur die Nähe, die sie sich nicht erklären konnte. Obwohl er mindestens fünf Meter entfernt stand, kam es ihr so vor, als stünde er direkt vor ihr. Als er sich in Bewegung setzte, war ihr erster Gedanke wegzulaufen. Ein seltsamer, unverständlicher Impuls, der ihre Laune noch mehr in den Keller zog. Sie nahm sich zusammen und bewegte sich zur Seite, aus dem Tanzflächenlicht. Dann verschränkte sie die Arme und wartete, bis er zu ihr kam und direkt vor ihr stehen blieb. Er überragte sie um mehr als einen Kopf. Er sah besser aus, als sie ihn in Erinnerung hatte. Und dennoch: Das allein war es nicht, was es ihr schwer machte, ihn nicht anzusehen.

»Da bist du ja«, sagte er. »Du tanzt wirklich gut.«

»Und du bist ganz schön spät dran«, erwiderte sie etwas zu barsch. Ihre Haut schien auch überempfindlich zu sein, sie hatte Gänsehaut auf den Armen und spürte jedes Härchen mit unangenehmer Intensität.

»Ging nicht eher, tut mir leid«, sagte er und lächelte ihr entschuldigend zu.

Dem ersten Eindruck nach zu urteilen, hätte sie alles

erwartet, nur keine so prompte Entschuldigung. Aus den Augenwinkeln konnte sie sehen, wie Paula sie entdeckte und bei Irves' Anblick fast die Colagläser fallen ließ.

Irves deutete auf eine Nische an der Theke. »Willst du was trinken?«

»Meine Freundin holt schon was. Und ... wir müssen ohnehin um elf wieder los – wir werden abgeholt.«

Noch während sie den Satz aussprach, hätte sie sich am liebsten auf die Zunge gebissen. Na wunderbar. Das klang ja ganz nach Mädchengeburtstag. Es passte ihr nicht, dass er sie so irritierte. Es war kein Flirt, sondern etwas anderes. Ihre Nase spielte ihr wieder Streiche. Sie bildete sich ein, Irves wahrnehmen zu können – so deutlich wie einen charakteristischen Duft, den sie nicht hätte beschreiben können.

»Heute schon um elf auf dem Heimweg, aha«, meinte er. »Schade. Ab elf wird es hier erst richtig interessant. Da wechselt das Publikum.«

Er machte eine Bewegung zur Theke hin, ging aber erst los, als er sah, dass Zoë ihm folgte. Paula fing ihren Blick auf, nickte und schob sich mit den Gläsern durch die Menge auf sie zu.

»Hier bist du!«, rief sie, als sie Zoë erreicht hatte. »Da kann ich dich ja lange bei der Tanzfläche suchen.« Ohne Umschweife schob sie sich zwischen Irves und Zoë und stellte die Gläser auf der Theke ab. Dann wandte sie sich sofort an Irves. »Hi, ich bin Paula. Und du bist also der große Unbekannte.« Sie musterte ihn völlig unverfroren von oben bis unten. »Bist du öfter hier?«

Typisch Paula: So etwas wie Schüchternheit kannte sie nicht. Im Grunde konnte sich Zoë nun zurücklehnen und Paula die Aufgabe überlassen, Irves auszufragen.

»Mein Revier«, meinte er nur trocken und grinste. »Aber seid meine Gäste.«

Arroganter Angeber, schoss es Zoë durch den Kopf. Im Augenblick stand ihr Gefühl für ihn wie eine Münze auf der Kante. Ja oder nein? Sie konnte sich immer noch nicht entscheiden, ob sie Irves mochte oder nicht.

Paulas Münze war offenbar schon zu einer Seite gekippt. Sie lachte über seine Bemerkung und warf sich mit einer temperamentvollen Bewegung das Haar über die Schulter. Als sie nach ihrem Glas griff, blitzte sie Zoë einen gespielt fassungslosen Blick zu, der deutlicher als ein Satz war: *Wow! Und du trauerst* David *hinterher?* Zoë musste sich ein Lächeln verkneifen. Man sah sofort, wenn Paula Feuer fing. Es war, als hätte jemand ein Licht in ihr entzündet. Und heute brannte es sehr hell.

Als Paula sich wieder an Irves wandte, war davon allerdings nichts mehr zu sehen. »Ist ja ein komischer Laden!«, rief sie gegen die Musik an. »Fehlen nur noch die Räucherstäbchen.«

»Ja, aber gute Musik«, antwortete Irves nur. Er sah Zoë an, als würde er auf eine Antwort von ihr warten. Als sie schwieg, deutete er mit einem Rucken des Kinns zu einer Statue hinter der Theke. Eine indische Göttin, die zehn Arme hatte und in jeder Hand einen Säbel trug. Ihr Reittier war ein riesiger Tiger.

»Durga, die rachsüchtige Göttin der Vollkommenheit«, erklärte Irves. »Magst du Tiger?«

Es war klar, dass diese Frage an Zoë gerichtet war. Irgendetwas schien ihn irrsinnig zu amüsieren, seine farblosen Augen funkelten. War er auf Drogen? Seine Pupillen wirkten irgendwie merkwürdig, aber Zoë konnte nicht sagen, warum. Gut, sie waren eher rot als dunkel, was bei Albinos nicht ungewöhnlich war, aber da war noch etwas anderes ...

»Die Musik hier ist wirklich nicht schlecht«, sagte Zoë ausweichend.

»Es gibt ein Sprichwort«, meinte Paula. »›Wer auf einem Tiger reitet, kann nicht mehr absteigen.‹ Stammt, glaube ich, aus Thailand. Woher kommst du eigentlich? Japan? Korea?«

»Kaukasus«, erwiderte er, ohne zu zögern. »Meine Eltern waren Kirgisen.«

»Waren? Sind sie gestorben?«

Wenn er von Paulas Direktheit befremdet war, ließ er es sich jedenfalls nicht anmerken.

»Keine Ahnung«, meinte er. »Meine Adoptiveltern leben noch. Allerdings nicht hier, sondern in London.«

Jetzt bekam sogar Paula große Augen. »Dann bist du in England aufgewachsen?«

»Unter anderem«, sagte er beinahe gelangweilt. »Diplomatenlebenslauf – wir haben fast überall gelebt. Ein paar Jahre in Stockholm. Dann in Kopenhagen – und irgendwann hat es die beiden nach London verschlagen. Und mich hierher.«

»Dann lebst du allein hier?«, schaltete sich Zoë in das Gespräch ein. »Studierst du?«

»Nein.« Er ließ seinen Blick über Paulas Haar und ihre Paradiesvogel-Farben schweifen. »Und wer hat dich adoptiert?«

»Jedenfalls keine Farbenblinden, wie du siehst«, konterte Paula und schenkte Irves ein wirklich hübsches, müde überlegenes Lächeln.

Ein schrilles Violinensolo lenkte Zoë für einen Moment vom Gespräch ab. Sie war froh, als das Schlagzeug den Rhythmus wieder übernahm. Beinahe erleichtert nahm sie ihr Glas und nippte an der Cola. Das heißt, sie versuchte daran zu nippen. Aber die Geruchsexplosion in ihrer Nase hatte etwas von einem Musikstück, bei dem jedes Instrument falsch gestimmt und außerdem zu laut war. Sie verzog das Gesicht und stellte das Glas mit so viel Schwung auf die Theke zurück, dass die Cola über den Rand schwappte.

»Schmeckt nicht mehr, was?«, bemerkte Irves. Sie spürte seine Unruhe, die der ihren glich. Er beobachtete sie genau. Zu genau.

»Geht so«, erwiderte sie mit belegter Stimme. Sie zwinkerte, weil ihre Augen brannten, und lehnte sich an die Theke. Verdammt, wann hörte das endlich auf? Ihr war leicht schwindelig. Im Takt der Musik trommelte sie mit den Fingern auf der Theke. Das Blut pochte in ihren Schläfen, in ihrem Bauch, genau im Takt des Schlagzeugs ...

»So, dann lebst du also allein hier«, setzte Paula ihr

Verhör fort. »Was machst du, wenn du nicht studierst? Arbeiten oder vom Geld deiner Eltern leben?«

Zoë stieß sich von der Theke ab.

»Hey, wo willst du hin?«, fragte Paula.

»Auf ... die Tanzfläche.« Sie kam nicht weit. Nach zwei Schritten holte Paula sie ein und legte ihr die Hand auf die Schulter.

»Bist du sauer?«, fragte sie besorgt. »Ich versuche doch nur, etwas mehr über ihn herauszubekommen.«

Zoë schüttelte den Kopf. »Alles in Ordnung. Aber wir haben nur noch eine halbe Stunde und die will ich nicht verquatschen. Lasst euch nicht stören.«

Paula beugte sich noch weiter zu ihr. »Er ist ganz schön arrogant«, raunte sie ihr ins Ohr. »Aber er hat was! Willst du wirklich gar nichts von ihm?«

Keine Ahnung, die Münze ist noch nicht gefallen.

»Im Moment will ich nur tanzen«, sagte sie mit einem Lächeln, von dem sie hoffte, dass es Paula dazu bringen würde, zur Theke zurückzugehen.

Barb hatte mehrere Verstecke für die wenigen Dinge gehabt, die sie besaß. Die Flaschen standen hinter einem Container. Eine halb volle Flasche war mit einem Pfropfen aus zerknülltem Zeitungspapier verschlossen. Mich ekelte allein schon die Vorstellung, Alkohol zu schmecken. Gerade wollte ich wieder auf die Straße treten, als ich Schritte hörte. Schnelle Schritte auf harten Sohlen. Erst wollte ich sie ignorieren, aber dann erinnerte ich mich daran, dass der ganze Stadtteil in Alarmbereitschaft war. Jeder, der hier nachts herumspazierte, würde das Handy im Anschlag haben und den Daumen auf der Kurzwahltaste mit der Nummer der Polizei. Jemand wie ich passte bestimmt gut ins Raster. Im Kopf sah ich schon den Film ablaufen: Fußgänger entdeckt verdächtige Gestalt, die sich um halb elf Uhr nachts in der Nähe des Tatorts herumdrückt. Serienkiller auf Streifzug? Anruf bei der Polizei, die zufällig um die Ecke parkt. Kurze Hetzjagd, Pech für humpelnde Gestalt. Festnahme und die Frage nach den Papieren.

Das genügte.

Lautlos schlüpfte ich hinter den Container und lauschte mit klopfendem Herzen. Er – oder sie – hatte es eilig. Doch vor dem Container wurden die Schritte langsamer, verharrten zwei, drei Sekunden, um dann umso schneller wieder loszuklappern. Ich wartete, bis sie ganz verklungen waren. Dann wollte ich wieder auf die Straße treten – doch als ich mich bewegte, fiel etwas Nasses gegen meine Knöchel. Vom Regen durchweichte Fetzen von Pappschildern. Barbs Botschaften, die sie den Leuten vor der Börse unter die Nase gehalten hatte! Sie musste sie in großer Hast hinter den Container geworfen haben, ohne darauf zu achten, sie vor Nässe zu schützen. Anscheinend wollte sie sie schnell loswerden. Offenbar hatte sie sogar noch versucht, einige davon in aller Hast zu zerreißen. *Während sie auf der Flucht war?* Mir wurde flau im Magen, als ich mir vorstellte, dass die Jagd vielleicht schon hier ihren Anfang genommen hatte. Aber was hatte sie vor ihrem Verfolger zu verbergen gehabt? Ich hob die Fetzen auf und betrachtete sie. Zwei der Schilder kannte ich. Die üblichen Apokalypse-Beschwörungen, die Tag für Tag an den stumpfen Blicken der Passanten zerschellt waren.

Doch die anderen Schilder hatte ich noch nie zuvor gesehen. Sie waren in der Mitte durchgerissen, einige Papierfetzen von der Oberfläche fehlten, sodass nicht mehr alles lesbar war. Barb hatte mit dickem, schwarzem Edding die Buchstaben mehrmals nachgezogen, als müsste sie dafür sorgen, dass die Botschaft jedem schon auf mehrere Meter Entfernung ins Gesicht sprang.

»Wir müssen (Riss) ...öten.« Das stand auf dem ersten Schild. *Töten?* Mein Mund war plötzlich ganz trocken. Ich sah mich gehetzt um, dann legte ich die Schilderreste hastig auf dem Boden aus, verschob die einzelnen Fetzen und Stücke, bis sie einen Sinn ergaben:

Schei... (Riss) ...f deine Feigheit!
Wir müssen (Riss) ...öten
oder wir geh... (Riss) ...lbst drauf!

Mir war schon wohler, als ich Maurice' Zone weit hinter mir gelassen hatte. Aber erst als ich Irves' Gebiet betrat, wurde ich ruhiger. Die Uhr an der U-Bahn-Station zeigte Viertel vor elf. Ein letztes Mal versuchte ich es bei ihm auf dem Handy und hörte wieder nur die Ansage der mechanischen Stimme. *Dann eben nicht!* Vielleicht würde es auch so gehen. In den Tiefen meiner Jackentasche suchte ich nach dem Fahrausweis. Ich hatte ihn mal in der U-Bahn gefunden. Er gehörte einem Typ namens Khaled Yelmez. Das unscharfe Bild hatte im Schummerlicht des Clubeingangs entfernte Ähnlichkeit mit mir. Zumindest die Haarfarbe. Aber erstaunlicherweise reichte das meistens, wenn jemand einen Ausweis sehen wollte. Heute hatte ich allerdings Glück. An der Kasse saß die Frau mit dem Piercing in der Lippe, die Irves immer umsonst reinließ und auch mich kannte.

Ich musste nicht lange suchen. Irves stand an der Theke und unterhielt sich mit einem Mädchen. Der Anblick ihres roten Haars machte mich ziemlich fertig. Sie lachte und legte den Kopf schräg. Ganz offensichtlich hatte Irves sie eingefangen. Wenn er wollte, knipste er seine Aura an und zog die Leute wie ein Rattenfänger hinter sich her. Was ihn allerdings nicht davon ablenkte, auch die Gegend genau im Auge zu behalten. Er bemerkte mich, noch bevor er mich sah. Sein Lächeln verschwand. Das Mädchen sah sich um, neugierig geworden durch seinen Blick. Sie war bildhübsch und lachte unbeschwert – bis sie mein Gesicht sah. Dann musterte sie mich mit gerunzelter Stirn, als würde sie auf einer Straße stehen und versuchen, den Hergang eines tragischen Verkehrsunfalls zu rekonstruieren.

Sie fand nicht mehr in den Rhythmus. Sie stand außerhalb der Musik, und das ärgerte sie so sehr, als wäre sie bestohlen worden. Ohne dass sie es wollte, sah sie immer wieder zu Paula und Irves. Na ja, eher zu Irves. Er erzählte irgendetwas und gestikulierte, einmal lachte er sogar. Da lief so etwas wie ein Flirt. Aber dennoch konzentrierte er sich dabei ganz auf die Tanzfläche – und auf Zoë. Ab und zu ein Blick, eine Geste oder die Körperhaltung, auf die sie halb unbewusst reagierte. Es war wie eine Kommunikation zwischen ihm und ihr, nur dass sie die Sprache nicht verstand.

Eine Tänzerin rempelte sie an und sie verlor den letzten Faden, der sie mit der Musik verband. Genervt sah sie auf die Uhr. So spät schon. Kurz vor elf. Als hätte Irves ihren Gedanken aufgefangen, sah er gleichzeitig auf seine Armbanduhr (schwarzes Armband, das sich von seiner gespenstisch hellen Haut abhob). Er hob fragend die Brauen, Zoë nickte und bahnte sich einen Weg durch die Umstehenden.

Wieder wurde sie angerempelt und zur Seite gestoßen. Sie fluchte und schob sich grob zwischen zwei Frauen durch. Inzwischen war es ihr zu eng in dem Raum geworden, alles nervte sie, jedes Geräusch, sogar jeder fremde Atem.

Als die Theke wieder in Sicht kam, bemerkte sie, dass jemand zu Irves und Paula getreten war. Sie stutzte und blieb stehen.

Es war der Junge, den sie heute an der Bushaltestelle gesehen hatte! Nun, »gesehen« war zu viel gesagt. Jetzt erst konnte sie sein Gesicht genauer betrachten. Er konnte tatsächlich ein Inder sein, jedenfalls hatte er dunklere Haut als der Standard-Mitteleuropäer. Sein

Gesicht war schmal und hatte sehr regelmäßige Züge. Die Augen waren ernst. Ohne die Schwellungen und blauen Flecken sah er bestimmt nicht schlecht aus, aber im Moment tat es beinahe schon weh, ihn in Augenschein zu nehmen. Wie fest musste jemand zuschlagen, damit ein Gesicht so übel zugerichtet wurde? Paulas argwöhnischem Blick nach zu urteilen, dachte sie über genau dasselbe nach.

Noch bevor Zoë zu der kleinen Gruppe trat, sah er sich nach ihr um – und erstarrte. Sie hätte keinen größeren Effekt erzielen können, wenn sie sich eine Freddy-Krüger-Maske aufgesetzt hätte. Er wurde blass und starrte sie so fassungslos an wie einen Geist. Zoë wäre jede Wette eingegangen, dass er Drogen genommen hatte. Aus der Nähe wirkten seine Augen so dunkel, dass die Pupillen nicht sichtbar waren.

»Hey Zoë«, sagte Irves. »Kennst du meinen Freund French schon?«

»Nein«, antwortete sie zögernd. »Hallo.«

Sie bildete sich sogar ein, eine Art Pulsieren der schwarzen Iris wahrzunehmen. Kein Zweifel, der Typ kochte vor Wut. Zoë fröstelte. Der Kerl war mehr als unheimlich.

»Was soll das hier eigentlich werden?«, zischte er Irves wütend zu.

Irves' Augen verengten sich nur um eine Nuance, aber Zoë hatte auf einmal das Gefühl, dass die Luft zwischen den beiden vor Eis klirrte.

»Tja, er ist eben ein waschechter Algerier«, sagte

Irves mit einem gefrorenen Lächeln zu Zoë. »Wird ziemlich schnell wütend. Am besten, man reizt ihn nicht zu sehr.«

Dieser French kniff nun die Lippen zusammen. Seine Hände waren zu Fäusten geballt und so angespannt, dass die Haut weiß wirkte. Plötzlich hatte Zoë Angst vor ihm, so bedrohlich und unberechenbar wirkte er. Paula schien es auch zu spüren, denn sie hakte sich eilig bei Zoë unter. »Das reicht«, flüsterte sie ihr zu. »Rückzug, wir müssen sowieso gehen.«

Ich wusste nicht, was hier lief, aber es fehlte nicht viel und ich wäre auf Irves losgegangen.

»Hey, beruhige dich«, sagte er, sobald die Mädchen außer Hörweite waren. »Ist es verboten, mit ihr zu sprechen? Gegen welchen Kodex verstoße ich damit?«

»Was zum Teufel willst du von ihr?« Ich schrie und es war mir egal. Ein paar Leute drehten sich zu mir um.

Irves lächelte auf eine Art, für die ich ihm am liebsten die Nase gebrochen hätte.

»Sie hat mich interessiert, das ist alles.« Er hob beschwichtigend die Hände. »Ich habe ihr kein Haar gekrümmt. Sie geht ganz brav mit ihrer Freundin nach Hause. Paulas großer Bruder fährt mit dem Auto vor und holt die zwei ab. Keine Gefahr also! Für heute kannst du Feierabend machen, Bodyguard.«

»Das glaube ich kaum«, knurrte ich. »Schon gehört?

Sieht ganz so aus, als hätte Maurice Barb zur Strecke gebracht.«

Es war immerhin ein Erlebnis, auch einmal Irves' Gesichtszüge entgleisen zu sehen. »Maurice?«, fragte er fassungslos.

»Sonst fällt mir keiner von uns ein, der jemandem an die Kehle gehen würde. Und erzähl mir nicht, Barb wäre mit ein paar betrunkenen Schlägern und einem Hund nicht fertig geworden!«

»Was läuft denn da?«, fragte Paula und lachte nervös. »Irves kann mir viel erzählen – Freunde sind die beiden ganz bestimmt nicht. Der Typ sieht gruselig aus.«

Zoë sah sich nach der Theke um. Irves und dieser French standen sich gegenüber, als würden sie jeden Moment eine Schlägerei anfangen. French schrie Irves an und gestikulierte. Obwohl er kleiner war als Irves, wirkte er keinen Deut harmloser. Im Gegenteil. Zoë fröstelte unwillkürlich. In diesem Augenblick wusste sie eines ganz sicher: Sie traute ihm nicht. Er machte ganz den Eindruck, als würde er etwas verbergen.

»Sieht mir eher danach aus, als hätten die noch eine Rechnung offen«, erwiderte sie und wandte sich wieder ihrer Freundin zu. »Und, hast du dich noch mit Irves unterhalten? Ist das wirklich sein richtiger Name?«

Paula lächelte ihr verschmitzt zu. »Ich habe seine Mailadresse und ein paar Infos über sich hat er auch noch rausgerückt. Ja, er heißt wirklich Irves. Irves Martini. Und er hat mal in einer Band gespielt. Was er zurzeit macht, konnte ich allerdings noch nicht aus ihm rausbekommen. Was meinst du: So, wie er aussieht, ist er entweder ein Model – oder er arbeitet in der Musikbranche. Das würde auch zur Band passen.«

Zoë antwortete nicht. Sie hatte das verrückte Gefühl, Vibrationen zu spüren wie ein Radioempfänger. Sie kamen eindeutig von der Theke her. Aggression und Zorn schwangen mit und brachten eine Saite in ihr zum Klingen. Hastig warf sie noch einen letzten Blick zurück und wollte dann zur Ausgangstreppe flüchten, als sie jemanden anrempelte. Ein Reißverschluss kratzte über ihr Kinn, ein vertrauter Duft von Leder stieg ihr in die Nase. Sie konnte spüren, wie ihr von einer Sekunde auf die andere alles Blut aus dem Gesicht wich und ihre Knie weich wurden.

Der schlimmste Fall. Ohne Vorwarnung.

Vor ihr stand David und sah sie ebenso verblüfft an wie sie ihn.

Sag was!, befahl sie sich. *Etwas Schlagfertiges, Sarkastisches!*

Tausendmal hatte sie sich überlegt, wie sie bei einem solchen Treffen reagieren würde, jetzt brachte sie kein Wort heraus. Seine plötzliche Nähe war wie ein Kälteschock. Noch schlimmer war, den Kratzer an der Schulter seiner Jacke zu sehen. Er stammte von der Kletteraktion vor Weihnachten. Ein Stern für Zoë. Die Erinnerungen ratterten durch ihren Kopf wie schnell durchgeblätterte Daumenkinos. Hundert Szenen gemeinsamer Zeit.

»Na, so was!«, rief Paula. »Bist du uns gefolgt oder hängst du neuerdings in solchen Eso-Klitschen rum?«

David ging nicht darauf ein. Zoë wurde kalt, als sie sah, dass er nicht allein hier war. Jemand trat hinter ihm durch die Clubtür. Hellbraunes Haar glänzte im Schummerlicht auf. Kälteschock Nummer zwei.

Ellen?

Doch dann sah sie, dass es nur ein anderes braunhaariges Mädchen war. Ähnlich hochgewachsen und kräftig wie Ellen. Das war aber auch schon die einzige Ähnlichkeit. Das Mädchen hier hatte von Schminke umschattete Augen. In ihrem Haar schimmerten Glasperlen und unter ihrer Motorradjacke, die offen stand, sah Zoë ein rosa Hemd mit Lederfransen und Stickereien. Sie passte weitaus besser in das *Buddha*-Ambiente als David, wahrscheinlich war es ihre Stammdisco. Ein Junge aus Davids Basketballgruppe gesellte sich zu den beiden. Für eine Sekunde dachte Zoë schon, dass er und das Mädchen ein Paar waren – bis das Mädchen zu David herantrat, ihm mit einer selbstverständlichen Geste den Arm um die Taille legen wollte und David sie sichtlich ertappt davon abhielt.

Neben Zoë schnappte Paula hörbar nach Luft, aber Zoë kümmerte sich nicht darum.

»Hat ja lange gehalten mit dir und Ellen«, sagte sie zu David. »Oder weiß sie gar nichts von deiner Neuen?«

Das Perlenmädchen hob fragend die Augenbrauen und blickte erst Zoë, dann David an. »Ellen?«, fragte sie ihn. »Welche Ellen?«

»Zieh Leine, Zoë«, sagte David kühl. »Das geht dich überhaupt nichts an.«

Noch nie hatte er so mit ihr geredet und sie auch noch nie so angeschaut. Kalt, wütend, als hätte es keine Liebeserklärungen gegeben und keinen Metallstern.

»Was geht mich nichts an?«, schleuderte Zoë den beiden entgegen. »Dass du mit Ellen seit drei Wochen zusammen bist? Oder dass du hinter ihrem Rücken mit einer anderen herummachst?«

Dem Perlenmädchen blieb der Mund offen stehen. Sicher wurde sie unter der Schminke blass.

»Zoë, lass den Idioten! Komm!« Paula fasste sie am Arm und versuchte sie energisch in Richtung Tür zu ziehen.

Aber Zoë schüttelte die Hand ihrer Freundin grob ab und trat näher an David heran.

»Was glaubst du, wer du bist?«, fauchte sie. »Denkst du allen Ernstes, *du* gibst mir hier irgendwelche Befehle, du verdammter Fremdgänger?«

»Hey!«, schnappte David. »Es reicht!«

»Ach, meinst du, ja? Ich fange gerade erst an!«

Davids Kumpel verdrehte genervt die Augen.

»Wer ist das?«, fragte das Perlenmädchen nun schon deutlich energischer.

David schnaubte. »Nur meine durchgeknallte Ex aus der Schule«, knurrte er. »Hör nicht auf sie.«

Er machte einen Schritt nach vorn, um sich an Zoë vorbeizudrängen, doch Zoë dachte gar nicht daran, ihn durchzulassen. Es war nur ein kleiner, kaum spürbarer

Klick irgendwo in ihrem Hinterkopf. Eine kaum merkliche Verschiebung der Grenze, die genügte, um alles auszulöschen, was sie bisher noch für David empfunden hatte.

»Ich hoffe für dich, dass Ellen dich ins All geschossen hat!«, schrie sie ihn an. »Und wenn sie es noch nicht getan hat, dann werde ich dafür sorgen, dass sie dir einen Tritt verpasst!«

»Ach, darum geht es«, meinte David spöttisch und verschränkte die Arme. »Immer noch eifersüchtig und auf Rache aus? Hör zu, ich will nichts mehr von dir. Es ist vorbei, kapier es endlich!«

»Ein *Hund*?« Irves sah mich so entgeistert an, als hätte ich ihm gerade erklärt, dass Barb von einer Pizza erlegt worden war.

»Natürlich nicht. Aber es war etwas, was verdammt gezielt zugebissen hat«, erwiderte ich. »Kommt uns bekannt vor, hm? Und weißt du was? Barb hat gewusst, dass sie in Gefahr war. Sie hat um Hilfe gerufen. Ich habe Schilder mit Hilferufen gefunden.«

»Scheiße«, sagte Irves. Jetzt sah er wirklich besorgt aus. »Weiß Gizmo es schon?«

»Wenn er seine hundertzwanzig Mails gelesen hat, vermutlich.«

»Aber wenn es wirklich Maurice war, dann ...«

... *ist keiner von uns vor ihm sicher*, vollendete ich den Satz in Gedanken. *Und Zoë am allerwenigsten.*

Wie ferngesteuert sahen wir gleichzeitig zu den Mädchen hinüber. Sie waren schon fast an der Tür. Nebeneinander wirkten sie wie Filmfiguren: die eine aus einem bunten Anime, die andere aus einem Schwarz-Weiß-Film. Ich musste schlucken, als ich Zoë ansah. *Weiß wie Schnee, schwarz wie Ebenholz, rot wie ...*

Ich musste sehr tief durchatmen.

Im Hinausgehen rempelte Zoë einen hochgewachsenen Jungen in schwarzer Lederkluft an. Offenbar kannten sich die beiden. Ziemlich gut sogar, wenn mich mein Eindruck nicht täuschte. Eine Braunhaarige mit Hippiebluse trat an den Kerl heran und dann gesellte sich noch sein Kumpel zu ihnen. Wie sein Freund trug auch er eine ziemlich teure Motorradjacke – garniert mit Deo und einem gepflegt zerzausten Haarschnitt. Zwei Musterschüler, die besonders cool sein wollten.

Zoë und Coolio Nummer eins gerieten offenbar aneinander. Zoës Freundin versuchte die Wogen zu glätten – natürlich ohne Erfolg.

»Ehrlich gesagt wollte ich einfach nur wissen, was du an ihr findest«, meinte Irves mit unverhohlener Faszination. »Jetzt verstehe ich es. Sie ist wirklich okay. Und sie hat ganz schön Biss.«

»Aber im Zweifelsfall nicht genug, um gegen Maurice anzukommen«, erwiderte ich düster. Und nach einer Pause setzte ich vorsichtig hinzu: »Nicht allein jedenfalls.«

Vielleicht waren es die folgenden Sekunden, in denen wir den stummen Pakt schlossen. Jedenfalls bin ich sicher, dass wir ausnahmsweise beide dasselbe sahen und dachten. Zwar passte es mir ganz und gar nicht, ihn in Zoës Nähe zu wissen. Aber immerhin bedeutete es, dass sie ab diesem Moment einen Verfolger weniger hatte. Und so, wie die Dinge standen, konnte Zoë jeden Verbündeten gebrauchen.

An der Tür wuchs die Auseinandersetzung zu einem handfesten Streit an. Zoës Augen blitzten, sie schrie Mr Musterknabe so laut an, dass ihre Freundin erschrocken zusammenzuckte und beiseitetrat. Offenbar wurden da gerade ein paar unschöne Wahrheiten ausgesprochen. Das Hippiemädchen bekam jedenfalls große Augen und wirkte verunsichert und sauer zugleich, sein Kumpel grinste dagegen nur arrogant und wartete ab.

Für die Dauer eines Lidschlags bildete ich mir ein, Zoës Schatten zu erahnen – in ihrer Haltung gespiegelt, in der Wut, die sie offenbar nicht mehr beherrschen konnte. Diese Phase kannte ich nur zu gut. *Zehn, neun, acht ...*

»Tja, Zeit, dafür zu sorgen, dass jemand sein Gesicht nicht verliert«, meinte Irves und setzte sich in Bewegung.

David war so überrascht, dass er nur empört aufschrie und zurücktaumelte. Das Perlenmädchen machte einen erschrockenen Satz nach hinten und schlug die Hände vor den Mund.

»Hallo? Hast du sie nicht mehr alle?«, fuhr Davids Kumpel Zoë an.

Zoës Handrücken pochte heftig. Noch nie hatte sie jemanden geschlagen, aber es fühlte sich erschreckend gut an.

»Du bist tatsächlich so eingebildet zu glauben, es gehe hier um dich?«, fuhr sie David an. »Du bist es nicht wert, dass irgendjemand wegen dir heult! Weder ich noch Ellen – noch deine Neue hier oder was immer sie für dich ist.«

Es tat gut zu fühlen, dass die Liebe komplett ausgelöscht war, verbrannt, nur noch ein paar Ascheflocken segelten durch ihre Gedanken.

Das Perlenmädchen bekam schmale Augen. »Mir reicht's jetzt!«, zischte sie David zu. Sie wandte sich um und stürmte mit großen Schritten hinaus.

»Du gehörst wirklich in die Klapse«, sagte David mit eisiger Verachtung.

Zoë ballte die Hände zu Fäusten. Die Beleuchtung musste gewechselt haben, denn alles war in einen seltsamen Grauton getaucht. Das Blau leuchtete, aber das Rot war kaum noch sichtbar. Selbst Paulas Haar wirkte farblos. Dann entglitt ihr auch dieser Gedanke.

»Probleme, Zoë?« Irves' Stimme holte sie von irgendwoher zurück, zog sie abrupt hoch in die Welt der Geräusche und Farben.

Mit einer Selbstverständlichkeit, die Zoë vor Überraschung reglos verharren ließ, stellte Irves sich links neben sie und legte ihr den Arm fest um die Schultern. Die Berührung war warnend, fast ein Festhalten – und gleichzeitig beruhigend. Jetzt erst merkte sie, dass jeder

Muskel in ihrem Körper angespannt war, als wäre sie im Begriff loszuschnellen.

Paula starrte sie mit großen Augen an.

Rechts von ihr trat der Algerier heran. Jetzt erst fiel Zoë auf, dass er hinkte. Er blieb stehen und verharrte in einer halb lässigen, halb drohenden Haltung.

»Ich glaube, ihr wolltet gerade gehen«, sagte Irves mit Samtstimme. Er und David waren auf einer Augenhöhe, aber Irves wirkte größer. Einer von den Sicherheitsleuten sah fragend zu Irves herüber, aber er rührte sich nicht.

»Ob wir gehen, geht dich einen Dreck an«, sagte David.

Eine Gruppe von Leuten, die lachend durch die Tür drängte, verstummte und drückte sich schnell an ihnen vorbei. Davids Kumpel war sichtlich verunsichert. Es war wie eine Showdown-Szene im Kino. Unwirklich.

»Wetten?«, erwiderte Irves mit Nachdruck.

Waffen und Western-Musik, schoss es Zoë durch den Kopf.

»Nur als Tipp für die Zukunft: Lass meine Freundin in Ruhe, klar?«, setzte Irves ruhig hinzu.

Peng. Treffer.

David klappte die Kinnlade nach unten. Zoë konnte seine Gedanken erahnen. *Sie hat einen Neuen?* Dann wurde er blass. Jetzt hätte sie am liebsten gelacht.

Davids Blick wanderte fassungslos von Irves zu diesem Algerier – wie hieß er noch? French? Aus dem Augenwinkel nahm sie wahr, wie er seinen linken

Mundwinkel zu einem Lächeln hob. *Versuch's!*, sagte es.

Er hatte etwas von einem Vulkan, in dem es brodelte. *Abstand!*, warnte ihre innere Stimme sie. Halb unbewusst machte sie eine Bewegung zu Irves hin. Noch vor zehn Minuten hätte sie kein Problem damit gehabt, ihn wegen seiner Arroganz abblitzen zu lassen, aber schon jetzt fühlte sich seine Nähe auf eine gute Weise vertraut an. Und dann geschah etwas Seltsames. Sie fühlte eine Schwingung zwischen sich und Irves, ein Zusammengehörigkeitsgefühl. Zwei gegen zwei.

»Los, komm schon!«, sagte Davids Kumpel und klopfte diesem auf die Schulter. »Das ist es doch nicht wert.«

David überlegte noch zwei Sekunden, dann fluchte er und drehte auf dem Absatz um. Sein Freund folgte ihm sichtlich erleichtert.

Zoë entspannte sich wieder und sah zu Irves hoch. »Freundin?«, fragte sie mit einem Stirnrunzeln.

Er ließ sie los und zuckte grinsend mit den Schultern. »Kleines Wort, große Wirkung. Das war doch dein Exfreund, oder?«

»Allerdings«, sagte sie und musste trotz allem ebenfalls lächeln. »Aber so ein Auftritt wäre nicht nötig gewesen. Er war sauer auf mich, aber er ist überhaupt kein Schlägertyp. Er hätte mir nichts getan.«

»Um *dich* hatte ich auch keine Angst«, erwiderte Irves.

Es war dieser Moment, als die Münze fiel. Auf die Seite für »Ja«.

Paula war ernst und schweigsam, während sie zum vereinbarten Treffpunkt am Kino liefen. Obwohl es bereits März war, war die Nacht so kalt, dass sie ihren Atem sehen konnten. Eine Weile standen sie nur da und hielten Ausschau nach dem blauen Passat von Paulas Bruder. Als die Pause zu groß und unbehaglich wurde, ergriff Zoë das Wort.

»Ich kann mir vorstellen, was du jetzt denkst«, sagte sie.

Paula verzog den Mund zu einem schiefen Lächeln und packte sich fester in ihre Jacke ein.

»Ich will nicht wie deine Mutter klingen, aber ich sage es dir als Freundin: Du hast ein Problem, Zoë. Und ich mache mir Sorgen um dich. Vielleicht merkst du es selbst nicht, aber du hast dich in letzter Zeit verändert. Und das hat nichts mehr mit normalem Liebeskummer zu tun.«

Zoë schluckte. Ihr Mund war trocken, ihr Kopf wie mit Watte gefüllt. Das letzte Mal hatte sie sich nach einer durchgemachten Silvesternacht mit zu viel Sekt so gefühlt. Es fühlte sich einerseits nach Kopfweh an, andererseits war sie lange nicht mehr so aufgedreht gewesen. Irgendetwas war passiert. Und zur Abwechslung war es tatsächlich mal was Gutes.

»Du hättest dich eben da unten sehen sollen«, fuhr Paula fort. »Für Irves und seinen komischen Freund war das bloß ein bisschen Machogehabe. Aber du warst … eine völlig andere Person. So … hasserfüllt. So kenne ich dich überhaupt nicht! Willst du jetzt auf jeden, auf den du wütend bist, einfach so losgehen?«

Zoë biss sich auf die Lippe. »Tut mir leid, dass ich dir den Abend verdorben habe.«

Paula seufzte. »Hast du ja gar nicht«, sagte sie und rang sich immerhin wieder zu einem schmalen Lächeln durch. »Aber hör auf damit, mir jedes Mal, wenn wir uns sehen, einen Schreck einzujagen!«

Es war das erste Mal, dass sie tatsächlich wie eine gute Freundin klang und nicht wie das Mädchen auf der Ellen-Reservebank.

»Planst du Ellen zu sagen, dass er eine Neue hat?«, wollte Paula nun wissen.

»Natürlich! Würdest du sie nicht warnen?«

Paula sah sie von der Seite an. »Nein.«

»Warum nicht?«

»Weil es nicht mehr deine Sache ist, was sich zwischen Ellen und David abspielt. Vielleicht haben sie schon längst Schluss gemacht. Vielleicht ist das Mädchen auch gar nicht seine Neue – du kennst sie doch gar nicht! Du kennst nur deinen Teil der Geschichte.«

Zoë wollte widersprechen, aber dann machte sie den Mund wieder zu. Es schien ganz und gar nicht der richtige Zeitpunkt zu sein, um mit Paula zu diskutieren.

»Na ja«, sagte sie stattdessen. »Zumindest weiß ich jetzt ganz sicher, dass ich David kein bisschen mehr liebe. Im Gegenteil.« Es fühlte sich sogar gut an, diese Tatsache einfach nur auszusprechen.

Paula runzelte die Stirn. Sie schwieg auf ihre vielsagende Art, dann sagte sie einen ihrer erstaunlichen Sätze, die immer aus heiterem Himmel kamen: »Hass ist aber nicht das Gegenteil von Liebe. Das Gegenteil von Liebe wäre Gleichgültigkeit.«

Teamwork

Schon als sie am Montag den Flur betraten, der zum Sprachlabor führte, steckten ein paar Mädchen aus der Elften die Köpfe zusammen.

»Scheint sich ja schnell herumgesprochen zu haben«, flüsterte Zoë.

»Sieht ganz so aus«, antwortete Paula ebenso leise. »Aber tu mir bitte den Gefallen und hau ihnen nicht gleich eine runter.«

An diesem Tag ging Zoë mit einem sehr mulmigen Gefühl auf den Pausenhof. Ein paar Jungs aus Davids Basketballgruppe, mit denen sie sich noch vor wenigen Wochen völlig normal unterhalten hatte, beobachteten sie nun abschätzig. Einige grinsten sich vielsagend zu. David stand mit zwei Mädchen aus seiner Klasse am Rand des Pausenhofs, fast schon bei der Raucherecke. Er gönnte ihr nur einen verächtlichen Blick und wandte sich ab. So fühlte es sich also an, wenn man jemanden endgültig als Freund verloren und als Feind gewonnen hatte.

Sie hatte vorgehabt, beherrscht und gleichgültig aufzutreten, nun aber zog sie sich ans andere Ende des Pausenhofs zurück – dort, wo schon die Straße anfing –

und machte ihr Handy an. Noch zwei Schulstunden, dann musste sie bei Frau Thalis antreten. Aber vielleicht war der Mord vom Wochenende bei den Lehrern heute das Hauptgespräch? Möglicherweise fielen deswegen Sprechstunden aus? Ihr Handy meldete sich mit einem Piepsen und einem Briefsymbol.

Club Exil? Wann? PS: Lass den Ex am Leben!

Irves. Das Lächeln verging ihr allerdings sofort wieder, als sie aufblickte.

Auf der ihr gegenüberliegenden Straßenseite saß ein Mann mit verfilzten langen Haaren von einem verblichenen Gelb. Sogar seine Augen waren gelb. Und so, wie er sie mit hängender Unterlippe musterte, wirkte er, als sei er nicht ganz dicht. Als Zoë zur Seite trat, um sich wieder unter die Schüler zu mischen, bemerkte sie, dass der Mann auf der Motorhaube eines geparkten Autos hockte. Er war barfuß, was sie erst auf den zweiten Blick erkennen konnte, denn seine Füße waren so schmutzig und verhornt, dass sie eher an Hufe erinnerten. Seine Kleidung bestand aus willkürlich zusammengesuchten farblosen Stücken, die möglicherweise aus der Altkleidersammlung stammten. Und aus der Tasche seiner zerschlissenen Jacke ragte – Zoë verzog angewidert das Gesicht – der reichlich zerrupfte und schlaff herunterhängende Flügel einer Taube.

Rubio reagierte nicht. Dabei stand ich praktisch seit Tagesanbruch vor seiner Tür. Doch bisher hatte ich nur erreicht, dass er die Klingel wieder ausgemacht hatte. Und als ich wieder einmal um das Haus herumging, um nach seinem Gesicht am Fenster Ausschau zu halten, sah ich nur noch, wie das Fenster zuklappte. Auf der Straße lag der Zettel, den ich gestern eingeworfen hatte – zerknüllt. Ich schnaubte und versuchte den Impuls niederzukämpfen, mich an der Mauer hochzuhangeln und einfach die verdammte Scheibe einzuschlagen. Stattdessen zog ich ein Stück Papier und einen Filzstift aus der Tasche und schrieb alle meine Kontaktnummern und Fragen geduldig noch einmal auf. Nach einigem Überlegen opferte ich schließlich auch noch die Tageszeitung, auf der Barbs Bild prangte, und stopfte sie ebenfalls in den Briefkasten.

Ich war versucht, mich in das Café gegenüber zu setzen. Aber dort konnte er mich warten sehen. Also tat ich so, als würde ich aufgeben. Ich blickte demonstrativ auf meine neue Armbanduhr und lief die Treppen in den U-Bahn-Schacht hinunter. Unterirdisch lief ich den Bahnsteig entlang und kam auf der anderen Seite, außerhalb von Rubios Blickfeld, wieder auf die Straße. Von dort war es nicht mehr weit bis zur Tankstelle. Hier gab es zwar nur ein paar Stehtische neben dem Getränkeautomaten, aber Stehen war für mich ohnehin angenehmer. Das einzig Erträgliche aus dem Automaten war die Fleischbrühe. Besser als gar kein Frühstück. Ich knallte den Stapel Papier, den ich mitgenommen hatte, auf den klebrigen Tisch. Die Skizze von Zoë rutschte aus dem Stapel und segelte zu Boden.

Ich hatte versucht, ihren wütenden Gesichtsausdruck einzufangen, die Anspannung vor dem Moment, in dem sie Lederjacke geschlagen hatte. Aber die Zeichnung war mir nicht besonders gut gelungen. Ich hob sie auf und schob sie in den Stapel zu den anderen. Ich zückte den Stift und konzentrierte mich auf den Kodex.

Wir verteidigen, schrieb ich. Daneben malte ich wieder mal ein Fragezeichen. *Niemals töten wir Angehörige unserer Art. Unser Sein ist geheim, unser Platz der Schatten, das Schweigen. Wir weichen oder nehmen uns den Raum. Jeder für sich, keiner für alle. Aber alle schützen das Geheimnis unserer Art. Gesetz der Panthera.*

Nachdenklich betrachtete ich den Kodex. Wie so oft, kam er mir auch heute unwirklich vor. Wie ein Überrest aus einer längst vergangenen Zeit. Und heute erschien es mir mehr denn je so, als würde etwas fehlen. Ich setzte den Stift wieder an und schrieb meine eigenen Überlegungen dazu:

Kein Gesetz funktioniert ohne Strafe. Aber was, wenn jemand mordet und einfach nichts geschieht? Wen verteidigen? Warum? Warum sind wir so? Wen trifft es? Oder, setzte ich schließlich noch hinzu, *sind wir alle bereits gestraft?*

Es dauerte fünf Stunden. Inzwischen war ich so entnervt, dass ich schon wieder zu meinem Posten unter dem Fenster zurückkehren wollte, als ich Rubio auf die Tankstelle zurollen sah. Er war wirklich klapprig, sein Körper zusammengeschnurrt, nur seine Knie ragten in einem so spitzen Winkel über den Rollstuhlrand heraus, dass ich immerhin erahnen konnte, wie hochgewachsen er in seiner Jugend gewesen sein musste. Im Schneckentempo rollte er zum Kühlfach mit den Getränken. Auf gewisse Weise war ich enttäuscht. Ich hatte ihn mir weniger tattrig vorgestellt. Sollte Gizmo doch Recht haben? *Nur ein alter Mann?* Und dazu offenbar noch ein alter Mann, der ängstlich war. Immer wieder sah er sich zur Glastür um und spähte besorgt auf die Straße, als würde er befürchten, dass ihm jemand folgte.

Dabei fiel mir ein Anhänger um seinen Hals auf – eine Art länglicher Plastikstick mit einem roten Knopf. Der Ambulanz-Notfunk für allein lebende alte Leute? Für einen Augenblick war ich versucht, ihn einfach in Ruhe zu lassen. Aber nur für einen Augenblick.

Mühsam wuchtete er sich einen Sechserpack mit Bierdosen auf die Knie und bugsierte ihn und sich selbst zur Kasse. Ich beeilte mich nicht sonderlich damit, meine Sachen wieder zusammenzuraffen und ihm nach draußen zu folgen. Aus reiner Gewohnheit (folge nie einem von uns direkt) machte ich einen Bogen, ging auf der Parallelstraße voraus und lauschte dem Surren seines Rollstuhls. Einige Meter vor seiner Haustür trat ich wieder auf die Straße. Von hinten sah er noch schmaler und zerbrechlicher aus. Das letzte Stück schien ihn wirklich anzustrengen.

Doch plötzlich brachte er den Rollstuhl mit einem harten Ruck zum Stehen. Seine Schultern strafften sich und auch sonst schien der ganze Mann sich an unsichtbaren Fäden emporzuziehen. Er atmete zischend aus, dann wirbelte er mit einem einzigen, kräftigen Schwung herum. Nie hätte ich gedacht, dass man mit einem Rollstuhl so schnell und beweglich sein konnte. Und sein Blick … er suchte nicht, er traf mich auf Anhieb und tackerte mich auf der Stelle fest.

»Hör endlich auf, mich zu belauern und hinter mir herzuschleichen! Lass mich in Ruhe!« Das klang gar nicht nach ängstlichem alten Mann. Seine Stimme war wie ein Grollen, tief und kräftig. Abrupt schwang er wieder herum und setzte seinen Weg fort. Noch fünf Meter bis zur Tür. Ich hatte nicht viel Zeit, verblüfft zu sein. Ich überholte ihn und stellte mich zwischen ihn und die Tür.

»Rubio – ich bin Gil. Wir müssen reden.«

»Ich muss gar nichts«, blaffte er mich an.

»Hast du nicht gehört, was mit Barb passiert ist?«

»Wer nicht? Und? Was schert es mich?«

»Ich glaube, dass einer von uns sie getötet hat. Ich denke, es war Maurice. Er hat mich auch angegriffen und mir …«

»Na, da haben wir aber einen ganz schlauen Neuen in der Stadt«, unterbrach er mich grob. »Also noch mal extra für dich zum Mitschreiben: Was … schert … es … mich? Von mir aus könnt ihr euch gegenseitig zum Frühstück verspeisen.«

Nun, senile Leute hörten sich anders an.

»Ich glaube, das ist wohl eher dein Hobby«, erwiderte ich scharf. »Du hast auch schon mal gegen den Kodex verstoßen, nicht wahr? Warum hätte dich Barb sonst ›Kehlenzerfetzer‹ genannt? Hast du … wirklich einen umgebracht?«

Er überraschte mich mit einem rasselnden, sarkastischen Lachen, das in ein Husten überging. »Einen?«, fragte er spöttisch. »Dutzende! Und wenn du mir nicht aus dem Weg gehst, kannst du gerne der Nächste sein.«

Er machte Anstalten weiterzufahren, aber ich tat einen Schritt zur Seite und vertrat ihm dadurch den Weg. Es machte mich zwar nervös, aber es war die einzige Möglichkeit.

»Ich will ein paar Dinge verstehen«, sagte ich.

»Verstehen!« Er spuckte das Wort beinahe verächtlich aus. Doch dabei legte er den Kopf in den Nacken, als würde er auf mich herabsehen. »Dein Akzent gefällt mir nicht. Und deine Visage noch viel weniger. Ausländer, was? Bist du illegal hier? Du wirst ziemlich nervös, wenn ein Polizist um die Ecke biegt.«

Ich dachte, ich wäre in diesem Spiel der Beobachter, aber offenbar hatte er von seinem Fenster eine ebenso gute Sicht auf mich. Ich war tatsächlich einmal in den U-Bahn-Schacht gegangen, als zwei Uniformierte den Platz überquert hatten.

»Und wenn schon«, sagte ich. »Spielt es noch eine Rolle, ob ich einen gültigen Pass habe? Für mich ist das normale Leben ohnehin vorbei.«

Rubio kniff die Augen zusammen. Ich wusste, dass er sehr gut sah. Aber dennoch wirkte sein Blick unscharf, als würde er nicht nur mich betrachten, sondern etwas neben mir, hinter und vor mir.

»›Mein Leben ist vorbei‹«, äffte er mich mit einer betont weinerlichen Stimme nach. »Selbstmitleid ist eine hübsche, anschmiegsame Geliebte. Tu mir nur den Gefallen und fang hier nicht an zu heulen.«

Ganz ruhig bleiben, befahl ich mir. *Er will dich nur provozieren.*

Jetzt sah er wirklich genervt aus. »Und jetzt verschwinde einfach und genieß die Zeit, in der du noch an einen Menschen erinnerst.«

»Ich bin ein Mensch!«, brauste ich auf. »Und ich werde nie etwas anderes sein.«

»Das sagen sie alle«, meinte Rubio trocken. »Und dann fangen sie an wie du: Erst tun sie sich erbärmlich leid, schieben die Schuld an ihrem Los auf ihre Gabe. Dann nutzen sie ihre neuen Talente, weil sie nun mal da sind – natürlich nur, um mit diesem schlimmen Los fertig zu werden. Dann stellen sie fest, dass es im Grunde gar nicht so schlecht ist, den Normalsterblichen überlegen zu sein: schneller zu sein, besser zu riechen, über die Sinne von Raubtieren zu verfügen. Es macht sogar Spaß und verleiht ein Gefühl von Macht. Dann werdet ihr alle größenwahnsinnig und nutzt die Gabe nur für euch und eure kleinen, erbärmlichen Wünsche. Und am Ende spielen die Wünsche auch keine Rolle mehr. Dann gilt nur noch das Gesetz der Jagd. Um etwas anderes schert ihr euch alle nicht.«

Ich gab es nicht gerne zu, aber der Alte beeindruckte mich. Und sei es nur deswegen, weil er gerade ein ziemlich treffendes Bild von Gizmo gezeichnet hatte.

»Ihr bedient euch der Instinkte wie der Zauberschüler seiner Magie, die er noch nicht beherrscht und deren

Gesetze und Sinn er nicht durchschaut«, fuhr er noch zorniger fort. »Hemmungslos und gierig. Und ihr verfallt euren Instinkten ganz und gar. Wunderbare Parallele zu Alkoholikern, findest du nicht?«

»Ich bin meinem Schatten nicht verfallen«, sagte ich kühl. »Ich nutze meine Fähigkeiten nicht, um Radios zu klauen oder Hunde zu jagen. Ich will den Schatten nicht und wollte ihn nie haben.«

Seine Augen hatten den gelblichen Braunton von Löwenaugen. Und sein Grinsen war das eines niederträchtigen alten Mannes, der um seinen Vorteil wusste. »Wie sehr du dich in Letzterem irrst, mein weinerlicher, illegaler junger Freund«, spottete er. »Der Schatten ereilt niemanden einfach so, man entscheidet sich für ihn. Etwas muss dich bewogen haben, ihn zu rufen. War es Neugier? Wut? Oder möglicherweise sogar Hass?«

Sein listiges Grinsen zeigte mir, dass er ein weitaus besserer Detektiv war, als ich es jemals werden würde. Ich leckte mir nervös über die Lippen.

»Du weißt also etwas darüber«, beharrte ich. »Alle, die ich bisher gefragt habe, konnten oder wollten mir nichts sagen. Aber du ... du bist nicht aus dem System gefallen. Du bist zwar alt, aber dich hat das Hundefresservirus offenbar nicht erwischt. Du hast eine Wohnung, du lebst wie ein Mensch und gehörst nicht zu denen da draußen. Wie schaffst du das? Gibt es eine Möglichkeit, es ... loszuwerden?«

Rubio sah mich mit einer Mischung aus Mitleid und Ärger an. »Ach, darum geht es dir?«, fragte er. Es überraschte mich, wie enttäuscht er klang. Dann schüttelte er traurig den Kopf. »Schlechte Nachrichten für dich, Kleiner. Der Schatten ist ein Teil von dir. Was du über die Schwelle geladen hast, das wohnt in deinem Haus. Dein Schatten und du, ihr seid für immer verbunden. Untrennbar.«

Er sah mir sicher an, wie niederschmetternd seine Worte waren. Ich musste schlucken, weil ich tatsächlich kurz davor war zu heulen. »Das glaube ich nicht«, sagte ich. »Ich werde einen Weg finden. Aber ich muss mehr darüber erfahren: Woher stammt der Kodex? Warum gibt es solche wie uns? Der Kodex sagt, wir müssen verteidigen. Wen? Uns selbst? Aber was passiert, wenn jemand gegen den Kodex verstößt? Wird der Mörder bestraft? Wurdest ... du bestraft?« Ich versuchte, nicht auf den Rollstuhl zu sehen.

Einige Sekunden lang schien Rubio tatsächlich zu überlegen, ob er mir antworten sollte. Doch er zögerte.

»Bitte, ich muss Antworten haben. Es geht nicht nur um mich«, beschwor ich ihn. »Sondern auch um ... einige Freunde.«

Bei dem Wort »Freunde« verdrehte er die Augen. »Verwechsle Bruderschaften nie mit Freundschaften«, knurrte er. Sein Blick schweifte über meine Schulter. Ich hatte den Eindruck, dass er immer noch nach etwas – oder jemandem – Ausschau hielt. Dann winkte er mit seiner mageren, fleckigen Hand ab. »Ach, hör auf, mich zu langweilen«, sagte er voller Verachtung.

»Sind dir alle gleichgültig – Barb und die anderen? Du kennst sie doch viel länger als ich.«

»Barbara Villier? Oh ja, ich kannte sie gut. War eine fähige Finanzfrau. Und im Börsendschungel konnte sie sich ihre Instinkte zunutze machen. Übernahmen, Revierkämpfe – dafür hat Barb ihr Gespür gut eingesetzt. Und nicht zum Nachteil der Leute, deren Interessen sie vertreten hat. Hatte hohe Ideale, gehörte nicht zu den Börsenhaien, die nur ihr eigenes Bankkonto sehen. Managte mehrere Öko-Fonds. Spezialgebiet regenerative Energien. Aber dann zählte plötzlich nur noch die Jagd und sie hat sich im Schatten verloren. So wie Marcus und Kemal, Eve und Julian – und die anderen. Julian war erst seit einem Jahr Schauspieler am Theater. Er war ein wirklich guter Hamlet. Aber er war nicht gut genug, als es darum ging, seine eigene Rolle zu finden. Sie hatten alle ihre Chance – aber sie wurden zu einem Haufen von selbstsüchtigen Versagern. Aber so ist das eben: Du kannst deinen Schatten als Bruder behandeln oder als Sklaven. Entscheidest du dich für Letzteres, musst du dich nicht wundern, wenn er nur auf seine Chance wartet, um sich von der Kette zu befreien.«

Ich zuckte zusammen, als ich ein schrilles Piepsen hörte. Rubio hatte den Stick, der um seinen Hals hing, ergriffen und den roten Knopf gedrückt. Es war kein Notrufset, sondern so was wie eine Funkfernbedienung, die ihm die Tür öffnete. Mit einem elektrischen Surren schwang sie auf.

»Und jetzt entschuldige mich, Sherlock Holmes«,

sagte Rubio. »Mein Bier wird langsam warm. Und ich hasse lauwarmes Bier.«

Ich war schneller als er und versperrte ihm die Tür. »Ich gehe nicht ohne Antworten«, fuhr ich ihn an. Ich war gefährlich nahe an der Wut, aber jetzt konnte ich auch die Zorneswellen spüren, die von dem Alten ausgingen.

»Und was würdest du wohl mit Antworten anfangen?«, donnerte er. »Nichts! Ich habe euch Antworten gegeben – und mehr als das.« Er klopfte auf das Rad seines Rollstuhls. »Und was nützt es? Was soll ich dir erzählen? Dass wir einst mächtig waren und demütig, dass es uns schon immer gab und du nur die Sagen lesen müsstest, die Märchen, die Bibel, die Schöpfungsmythen, um es zu begreifen? Lies die Geschichten über den Helden Herkules, Holzkopf, lies etwas über den König Lynkaios, der alle Fähigkeiten eines Luchses besaß. Lies über die *Accademia dei Lincei* – die Akademie der Luchse, der auch Galileo angehörte. Lies alles über die mächtigen Osiris-Priester und über das afrikanische Volk der Dahomey, die sich ›Leopardenkinder‹ nannten, weil ihre Ahnen aus der Vereinigung zwischen einem Menschen und einer Leopardin hervorgingen. Und dann sieh dich in dieser Stadt hier um und du wirst eines erkennen: Wir sind schon lange keine Wächter mehr, wir sind am Ende. Die kläglichen Überreste einer sterbenden Art, irgendwo in der Grauzone zwischen Mensch und Katze treibend, nutzlos und dumm, nicht wert zu überleben. Zerfleischt euch gegenseitig oder lasst euch töten, haltet euch an den Kodex oder nicht, mir ist es längst gleichgültig. Ich habe euch schon vor vielen Jahren aufgegeben.«

Beim Blick in mein fassungsloses Gesicht zeigte er ein böses, lauerndes Lächeln und fügte hinzu: »Ach ja, zu deiner ursprünglichen Frage: Maurice oder nicht Maurice? Ich gebe dir mal ein hübsches Zitat von Meister Buñuel: *Man muss erst beginnen, sein Gedächtnis zu verlieren, und sei's nur stückweise, um sich darüber klar zu werden, dass das Gedächtnis unser ganzes Leben ist. Ein Leben ohne Gedächtnis wäre kein Leben. Unser Gedächtnis ist unser Zusammenhalt, unser Grund, unser Handeln, unser Gefühl. Ohne Gedächtnis sind wir nichts.*« Er beugte sich ein Stück vor. »Was übersetzt bedeutet: Vielleicht hast du ja auch selbst Barbara Villier getötet? Kannst du es wissen? Nein, denn ohne Gedächtnis bist du niemand. Ein nutzloses Nichts.«

Die Wut kam wie ein Reflex, so schnell, dass die veränderte Wahrnehmung wie ein Schock war. Ich presste die geballten Fäuste in die Achselhöhlen und riss mich mit aller Kraft zusammen, doch es nützte nichts. Das Rot knipste weg, der Geruch nach dem Schmierfett des Rollstuhls, nach durchgesessenem Leder und nach pergamentener Altmännerhaut nebelte mich ein, überlagert von den Facetten »Raubtier«, »Gefahr«, »Drohung«, »Metall«. Und: »Waffen-Öl«.

Ein Klicken hallte wie Donner in meinen Ohren wider. Dann blickte ich direkt in die Mündung eines Revolvers, dessen Hahn gespannt war.

»*Quod erat demonstrandum*«, sagte Rubio triumphierend. »Und du bildest dir ein, deine Gabe einfach so zurückweisen zu können wie ein verwöhntes Kommunionskind ein Stück Torte? Zu spät, Junge. Schau dich im Spiegel an, da hast du den Gegenbeweis. Und jetzt geh mir aus dem Weg und komm nie wieder in meine Nähe!«

Die Überraschung zog mich weg von der Grenze – hin zum ganz normalen Dasein eines Menschen, der seine Haut retten wollte. *Das macht er nicht!*, dachte ich. *Er wird mich nicht erschießen.*

»Ich würde es nicht ausprobieren«, knurrte Rubio. »Ich habe nicht viel zu verlieren. Und im Notfall werde ich sagen, es war deine Waffe, mit der du mich bedroht hast.«

Die Schlagzeilen konnte ich förmlich schon vor mir sehen: »Rentner schießt jugendlichen Gangster in Notwehr nieder.« Wahrscheinlich würde er dafür noch als großer Held gefeiert werden.

Er betrachtete mich mit einer seltsamen Faszination und dieser Unschärfe in den Augen. Der Blick glitt über meine Arme und verharrte neben mir, als würde er etwas ganz anderes sehen. Eine Sekunde maßen wir noch stumm unsere Kräfte, dann trat ich zur Seite und machte ihm den Weg frei. Besser so, als dass ich wartete, bis die Wut wiederkam.

Rubio senkte sofort die Waffe. Mir schien, als sei er sogar erleichtert. Seine Schultern sanken nach unten. Plötzlich war er nur noch ein müder alter Mann. Er fuhr an mir vorbei und kehrte mir den Rücken zu, während er den Rollstuhl mühsam über die kleine Rampe bugsierte.

»Soll ich dir was sagen, Gil?«, murmelte er, ohne sich umzusehen. »Dinge ändern sich. Unser Leben steht auf Messers Schneide. Hier ist es gefährlich geworden. Zieh weiter, such dir eine andere Stadt, solange es noch nicht zu spät ist.«

»Das habe ich schon getan, nur deshalb bin ich hier gelandet«, erwiderte ich heftig. »Ich werde sicher nicht noch einmal weglaufen.«

Er winkte nur müde ab. »Kein Revier gehört dir auf alle Zeit. Gesetz des Dschungels.«

Dann schloss sich die Tür schon hinter ihm.

Ich blieb noch eine Weile stehen und starrte auf die weiße Metallwand. *Ein Nichts,* hallten seine Worte in meiner Erinnerung nach. Es war weniger schlimm, es aus seinem Mund zu hören; noch schlimmer war, dass ich es ganz genauso empfand. Wer war ich ohne Gedächtnis? Es war, als würde ein Stück von mir einfach fehlen. Alles, was ich hatte, waren meine spärlichen Aufzeichnungen. Und – Rubios Wissen.

Kurz entschlossen zerrte ich meine Aufzeichnungen aus der Jackentasche – den Kodex mit meinen ganzen Fragen, einige Skizzen und Vermutungen – und stopfte alles in den Briefkasten. *Leben auf Messers Schneide. Wächter. Herkules – Leopardenkinder – eine sterbende Bestimmung?* Nun, das war immerhin ein Anfang. Ich holte das größte Papier hervor, das ich noch übrig hatte, und schrieb in Riesenlettern darauf:

Doch erst in der Sekunde, in der ich das improvisierte Schild an der U-Bahn-Haltestelle hochhielt, sodass Rubio es vom Fenster aus sehen musste, wurde mir klar, für wen Barb ihre Hilferufe verfasst hatte. Sie musste an derselben Stelle gestanden haben wie ich, in den Händen das Schild mit der Aufforderung an Rubio, jemanden zu töten.

Die sechste Stunde fiel wegen der Sonderkonferenz einiger Lehrer aus. Vermutlich ging es um den Mord auf dem Sportplatz. Zoë packte rasch ihre Sachen zusammen und machte sich auf den Weg zu den Medienräumen. Sie hatte Glück: Zumindest der Recherche-Computer im Aufenthaltsraum war frei. Ungeduldig loggte sie sich bei ihrem E-Mail-Provider ein. Eine Weile kaute sie auf ihrer Lippe herum, unentschlossen, ob sie sich wirklich in Dinge einmischen sollte, die sie nichts mehr angingen. Dann aber tippte sie eine kurze Nachricht an Ellen ein und loggte sich sofort wieder aus. Nun rief sie eine Suchmaschine auf und gab »Irves Martini« ein. Siebzehn Einträge erschienen, keine Fotos. Ankündigungen und ein Zeitungsausschnitt. Er hatte tatsächlich in einer Band gespielt – in London. Ausgerechnet Neopunkrock. Die Band hieß *Ghost*. Genauer gesagt, sie hatte so geheißen. Offenbar hatte sie sich vor eineinhalb Jahren aufgelöst, weil Irves über Nacht ausgestiegen war. Und das, obwohl der erste Plattenvertrag in Sicht war. Zoë klickte sich noch durch einige Forumseinträge enttäuschter Fans, dann führten die Spuren nur noch auf das Feld der Spekulation. Nun, er musste einen Grund gehabt haben, um die Band so plötzlich im Stich zu lassen. Hatte es Streit gegeben?

Zoë schloss die Seiten und holte ihr Handy hervor. Doch Irves hatte sein Handy ausgemacht, also tippte sie nur eine SMS ein: *Ich weiß noch nicht, vll Do. Melde mich. Z.*

Ein Blick auf die Uhr über der Tür sagte ihr, dass sie bis zum Klingeln noch Zeit hatte. Also klickte sie auch noch die Mailbox ihres Schüleraccounts auf. Die ersten drei Nachrichten übersprang sie.

> Betreff: Projektgruppe sauberer Pausenhof – Programm
> Betreff: Streitschlichtertreffen Freitag fällt aus
> Betreff: Schulfest der 7. Klassen, noch Betreuer gesucht

Doch bei der vierten Mail stutzte sie.

> Betreff: Warnung

Spam? Zoë klickte sie trotzdem auf und staunte gleich noch mehr:

> Von: panthera92@gmx.net
> Datum: 18.03.2010 22:40 Uhr
> An: 'zoe' zoe.valerian@einstein-schule.eu

> Hallo Zoë. Halte dich von jemandem fern (Bild s. u.). Stadtbekannter Schläger. Er heißt Maurice und ist gewalttätig (!) und manchmal nicht zurechnungsfähig. Er ist vor allem zwischen 23 Uhr und 3 Uhr morgens in deinem Viertel unterwegs. Es ist wichtig (!!!), dass du in dieser Zeit nicht auf die Straße gehst. Wenigstens in den nächsten Tagen. Falls du ihn tagsüber triffst, mach einen Bogen um ihn und sieh zu, dass du unter Leute kommst. Melde mich wieder mit weiteren Infos. Halte ansonsten die Augen offen und pass auf dich auf!

Zoë runzelte die Stirn. Sie scrollte herunter, bis sie das Bild sah. Eine steckbriefartige Bleistiftskizze. Jetzt machte ihr Herz einen Satz. Auch wenn das Porträt nur grob gezeichnet war, stellte es eindeutig den Kerl vom Kiosk dar! Aber wer warnte sie vor ihm? Eine Weile starrte sie nur in die stechenden Augen, dann gab sie den Suchbegriff »Panthera« ein. Als Definition erschien:

> *Gehören zu den Großkatzen. Zur Gattung Panthera zählt man: Tiger (Panthera tigris), Löwe (Panthera leo), Leopard (Panthera pardus) und Jaguar (Panthera onca).*

Jetzt atmete Zoë auf. Das erklärte einiges. Es sollte wohl eine Anspielung auf den Tiger in der *Buddha Lounge* sein. Also war es kein Verrückter, der ihr Angst machen wollte. Irves hatte ihren Schülerausweis gesehen und sich offenbar ihren vollen Namen und ihre Adresse gemerkt. Von dort aus war es nicht schwierig, ihre Mailadresse zu finden. Vielleicht wohnte er in ihrer Nähe, wenn er so gut Bescheid wusste? Auf jeden Fall spielte er offenbar gerne den geheimnisvollen Beschützer. Zoë lächelte, blickte noch einmal auf die Uhr, dann tippte sie ihre Antwort ein.

Frau Thalis hatte den Termin weder vergessen noch hatte sie ihn abgesagt. Im Gegenteil: Sie schien bereits ungeduldig auf Zoë gewartet zu haben und forderte sie nun mit einer herrischen Bewegung auf, ihr ins Lehrerzimmer zu folgen. Das Lehrerzimmer war aus der Zeit der Minirock-Erfindung und der frühen *James-Bond*-Filme übrig geblieben: Orange und Braun, klobige Möbel und Brieffächer aus dunklem Plastik. In den Ecken trennten vorsintflutliche Gummibäume und Regale die kleinen Besprechungsecken vom restlichen Raum ab. Zoë versuchte sich zu erinnern, ob sie Frau Thalis schon einmal ohne Sportsachen gesehen hatte. Heute trug die Lehrerin ein braunes Kostüm, das sie noch strenger wirken ließ. Wie alt mochte sie sein? Fünfunddreißig? Vierzig?

Sie wartete, bis Zoë Platz genommen hatte. Dann zog sie eine Mappe mit Kopien hervor und begann im Stehen darin zu blättern.

»Zoë, wir kennen uns ja noch nicht sehr lange«, begann sie ohne Umschweife. »Deshalb habe ich mir heute deine Leistungen der vergangenen Jahre angeschaut, um mir ein besseres Bild von dir zu machen. Deine Leistungen sind in Ordnung, jedoch nicht überragend.

Schlecht in Mathematik, erstaunlicherweise jedoch gut in Physik. Und zwei Jahre lang warst du Vertrauensschülerin, ist das richtig?«

Zoë nickte zögernd und setzte sich unwillkürlich etwas gerader hin.

»Im vergangenen Jahr hast du am Streitschlichterprogramm teilgenommen«, fuhr die Lehrerin fort.

»Ich kann mir vorstellen, was Sie denken«, begann Zoë. »Eine Streitschlichterin, die sich selbst nicht im Griff hat. Aber es war ...«

»Du sollst mir nur meine Frage beantworten. Also: ja oder nein?«

Noch nie war ihr aufgefallen, dass Frau Thalis blaugraue Augen hatte, die sehr kühl wirkten. *Röntgenblick.*

»Ja«, sagte Zoë.

Die Lehrerin nickte, klappte endlich den Verhörordner zu und legte ihn auf den Tisch.

»Schön. Dann hast du ja sicher schon davon gehört, dass man sein Team nicht einfach so im Stich lässt. Du bist davongelaufen. Dafür kann ich dich aus der Gruppe ausschließen, ist dir das klar?«

»Ja, das ... ist mir klar«, sagte sie leise.

Frau Thalis musterte sie mit verschränkten Armen. Die Pause zog sich. *Wartet sie auf eine Entschuldigung? Oder darauf, dass ich darum bitte, in der Gruppe bleiben zu dürfen?* Nein, betteln würde sie auf keinen Fall!

»Du denkst, du bist eine Einzelkämpferin«, fuhr die Lehrerin fort. »Aber du irrst dich, wenn du denkst, das sei der richtige Weg. Es geht immer um das Team. Ohne Team kämpfst du wirklich allein und verlierst. Kennst du den Spruch, dass eine Gruppe mehr ist als die Summe aller Teile? Er ist wahr.«

Sie setzte sich endlich, legte die Mappe auf den Tisch und lehnte sich zurück. »David Meyer und du, ihr wart lange zusammen?«

Die Frage kam so unvermittelt, dass Zoë ihre Überraschung kaum verbergen konnte. Sie nickte und rutschte auf dem Sitz ein Stück zurück. »Drei Monate, ja. Aber das spielt keine Rolle mehr.«

Überraschenderweise lächelte Frau Thalis. »Nein, und wenn auch nur die Hälfte von dem stimmt, was man in Davids Klasse tuschelt, hast du gestern noch einen sehr deutlichen Schlussstrich gezogen.«

»Das ist meine Privatsache«, erwiderte Zoë etwas zu heftig. »Das hat nichts damit zu tun, ob ich ...«

»Es geht hier nicht um Rechtfertigungen«, unterbrach Frau Thalis sie. Sie lächelte wieder und Zoë stellte fest, dass sie gar nicht so streng wirkte. Sachlich und trocken, ja. Aber nicht starr.

»Na gut, kommen wir endlich zur Sache, Zoë: Ich halte dich zwar für keine sehr ehrgeizige Schülerin, aber für eine sehr gute Sportlerin. Sogar so gut, dass ich mir vorstellen könnte, dich in mein Leistungsteam aufzunehmen. Du hast ja sicher schon gehört, dass ich mit Unterstützung der Stadt ein schulübergreifendes Projekt starte. Schüler aus insgesamt fünf Schulen nehmen daran teil. Du weißt, worum es geht?«

»Triathlon?«

»Nun, das ist das Ziel, aber wir fangen mit Koppeltraining an. Hauptsächlich mit Leuten aus den zwölften Klassen. Du wärst die Jüngste im Kurs, deine Mutter müsste unterschreiben, dass sie damit einverstanden ist, weil du noch nicht volljährig bist. Für die richtigen Wettbewerbe musst du achtzehn sein, aber es soll auch ein langfristiges Projekt werden. Später würdest du in jedem Fall davon profitieren: Es laufen schon Absprachen für Sportstipendien, die von der Stadt vergeben würden – auch für ein Studium im Ausland.«

Zoë konnte wieder nur nicken, während ihre Gedanken kreuz und quer sprangen. Die Aussicht, vielleicht einmal die Chance auf ein Stipendium zu bekommen!

»Aber die anderen sind genauso gut wie ich«, wandte sie ein. »Paula läuft meistens bessere Zeiten.«

»Noch«, sagte Frau Thalis trocken. »Alles eine Sache des Trainings. Außerdem ist Paula keine Kämpferin wie du. Allerdings erwarte ich von dir, dass du für das Team kämpfst und nicht für dich selbst oder gegen irgendwelche Leute, mit denen du dich nicht gut verstehst. Übrigens: Wenn David dich stört, werde ich dafür sorgen, dass ihr euch nicht mehr über den Weg lauft. Training wäre dreimal in der Woche. Du bekommst zusätzlich einen Einzeltrainingsplan, für den du selbst verantwortlich bist. Du müsstest Freizeit opfern, aber ich bin der Meinung, es ist eine gute Investition. Trainingsfahrräder wird ein Sponsor zur Verfügung stellen. Sechswöchige Probezeit mit Aufnahmetest. Also?«

Zoë hätte am liebsten einfach nur Ja gerufen. Aber dann fiel ihr Leon ein. Und all das andere.

»Ich ... weiß nicht, ob meine Mutter unterschreiben würde«, sagte sie zögernd. »Nachmittags ist es meistens schwierig. Eigentlich kann ich nur am Freitag. Meine Mutter ist Krankenschwester und arbeitet im Schichtdienst und wir haben kein Geld für die Kinderbetreuung. Ich muss meinen kleinen Bruder vom Kindergarten abholen und nachmittags da sein. Außerdem muss ich einkaufen und einmal die Woche Zeitungen austragen.«

»Du musst ziemlich viel«, bemerkte Frau Thalis. Überraschenderweise klang es mitfühlend.

»Na ja, ich muss eben ... mithelfen.«

Frau Thalis musterte sie nachdenklich.

»Du bist sehr verantwortungsbewusst. Hat deine Mutter kein Netzwerk? Andere Mütter, die sich mit der Kinderbetreuung am Nachmittag abwechseln könnten?«

Nein, wozu? Sie hat doch mich und den Fernseher, dachte Zoë mit einem Anflug ihres alten Zorns. Stumm schüttelte sie den Kopf.

»Hm, es gibt Unterstützung seitens der Stadt, auch finanziell«, sagte Frau Thalis. »Vielleicht könnte sich deine Mutter einmal darüber informieren?«

»Das würde sie nie in Anspruch nehmen«, erwiderte Zoë. »Sie ist stolz darauf, dass wir von niemandem abhängig sind. Sie sagt, bevor sie Sozialhilfe oder Wohngeld annimmt, geht sie lieber nachts noch putzen.«

»Es ist leicht, stolz zu sein, wenn die Tochter den Preis dafür zahlt«, sagte Frau Thalis sanft. »Versteh mich nicht falsch, Zoë. Es liegt mir fern, deine Mutter zu kritisieren und mich einzumischen, aber ich möchte, dass du einfach für dich selbst Klarheit gewinnst. Deine Mutter verdient allen Respekt dafür, dass sie als Alleinerziehende für euch zwei sorgt. Und es ist ihr kein Vorwurf zu machen, dass sie überfordert ist. Aber hier geht es um dich: Du hast eine Zukunft, und du hast ein Recht auf deinen eigenen Freiraum.« Noch leiser fügte sie hinzu: »Ich kann gut verstehen, wie es dir geht. Es ist schwer für dich, und sicher bekommst du dafür nicht genug Verständnis. Aber manchmal trägt man bereitwillig Lasten, die eigentlich nicht die eigenen sind. Denk einfach mal darüber nach.«

Es war seltsam genug, mit einer Lehrerin, die erst seit ein paar Monaten an der Schule war, über ihr Privatleben zu sprechen, aber noch seltsamer war, dass Zoë ihr gerne noch viel mehr erzählt hätte. Vor allem über die fehlende Stunde. Aber es half auch so schon: Zum ersten Mal seit Wochen hatte sie das Gefühl, keine Last mehr zu tragen. Auch die Unruhe meldete sich nicht.

»Ich könnte ja vielleicht auch abends trainieren«, meinte sie dann. »Ich laufe ohnehin oft nach acht noch meine Trainingsrunde. Manchmal ... sogar nachts.«

Frau Thalis lachte. »Um Himmels willen, bitte lass das, solange der Mörder dieser Obdachlosen noch nicht gefasst ist! Wir finden schon eine Lösung.« Sie stand auf und griff nach der Mappe. »Fürs Erste biete ich dir an, dass ich mit deiner Mutter spreche. Am Freitag trainieren wir zwischen halb zwei und Viertel vor drei in der Werkrealschule in der Nähe des Kunstmuseums. Direkt vor dem regulären Training in unserer Schule also. Wenn du kannst, mach einfach beim Training mit und sieh dir an, ob es dir gefallen würde. Sieh es als Probetraining und entscheide dann, in Ordnung?«

Das war auch neu: eine Erwachsene, die wie selbstverständlich das Ruder für sie in die Hand nahm.

Frau Thalis zog ein Blatt Papier hervor und reichte es Zoë. »Hier ist ein Trainingsplan. Und meine Handynummer hast du ja. Ruf mich jederzeit an, wenn du Fragen hast. Und auch dann ...« Sie sah Zoë in die Augen. »... wenn es sonst etwas zu sagen gibt. Also: Bist du im Team?«

Zoë musste nicht nachdenken, sie schlug ein.

»Gizmo?«

Ein Gähnen am anderen Ende der Leitung und eine gelangweilte Stimme. »Hey Gil, wo bist du?«

»Nordstadt, beim Planetarium. Ich laufe gerade zum Neubaugebiet.«

Er pfiff leise durch die Zähne. »Immer noch lebensmüde, was? Ich habe übrigens die Nachrichtensendungen aufgenommen.« Kurze Pause, dann: »Üble Sache, das mit Barb. Irves sagt, es war Maurice?«

»Das vermuten wir. Gibt es was Neues?«

»Meinst du bei denen in der Stadt oder bei uns?«

»Bei den Ermittlungen.«

»Nein.«

»Gut. Hör zu, kannst du mir noch einen Gefallen tun?«

Wieder eine Pause, dann ein genervtes Schnauben. »Was denn noch? Langsam schuldest du mir wirklich was.«

»Ich weiß. Ich mache es wieder gut. Kannst du rausbekommen, ob Rubio eine Mailadresse hat?«

»Kann ich zaubern?«, kam es unwillig zurück.

»Hast du keine Suchmaschine? Kein kleines, geheimes Programm?«

»Ich kann höchstens nach seinem Namen im Netz suchen lassen, aber wenn er sich unter *maiblümchen@irgendwas.com* angemeldet hat, finden wir ihn nie. Außerdem glaube ich nicht, dass der alte Senilo überhaupt weiß, was eine Mail ist.«

Wenn du wüsstest, dachte ich.

Pause. Tastaturklickern, während ich um die Ecke bog und mit einem mulmigen Gefühl Zoës Gegend betrat.

»Unter Rubio findet sich nichts«, sagte Gizmo. »Zumindest auf die Schnelle.«

»Unter dem Namen habe ich auch schon gesucht, aber ich habe nichts ...«

Mir fiel fast das Handy aus der Hand, als ich den Blonden sah. Nummer 11. In meinem Kopf verschob sich mein ganzer Stadtplan, schraffierte Zonen rutschten zusammen. Zur Sicherheit sah ich auf meine Armbanduhr. 13.36 Uhr. Um diese Zeit war Nummer 11 sonst immer bei der Restaurantmeile. Wir waren beide zur falschen Zeit am falschen Ort.

»Gil?«, fragte Gizmo.

Ich leckte mir über die trockenen Lippen. »Ich bin noch da.« Unwillkürlich war ich in ein Flüstern verfallen. »Aber ich ... ich sehe etwas, was es nicht geben darf.«

»Eine hässliche Brasilianerin?«

»Nein, Nummer 11. Mitten in Shir Khans Revier.«

Gizmos Atem wurde angespannter. »Was macht er?«

Gute Frage. Er stand barfuß an einer Häuserecke, als würde er mit dem ganzen Körper lauschen. Und er witterte. Erst dachte ich, dass er einem Hund auf der Spur war oder vielleicht sogar einer Ratte. Aber dazu wirkte er viel zu konzentriert, so als wäre er auf der Hut.

»Ich ruf dich wieder an«, flüsterte ich und legte auf. Der Wind stand günstig. Ich konnte ihn riechen, er mich nicht. Ich hätte mir allerdings gewünscht, auf den Geruch von Taubenblut nicht mit einem Magenknurren zu reagieren. Aus seiner Manteltasche ragte ein Flügel. Nummer 11 und sein Pausenbrot. Jetzt erst merkte ich, wie hungrig und schlecht gelaunt ich war.

Er machte sich auf den Weg zu den Baustellen. Ich widerstand der Versuchung, meine Schuhe ebenfalls auszuziehen, und folgte ihm, so leise ich konnte. Einen Vorteil hatte es, hinter ihm herzulaufen: Die Leute auf der Straße waren so damit beschäftigt, den verwahrlosten Obdachlosen anzustarren, dass ich ihnen gar nicht auffiel. Er hielt sich dicht in den Häuserschatten. Es gefiel mir nicht, dass sein Weg zu Zoës Wohnhaus führte, aber er blieb dort nicht stehen, sondern bog eilig um die Ecke. Als ich ihn wieder im Blickfeld hatte, sah ich, dass er am Rand der Baugrube herumstrich. Einer der Kräne schwenkte gerade einen Stapel mit Stahlträgern über das Gelände. Im Hintergrund erhob sich ein neues Gebäude, ein würfelförmiger Klotz, vielleicht ein zukünftiger Bürokomplex.

Nummer 11 schlich am Bauzaun entlang, schnüffelte wieder. Er duckte sich und hob einen schwarzen Turnschuh auf, den jemand dort verloren hatte. Dabei nahm er mich aus dem Augenwinkel wahr und richtete sich zu einer drohenden, halb geduckten Haltung auf. Noch kein Grund, sich Sorgen zu machen. Nummer 11 konnte einschüchternd wirken, aber im Grunde kämpfte er nicht gern.

»Was hast du hier zu suchen?«, rief ich ihm zu.

Er stopfte hastig den Turnschuh in eine seiner Taschen und starrte mich an. Seine Augen waren gelb, die Pupillen weiteten sich bei meinem Anblick. Also war er angespannt und aggressiv. Und ich war nicht sicher, ob er mich verstand.

»Keine Angst vor Maurice?«, setzte ich hinzu.

Endlich glühte ein Funke des Erkennens auf. »Mauriss?«, nuschelte er, als wäre seine Zunge ihm zu groß. »Der's weg.«

Ich runzelte die Stirn. »Weg?«

Hat Rubio Recht? Springen die Ratten vom sinkenden Schiff? Aber warum sollte ausgerechnet der unbesiegbare Maurice die Stadt verlassen?

Nummer 11 duckte sich noch tiefer und funkelte mich an. Seine Nasenflügel bebten. »Riechs du's nich?«, sagte er mit heiserer, beinahe fauchender Stimme. »Riecht anders hier. Leer.«

Ich nahm nur das betäubende, widerlich verlockende Aroma von Taubenfleisch wahr, dazu den ekligen Dunst von Nummer 11, eine Mischung aus Gereiztheit und Eroberungsdrang. Er starrte mir in die Augen und gab ein verächtliches Fauchen von sich. Langsam kam er einen Schritt auf mich zu, dann noch einen. Jetzt ging es nur noch darum, dass er mich aus dem, was wohl sein neues Revier werden sollte, vertreiben wollte. Noch lag keine wirkliche Angriffslust in seinen Schritten, nur eine Drohung. Ging ich zurück und wich dem Blickkontakt aus, würde er mich gehen lassen. Aber heute dachte ich nicht daran. Immerhin redete er mit mir – selten genug in unserem Verein. Und einen Versuch war es wert. Ich fixierte ihn weiter, obwohl ich ihn damit provozierte.

»Marcus?«, fragte ich auf gut Glück. Keine Reaktion. »Kemal?« Genauso gut hätte ich ihm die Wochentage vorbeten können. Letzter Versuch, dann musste ich sehen, dass ich mich zurückzog. »Julian?«

Nummer 11 blinzelte und blieb ruckartig stehen. Verwirrung spiegelte sich in seiner Miene. Ich hätte am liebsten einen Triumphschrei ausgestoßen. Treffer! Rubio hatte nicht gelogen.

»Julian!«, rief ich lauter. »Du warst Julian. Der Schauspieler. Du hast Hamlet gespielt. Ein Stück von Shakespeare. Am Stadttheater. *Sein oder Nichtsein* ... Erinnerst du dich daran?«

Es war gespenstisch. Es war, als würde jemand, eine Person, in die Menschenhülle zurückgleiten. Er richtete sich auf, das Gesicht vor Anstrengung so verzerrt, als würde sich die Erinnerung mit der Spitzhacke ihren Weg durch seine Hirnwindungen schlagen.

»Shakesbiiir«, nuschelte er so undeutlich, als hätte er seit Ewigkeiten nicht mehr gesprochen. Und dann überraschte er mich maßlos, als er Luft holte und mit ganz anderer Stimme und gestochen klaren Worten eine Textzeile zitierte: »*Lasst das Handeln zu den Worten und die Worte zum Handeln passen, mit der einzigen Vorsicht, dass ihr nie über die Grenzen des Natürlichen hinausgeht.*«

In den Augenblicken des Schweigens, die dieser Ansprache folgten, mussten wir uns ziemlich ähnlich sehen: beide verblüfft und mit offenem Mund.

Ich fing mich als Erster wieder. »Rubio hat dich auf der Bühne gesehen, nicht wahr? Kanntet ihr euch gut?«

»Der Seher?«, fragte er gedehnt.

Ich nickte, als würde ich wissen, wovon ich sprach. *Seher.* Interessant. »Er hat jemanden von euch ermordet. Wen, Julian?«

Wieder hatte sein Name eine elektrisierende Wirkung auf ihn. »Gerichtet hat er ihn«, murmelte er. »Der Henker. Den Polizisten. Hat gegen ... Rubios Kodex verstoßen.«

Rubios Kodex? Plötzlich war meine Kehle wie ausgedörrt.

»*Das unentdeckte Land, aus dem kein Wanderer jemals wiederkehrt*«, rezitierte Julian, er lachte. Dann erlosch sein Lachen und er sah mich an, als hätte er mich eben erst entdeckt. »Mein Land«, knurrte er – und schnellte los. Ohne Vorwarnung, ohne weitere Drohgebärde, ohne eine Chance für mich, ihm friedlich aus dem Weg zu gehen. *Hinterhältiger, mieser Idiot!*

Es war zu spät für eine Flucht und doppelt zu spät für beruhigende Worte. Und ehrlich gesagt hatte ich genug – ich war hungrig und müde und meine Nerven lagen blank. Es war eines der wenigen Male, bei denen ich mich nicht dagegen wehrte. Vielleicht auch, weil ich wusste, dass ich mit meiner Verletzung sonst nicht gegen Julian bestehen könnte. Ich bekam noch mit, wie sich meine Finger krümmten und ich mich zum Sprung duckte.

Im nächsten Augenblick stand ich schwer atmend und mit Muskeln, durch die das Adrenalin in heißen Stößen pumpte, schräg neben einem Kiosk. Ich spürte nicht einmal meinen verletzten Oberschenkel. Hundegebell dröhnte in meinen Ohren.

»Hey, prügelt euch gefälligst woanders!«, brüllte ein bulliger Mann, der neben der Kiosktür stand, zu mir herüber. Unweit von mir kam Julian gerade wieder auf die Beine, wischte sich mit dem Ärmel das Nasenblut ab und gab humpelnd und stöhnend Fersengeld.

»Ja, hau bloß ab! Asoziales Pack!«, kam das Gezeter

dröhnend laut vom Kiosk. Sein Zeigefinger stach in meine Richtung. »Und du verschwinde auch oder ich hetze den Hund auf dich.« Wieder das nervenzerfetzende Gebell. Ich wandte mich langsam ganz zum Kiosk um und fixierte die beiden Hunde mit einem starren Drohblick. Das Bellen verebbte. Die Hunde klappten die Ohren nach unten und verzogen sich winselnd ins Innere des Kiosks. Ich schenkte dem verblüfften Besitzer zum Abschied noch ein grimmiges Lächeln und trollte mich. Julian war über alle Berge und trotz allem erfüllte es mich mit Zufriedenheit, ihn verjagt zu haben.

Ich machte einen großen Bogen um den Kiosk und trat auf die Straße. Im Gehen sah ich auf meine neue Uhr. 13.41 Uhr. Es hatte vermutlich kaum eine Minute gedauert. Ich hatte keine Schlagmale, keine Kratzer. Ich musste Julian auf Anhieb eingeschüchtert und in die Flucht geschlagen haben. Das war vielleicht ein Hinweis darauf, dass mein Schatten weitaus stärker war als seiner. Was mir im Moment auch nicht weiterhalf. *Ohne Gedächtnis sind wir nichts.*

Klasse. Ich war also dazu verdammt, für immer der Archäologe meines eigenen Lebens zu sein, der die Vergangenheit nur anhand von Fundstücken rekonstruieren konnte.

Mal sehen: An meiner Hand klebten ein paar lange blonde Haare und ... *Oh Gott!* Angewidert betrachtete ich den Taubenflügel, den ich (beziehungsweise mein Schatten) Julian abgejagt hatte und nun wie einen Hamburger umklammerte. Ich warf das zerfledderte

Ding in den nächsten Abfalleimer an der Bushaltestelle und wischte mir die Hände an der Jeans ab. In einer schlimmen Vorahnung leckte ich mir über die Lippen, aber da klebten zum Glück weder Taubenfedern noch Fasern. Trotzdem spuckte ich zur Sicherheit aus. Und entdeckte genau in diesem Moment Zoë. Sie stand an der Tür, den Rucksack über der Schulter, den Schlüssel bereits im Schloss. *Mist.* Wie lange beobachtete sie mich schon? Hastig vergrub ich die Hände in den Taschen.

»Sag mal, du spionierst mir nicht zufällig hinterher?«, fragte sie nicht gerade freundlich.

»Geht's vielleicht auch etwas höflicher?«, gab ich ebenso unwirsch zurück. Das Adrenalin machte mir immer noch zu schaffen. Und es wurde nicht besser, als Zoë die Lippen zusammenkniff und mich so misstrauisch musterte, als sei ich einer der Typen, die sich nur mit einem Mantel bekleidet nachts im Park herumdrückten.

»Was hast du dann ständig in meiner Nähe zu suchen?«, wollte sie wissen. »Hast du kein Zuhause?«

Nun, arrogant sein konnte ich auch. »Falls eine öffentliche Bushaltestelle zu deiner Wohnung gehört, klär mich auf.«

»Für meinen Geschmack sehe ich dich jedenfalls zu oft«, konterte sie. »Wenn ich nicht wüsste, dass du Irves kennst, würde ich glatt denken, du beobachtest mich – oder gehörst du etwa zu den Straßendealern?«

»Warum nicht gleich zu den Terroristen?«, gab ich

zurück. Es hatte ironisch klingen sollen, aber an der Art, wie ihre Augen schmaler wurden, merkte ich, dass sie das wirklich für möglich hielt. Das ließ meine Laune endgültig bis zum Tiefpunkt kippen. Verdammt, was bildete sie sich ein? Zu allem Überfluss erinnerte sich mein Bein daran, dass es gerade einen Sprint hinter sich gebracht hatte. Und dann erinnerte *ich* mich daran, dass ich für die Fremde hier tatsächlich meine Kniesehnen riskiert hatte. Nur weil sie ein Läufer war. Und ich ein sentimentaler Idiot. Irves hätte jetzt schallend gelacht.

»Eines kann ich dir jedenfalls gleich sagen«, fuhr sie betont kühl fort. »Falls du hier bist, weil du dir irgendwelche Hoffnungen machst, vergiss es! Dass ich Irves kenne, heißt nicht, dass ich etwas mit dir zu tun haben möchte.«

»Moment mal! Wie kommst du auf die Idee, ich ...«

Doch sie war schon ins Haus geschlüpft und warf die Tür so heftig hinter sich zu, dass ich mir die Ohren zuhalten musste.

Zicke!, schoss es mir durch den Kopf. Ich trat mit aller Kraft gegen die Mülltonne und fluchte, wie ich noch nie geflucht hatte. Armes Mädchen aus Schnee. Von wegen! Für einen Augenblick hätte ich sie Maurice liebend gerne vor die Krallen geschubst. Doch dann atmete ich durch und zwang mich zur Ruhe. *Jeder für sich, keiner für alle.* Okay. Sie war gewarnt und wusste Bescheid. Für heute konnte sie selbst sehen, wo sie blieb. Ich würde mich jetzt erst einmal um mich selbst kümmern – und später um Rubio, den *Seher*.

Pablo

Natürlich kein Hallo, keine Frage, wie es mir während der letzten Tage ergangen war. Nun, andererseits wäre es ein verdächtiges Zeichen gewesen, wenn Choi mich mit einem Lächeln begrüßt hätte. Nach einer kurzen Musterung wies er mir mürrisch die Waren zu, die ich in dieser Schicht verladen sollte. Erstaunlicherweise waren es an diesem Tag nur leichtere Kisten – in Styropor verpackte Trüffeltüten und exotische Früchte –, aber ich wollte nicht so weit gehen und Choi absichtliche Arbeitserleichterung unterstellen.

»Und das nächste Mal hältst du dich von der Polizei fern!«, ermahnte er mich, als er mir am Ende des Arbeitstages die Scheine bar auf die Hand zählte. Misstrauisch ruhte sein Blick dabei auf meiner großen Tasche. Ich überließ ihn seinen Vermutungen und machte mich sofort auf zum Bahnhof. Normalerweise nahm ich eine verwinkelte Strecke, auf der ich kaum jemandem begegnete, aber an diesem Tag war alles anders. Julian hatte wohl richtig gewittert. Etwas ging in der Stadt vor. Unmerklich schienen sich die Grenzen verschoben zu haben. Die Luft schien zu knistern, als hätte sich die Atmosphäre verändert. Um ehrlich zu sein, es war gespenstisch. Ich begegnete Nummer 3 und Nummer 7 – und zwar an Orten, an die sie nicht gehörten. Nummer 3 war eindeutig zum Streifgebiet unten am Flussufer unterwegs. Wie Julian gestern schien auch er auf Zehenspitzen zu laufen und wachsam zu sein. Und Nummer 6 – ein drahtiger Mann, der meistens im Trenchcoat durch die Straßen im alten Gerichtsviertel und am Verladebahnhof entlangschlenderte – war wie vom Erdboden verschluckt. Die Markierungszeichen an den Hausecken, die er sonst jeden Tag mit grünem Edding erneuerte, waren übersprüht. Hatte er die Stadt verlassen? Ehe ich michs versah, schlich ich auch. Im Internetcafé verkroch ich mich in die hinterste Ecke.

Mehrere Nachrichten blinkten auf, sobald ich mich eingeloggt hatte. Gleich die erste kam tatsächlich von Zoë. Ich schnaubte und öffnete sie.

Betreff: AW: Warnung
Von: 'zoe' zoe.valerian@einstein-schule.eu
Datum: 19.03.2010 12:47 Uhr
An: panthera92@gmx.net
Hi »Panthera«. Ja, ich kenne den Mann. Ich gehe ihm ohnehin aus dem Weg. Trotzdem danke für die Warnung. Schläger??? Woher kennst du solche Leute? Wohnst du in der Nähe? Mehr Details?
Gruß, Z.

Das war beruhigend. Ich antwortete nicht, sondern öffnete die nächste Nachricht. Sie kam von Ghaezel. Wie immer machte sie nicht viele Worte, aber ich konnte viele schlaflose Nächte und die Last ihrer Sorge um mich zwischen den Zeilen geradezu spüren.

> Wo bist du??? Uns allen geht es gut, aber wir vermissen dich! Ich kann es dir nur immer wieder sagen und hoffen, dass du auf mich hörst: Was auch immer passiert ist, komm zurück!

Ich biss mir auf die Lippe und schloss die Augen. Dann widerstand ich dem Drang, ihr die Wahrheit zu schreiben, und tippte stattdessen die hohlen Worte, die sie immer von mir zu hören bekam:

> Mir geht es gut. Ich arbeite viel. Umarme die Kleinen von mir. Ich melde mich wieder.

Ich starrte immer noch auf den Bildschirm, obwohl der Sendebalken längst abgelaufen war, und stellte mir vor, wie die Flaschenpost im endlosen Meer zwischen den beiden Kontinenten unserer Leben landete, die vor Monaten auseinandergedriftet waren und sich immer weiter voneinander entfernten. Erst als meine Augen brannten und ich blinzeln musste, wandte ich mich der nächsten Nachricht zu, die eben mit einem Pling-Laut eingetroffen war. Gizmo. Ich hatte nicht gedacht, dass etwas meine Laune verbessern konnte. Aber jetzt hätte ich am liebsten die Faust geballt und Ja geschrien. Ich schuldete ihm wirklich was!

war nicht einfach, aber versuch mal mahes@euronet.com. Diese Adresse steht zumindest über drei ecken mit einem dr. rubio in verbindung.

Rubio war ein Doktor? Und was bedeutete »mahes«? Eine Minute später las ich im Internet:

Ägyptischer Löwengott. Er wird entweder als Löwe oder als Mensch mit Löwenkopf dargestellt. Auch Schutzgottheit, die mit einem Messer in den Pranken dargestellt wird.

Auf einen Schlag war meine Müdigkeit endgültig verflogen. Das musste er sein! War sein Schatten ein Löwe? *Schutzgottheit.* Das passte zum »Wächter«. Und das Messer in den Pranken möglicherweise gut zu seiner Vergangenheit.

Nacheinander gab ich die Suchbegriffe ein, die mir beim Gespräch mit Rubio im Gedächtnis geblieben waren. Unter »Bruderschaften, Katzen« erschien:

Nicht immer gibt es unter Katern eindeutige Revierabgrenzungen und eindeutig unter- oder überlegene Kater. Zwischen Katern, die sich als etwa gleich stark erweisen, stellt sich oft eine formale Rangordnung ein. Sie treffen sich in freundlicher Gesellschaft und beherrschen ihr gemeinschaftliches Gebiet als eine Art Bruderschaft.

Das verpasste meiner Laune wieder einen Dämpfer. Ich schätzte Irves stärker ein als mich – zumindest hatte er mich bei unseren ersten paar Zusammentreffen ordentlich durch die Mühle geschickt. Und Gizmo hatte ich eine angebrochene Nase zu verdanken gehabt (er mir zwei angeknackste Rippen). Aber wenn unser Verhältnis wirklich war, wie Rubio sagte, dann waren Giz und Irves tatsächlich die Brüder, die ich nie haben wollte.

Suchbegriff »Herkules«:

Griechischer Held. Eine seiner zwölf Aufgaben war, den menschenfressenden Nemeischen Löwen zu töten. Er erlegte die Bestie und trug fortan ihr Fell, das ihn unverwundbar machte.

Suchbegriff »Osiris«:

Ägyptischer Gott, wird mit einem Leopardenfell bekleidet dargestellt. Ihm und seinen Priestern war das Leopardenfell als Attribut zugeordnet.

Felle – was bedeutete das? Und konnten Priester nicht auch als Seher gelten?

Suchbegriff »Akademie der Luchse«:

Die Griechen glaubten, dass ein Luchs durch Wände und Gegenstände blicken kann und Dinge erkennt, die anderen verborgen bleiben. Anfang des 17. Jahrhunderts gründeten einige Forscher in Italien eine Akademie. Auch Galileo Galilei gehörte dieser Gesellschaft an. Sie nannte sich die Akademie der Luchse – *Accademia dei Lincei.* Das Wappen zeigt einen Luchs, umgeben von einem Blätterkranz unter einer Krone. Eine andere Darstellung ist die des Luchses, der den Zerberus zerreißt – den Hund, der den Eingang zur Unterwelt bewacht. Die Mitglieder der Akademie waren davon überzeugt, dass nur das Wissen die Dunkelheit besiegen kann.

Ich druckte die Texte aus und las sie noch einmal durch. *Sagen und Mythen,* dachte ich. *Nur Wissen kann die Dunkelheit besiegen?*

Kurz entschlossen gab ich Rubios Mailadresse ein und tippte die Kernsätze der Artikel in die Nachricht.

Hallo Doc! Oder soll ich sagen: Seher und Henker? Du bist mir immer noch Antworten schuldig. Dunkelheit = Blackout? Licht/Wissen = Gedächtnis? Wie, Rubio???

Es war verblüffend, wie sehr Leons Abwesenheit einfach alles um Zoë herum veränderte. Stille, freie Nachmittagsstunden ohne Gekicher, Heulen und Diskussionen darüber, wie viele Zeichentrickserien er anschauen durfte. Kein Sand vom Spielplatz in den Schuhen, keine Trotzanfälle, in Zoës Zimmer kein Spielzeug, über das sie stolperte. Und endlos viel Zeit ohne kleine Kinderfinger und eine Kinderstimme, die immer dazwischenplapperte, wenn sie sich allein mit ihrer Mutter unterhalten wollte. Zoë konnte sich nicht erinnern, wann es zum letzten Mal eine ganze Woche ohne ihren Halbbruder gegeben hatte. Es hätte das Paradies sein können, aber irgendwie wollte sich die alte Vertrautheit nicht einstellen. Und Zoë stellte fest, dass ihre Mutter und sie sich gar nicht mehr zu sagen hatten als sonst auch. Früher oder später drehte sich das Gespräch um Leon (vielleicht sogar noch mehr als sonst) – selbst jetzt, als sie über Zoës Training sprachen, ging es mehr um ihn als um sie.

»Glaub mir, ich würde es dir gern erlauben«, sagte ihre Mutter nun und betrachtete dabei den Trainingsplan auf dem Küchentisch. »Aber dreimal die Woche ... Wie sollen wir das schaffen, wenn du den Kleinen nicht vom Kindergarten abholen kannst? Und wo soll er nachmittags hin?«

»Dann stell doch deine Nachtschichten auf diese Tage ein. Bis acht bin ich längst wieder zu Hause.«

Ihre Mutter rollte genervt die Augen und spielte verstohlen mit dem Feuerzeug in der Bademanteltasche. Zoë fragte sich, ob sie wirklich glaubte, ihre Tochter hätte den Geruch nach kalter Zigarettenasche nicht bemerkt, der sie schon seit Sonntag umgab. Leon musste ihr sehr fehlen, wenn sie vor Sehnsucht und Nervosität sogar wieder heimlich auf dem Balkon rauchte.

»Du machst es dir ja einfach«, sagte sie nun mit ihrer harten Glasstimme.

Nein, du *machst es dir einfach!,* dachte Zoë grimmig.

Sie war kurz davor, die Geduld zu verlieren. Es war die dritte Diskussion, die sie seit gestern über dieses Thema führten. Und ihre Mutter wich keinen Millimeter von ihrer Meinung ab.

»Es geht aber nicht nur um Leon, Mama«, sagte Zoë mit Nachdruck. »Ich bin schließlich auch noch da! Und das hier ist meine Chance. Irgendwann könnte ich ein Stipendium bekommen ...«

»Na ja: irgendwann«, unterbrach ihre Mutter sie unwillig. »Und: vielleicht. Und: möglicherweise. Aber wer garantiert dir, dass es sich am Ende lohnt? Vielleicht willst du ja später gar kein Sportstudium machen. Vielleicht gibt es dann nur zwei Plätze für zehn Leute. Was, wenn du es nicht schaffst? Es ist überhaupt nicht gesagt, dass es eine wirkliche Chance ist.«

»Dass ich es nicht schaffe?«, erboste sich Zoë. »Danke für das Vertrauen, Mama! Was soll ich denn dann überhaupt schaffen?«

Sie schnappte sich den Trainingsplan und schoss vom Küchentisch hoch.

»Wo willst du hin?«, rief ihre Mutter ihr hinterher.

»In die Stadt«, erwiderte Zoë giftig. »Zumindest das kannst du mir ja schlecht verbieten. Bis Freitag habe ich immerhin noch Freigang, oder nicht?«

»Geht es auch etwas weniger melodramatisch?«, hörte sie die beleidigte Stimme ihrer Mutter. Schranktüren klappten überlaut, Schubladen wurden aufgezogen, bis das Besteck schepperte, aber Zoë hörte nicht mehr hin. Draußen wehte an diesem Nachmittag ein kühler Frühlingswind, also nahm sie ihren wattierten weißen Blazer.

Sie verstaute den Trainingsplan zusammen mit dem MP3-Player und ihrem Handy in den Taschen. Dann holte sie noch ihre eiserne Reserve hervor – ein wenig Geld vom Zeitungsaustragen, das sie nicht in die Familienkasse eingezahlt hatte.

Und jetzt nichts wie raus hier! Als sie sich die Schuhe anzog, erschien ihre Mutter mit verschränkten Armen an der Küchentür. »Wann kommst du wieder?«

»Weiß nicht. Ich geh zu Paula.«

Vielleicht nehme ich aber auch den nächsten Flug nach Kanada. Wollen wir doch mal sehen, ob ich das schaffe!

»Schön«, kam es glasscherbenscharf zurück. »Dann brauche ich für dich jetzt ja wenigstens kein Essen zu machen.«

Rubio hatte meine Warnung wohl ernst genommen. Seine Klingel war abgestellt. Nun, ich hatte Zeit. Und heute war ich weitaus besser vorbereitet. Ich fütterte seinen Briefkasten und schlenderte zur Haltestelle. Barbs Schilder waren wellig, weil ich sie auf dem Dach in der Sonne getrocknet hatte. Die Einzelteile hatte ich mit Paketklebeband aus Chois Lager zusammengeklebt. Einige Passanten beobachteten mit gerunzelter Stirn, wie ich die Schilder vor mir auf dem Boden auslegte und, weil es windig war, mit Ziegeltrümmern von einer Baustelle beschwerte.

»Junge, betteln ist hier verboten«, knurrte ein Mann im Vorbeigehen.

Eine Frau las die Zeilen und riss erschrocken die Augen auf. »Was soll das denn heißen?«, wollte sie wissen.

»Kunstperformance«, erklärte ich. Sie lächelte erleichtert, dann kramte sie eine Münze heraus und gab sie mir mit einem auffordernden Nicken. Ich nahm das Geld und wartete, bis sie zu den Treppen weitergeeilt war, dann holte ich mein eigenes Schild hervor und hielt es auf Brusthöhe.

Julian nennt dich Henker.
Antworten, Dr. G. Rubio!

Das alles in Verbindung mit Barbs Schild »*Wir müssen (Paketband) ...öten*« ergab eine hübsche Drohung. Heute war es sonniger als gestern, das Fensterglas spiegelte das Licht. Aber ich wusste, dass er mich beobachtete. Der Vorhang bewegte sich leicht. Wenn ich den Kopf schräg legte, konnte ich sogar das Kamera-Objektiv erahnen, das zwischen den Vorhängen hervorlugte. Ich starrte zu ihm hoch und wartete. Ich konnte nur hoffen, dass er nicht die Polizei rief, aber aus irgendeinem Grund glaubte ich das nicht.

Eine Stunde lang passierte nichts. Nach einer Stunde und sieben Minuten war ich mit meiner Geduld am Ende. Zeit, den Druck zu verstärken. Ich wechselte mein Schild durch ein anderes aus:

Dr. G. Rubio, ein Mörder?
Und ich weiß, wen Barb töten wollte.

Gut, den letzten Satz hatte ich erfunden, ein Experiment, ob ich richtiglag. Zufrieden sah ich, wie eine Frau aus Rubios Nachbarhaus aus dem Fenster sah, den Mund aufriss und sofort wieder ins Haus abtauchte. Die Sonne verschwand hinter den schnell dahinziehenden Wolken, was mir Gelegenheit gab, einen Blick auf Rubio hinter seinem Glasspiegel zu erhaschen. Sein Haar war wirrer denn je und die Schatten unter seinen Augen so dunkel, als hätte er seit gestern nicht geschlafen. Das Handy surrte in meiner Tasche und ich holte es hervor. Na also! Rubio besaß nicht nur ein Handy, er wusste sogar, wie man eine SMS verfasste. Auch wenn die Höflichkeit ein bisschen zu wünschen übrig ließ: *RUNTER MIT DEM SCHILD!*

Ich hob den Blick und schüttelte den Kopf. Selbst über die Entfernung konnte ich das zornige Funkeln in seinen Augen sehen. Aber wieder kam es mir so vor, als würde er fast durch mich hindurchsehen. Ich wählte Rubios Nummer und konnte sehen, wie er sein Telefon ans Ohr drückte.

»Bist du wahnsinnig?«, bellte er mir ins Ohr. »Verschwinde! Sofort!«

»Nicht bevor du mit mir gesprochen hast. Ich habe Julian getroffen. Er erinnert sich gut an dich. Und an den Polizisten ...«

Weiter kam ich nicht. Rubio legte auf und bedeutete

mir hektisch fuchtelnd, dass ich ... zum Haus kommen sollte! Alles hatte ich erwartet, nur das nicht. Im selben Moment ertönte schon das Summen des Türöffners.

Ich raffte die Schilder an mich und beeilte mich. Sesam, öffne dich. Die Stahltür öffnete sich unter dem Druck meiner Hand erstaunlich leicht und fiel donnernd hinter mir ins Schloss. Als ich mich bewegte, sprang grelles Leuchtstofflicht an und zeigte mir eine frisch polierte Steintreppe und eine Aufzugtür in behindertengerechter Breite. Ich zögerte. Vielleicht war es keine gute Idee, da hochzugehen. Vielleicht erwartete er mich schon mit der Waffe, vielleicht würde er mich einfach umlegen und seine Armer-alter-Mann-wurde-überfallen-Nummer abziehen. Vorsichtshalber schickte ich den Aufzug alleine in den zweiten Stock und nahm die Treppe.

Seine Tür war verschlossen, und als ich seine Handynummer wählte, meldete die Ansage, dass der Anrufer nicht erreichbar war.

»Rubio?«, rief ich. Keine Antwort. Ich schob mich seitlich an die Tür heran. Kein Türspion vorhanden. Und auch keine Klingel. Sicherheitshalber stellte ich mich neben die Tür und streckte nur den Arm zum Klopfen zur Seite aus. *Wie in einem schlechten Film*, dachte ich.

Ich klopfte ungefähr fünfzigmal, dann begann ich mit der Faust zu hämmern. Die Tür öffnete sich mit einem Ruck. Ungefähr zehn Zentimeter. Beeindruckend: An Rubios Tür war nicht nur eine Sperrkette. Er hatte gleich drei davon. Und jede so dick und stabil, als müssten sie die Tür gegen einen Auto-Crash absichern. Zwischen den unteren zwei sah ich den dunklen Glanz des frisch eingeölten Revolvers. Ich sprang sofort außer Reichweite. Wollte er mich erwischen, würde er schon rauskommen müssen.

»Dich wird man wohl überhaupt nicht los«, knurrte Rubio. »Du pokerst ganz schön hoch, Junge.«

Ich hatte einen zornigen Rubio erwartet, aber er klang nur erschöpft.

»Ich habe eben auch nicht viel zu verlieren«, erwiderte ich. »Julian hat mir so einiges erzählt.«

»So?«, kam die müde Antwort aus den Tiefen des Türspalts. »Du hast einen verständlichen Satz aus ihm rausgebracht? Hut ab! Und jetzt glaubst du, dass du mein Richter bist, du Großmaul?«

»Ich will nur die Wahrheit wissen. Julian hat mir erzählt, dass du einen Polizisten umgebracht hast. Den ›Henker‹ hat er dich genannt. Und den ›Seher‹. Und er sagte auch, der Polizist habe gegen deinen Kodex verstoßen. Heißt das, der Kodex stammt von dir?«

Seine Verblüffung war mehr als spürbar. Es raschelte, als würde er sich zurechtsetzen.

»Julian war ein guter Schauspieler, aber ansonsten war und ist er ein Hohlkopf«, murmelte er nach einer Weile. »Ich habe den Kodex ganz bestimmt nicht erfunden. Er ergibt sich aus unserer Geschichte. Ich war nur der Erste, der ihn aufgeschrieben hat.«

»Was bedeutet das?«

Metall klickte gegen Metall. Offenbar war er mit dem

Revolver gegen den Rollstuhl gestoßen. Hatte er die Waffe gesenkt? Als er weitersprach, klang er jedenfalls wirklich niedergeschlagen. »Es hat viele Bedeutungen«, sagte er kaum hörbar. »Und manchmal für jeden eine andere.«

Mein Herz schlug inzwischen bis zum Hals. »Wie kann eine so eindeutige Regel wie ›Du sollst nicht töten‹ für jeden eine andere Bedeutung haben?«, fragte ich. Ich hoffte, er würde das Zittern in meiner Stimme nicht bemerken.

Rubio seufzte. »Es gibt immer mehrere Wahrheiten. Du willst also wissen, ob die Gerüchte stimmen? Aber ja! Natürlich. Ich habe den Kerl umgebracht. Allerdings war er da schon Expolizist. Und in der Stadt hat man mich dafür sogar als Helden gefeiert. Verrückt, was? Er hieß Pablo. Er war einer von uns, ein junger Kerl, der jüngste Mann bei der Kriminalpolizei. Hatte eine steile Karriere vor sich. Er setzte sein Gespür ein und hatte eine unglaublich hohe Aufklärungsrate. Und selbstverständlich entwischte ihm keiner auf der Flucht. Aber man weiß ja, wie es läuft. Nicht immer werden die Schuldigen angemessen bestraft. Manche, die er aufgespürt und überführt hatte, leisteten sich einen Spitzenanwalt und kamen mit Beziehungen und Geld frei. Hast du vom Waterfield-Mord gehört? Große Sache Anfang der Neunziger. Ein Politiker, der seine ehemalige Geliebte erstochen hat. Kam aus Mangel an Beweisen frei. Man munkelte auch, einige Zeugen hätten sich bestechen lassen. Das waren die Fälle, die Pablo bitter machten.

Und eines Tages kam er auf die schöne Idee, selbst für Gerechtigkeit zu sorgen. Erst waren es nur die Kriminellen selbst – Waterfield machte den Anfang. Es sah aus wie ein Unfall. Wir waren uns anfangs selbst nicht sicher, ob wirklich einer von uns dahintersteckte. Tja, und dann tötete er die beiden Zeugen und den korrupten Richter und fing an, die Stadt aufzumischen. Da siehst du es: Für ihn bedeutete Töten Gerechtigkeit um jeden Preis. Selbst bei der Polizei räumte er auf. Und da kamen sie ihm auf die Spur. Daraufhin tauchte er unter, aber die Fahndung lief. Und auch wir versuchten ihn zu stellen, aber er war schlau und hatte längst Blut geleckt. Von diesem Zeitpunkt an kämpfte er gegen alle – auch gegen uns. Er kannte die Stadt besser als wir alle und konnte sich regelrecht unsichtbar machen. Das kostete drei von uns das Leben.«

»Ihr wolltet ihn gemeinsam stellen?«, fragte ich fassungslos. »Das heißt, ihr wart ... eine Gemeinschaft?«

»Damals noch. Ja. Keine Reviere. Nur die Stadt für alle.«

Keine Reviere? Jetzt verstand ich überhaupt nichts mehr.

»Aber der Kodex sagt: ›Jeder für sich, keiner für alle‹«, wandte ich sofort ein. »›Wir weichen oder nehmen uns den Raum ...‹«

»Es sind nur Worte«, sagte Rubio. »Der Urkodex bestand nur aus dem ersten Satz. Und nur der ist in Stein gemeißelt. ›Wir sind Wächter und wir töten einander nicht.‹ Punkt. Die anderen Gesetze ergeben sich aus der

Geschichte. Sie schafft neue Gesetze, sie formt sie um und schleift sie zurecht wie Kiesel im Fluss.«

»Das verstehe ich nicht, was meinst du damit?«

»Nimm zum Beispiel das Gesetz, nach dem wir unsere Existenz um jeden Preis geheim halten müssen. Es stammt wohl aus dem sechzehnten oder siebzehnten Jahrhundert. Kennst du dich mit der europäischen Geschichte aus? Wahrscheinlich nicht, Straßenjunge. Während der Zeit der Hexenverfolgung wurde erzählt, dass die Hexen auf katzenartigen Monstern zu ihren Versammlungen ritten. Und dass Hexen sich in Katzen verwandelten und umgekehrt. Sie haben damals viele von uns auf die Scheiterhaufen geschleppt – und einige harmlose Katzen dazu. Nun, es ist nur logisch, dass wir uns seitdem verbergen. Aber alles in allem sind wir nicht so gefangen, wie du glaubst.«

Selten war ich so erschüttert gewesen. Wenn es stimmte, was Rubio da erzählte, würde das bedeuten, dass nichts von dem stimmte, was ich für mein neues Leben hielt. Sollte es tatsächlich möglich sein, wie ein Mensch zu leben? *Keine Reviere und kein Dschungelgesetz?*

»Warum hast du den ersten Satz des Kodexes verraten?«, wollte ich wissen.

Die Pause dauerte lange. Mir war, als würde Rubio mit geschlossenen Augen und ausgefahrenen Antennen lauschen.

»Weil ich sah, wie Pablo einen Läufer tötete«, erklärte er nach einer Weile. »Einen Jungen, der noch nicht wusste, dass er zu uns gehörte. Pablo kannte ihn noch aus der Zeit bei der Polizei – der Junge war ein Ladendieb, den er erwischt hatte. Das erfuhr ich später, nachdem der Junge identifiziert worden war. Pablo richtete über ihn und machte kurzen Prozess. Und er tat es überlegt, kaltblütig. Geplant. Ich kam zu spät, um zu helfen.« Er räusperte sich. »Wir dürfen nicht töten«, fuhr er fort. »Aber damals veränderte sich etwas in mir. Und schließlich habe ich die Gemeinschaft und die Stadt von ihm befreit. In vollem Bewusstsein. Um die Gemeinschaft zu schützen. Und all das, wofür wir standen und heute noch stehen sollten.«

»Also doch«, sagte ich leise. »Es gibt kein Verbrechen ohne Strafe.«

Wieder eine Pause. »Komm raus aus der Deckung, Feigling, ich kann dich nicht sehen«, sagte er heiser. Ich zögerte, doch dann trat ich vor die Tür. Im Türspalt sah ich nur sein rechtes Auge und die Mündung des Revolvers.

»Wir hielten ein Tribunal ab«, sagte er. »Ich wurde ausgewählt, um Pablo zur Vernunft zu bringen. Damals arbeitete ich als Arzt in der Psychiatrie im städtischen Krankenhaus. Sie dachten wohl, ich könnte am besten auf ihn einreden. Als hätte Reden noch etwas bei ihm genützt! Ich wusste, dass es keinen Sinn haben würde. Vielleicht rechnete ich schon mit dem, was dann passierte. Wir spürten ihn gemeinsam auf und stellten ihn, doch er stürzte sich sofort auf Barbara.« Er zog die Luft durch die Nase ein. »Er hätte sie getötet. Er war einer der Großen. Ein Tiger, unglaublich aggressiv. Barbara hätte keine Chance gehabt. Ihr Schatten war ein Nebelparder. Das Seltsame war: Keiner rührte sich! Keiner kam ihr zu Hilfe. Und sie? Sie wehrte sich nicht! Sie stand nur da und blickte ihn an. Und in ihren Augen sah ich nur eines: maßlose Enttäuschung. Ich glaube, erst da habe ich begriffen, dass die beiden sich einmal geliebt hatten.«

»Dann hast du nur getötet, um Barb zu retten.«

»Nein. Ich wollte die Gemeinschaft retten. Die Menschen in der Stadt. Leute wie den Läufer, Leute, die ein Recht auf Fehler hatten und ein Recht darauf, aus diesen Fehlern zu lernen und es besser zu machen. Und natürlich wollte ich Rache für diesen Jungen und Rache für die drei anderen von uns. Ja, Rache! Ich war in diesem Augenblick kein bisschen besser als Pablo. Im Grunde kämpfte jeder für seine eigene Besessenheit. Die anderen standen um uns herum und sahen tatenlos zu; nicht einmal Maurice, der es mit ihm hätte aufnehmen können, rührte sich. Nun, mich kostete der Kampf meine Beine. Und Pablo ... das Leben.«

Ich fröstelte und dachte an den Flashback mit Maurice. Wenn Rubio den Tiger besiegt hatte, musste er tatsächlich zu den Großen gehören. Löwe. Ganz bestimmt.

»Dann ist deine Lähmung nicht die Strafe für den Mord«, stellte ich fest.

Rubio schüttelte den Kopf und wischte sich mit der Hand über die Stirn, als wollte er eine unangenehme Erinnerung vertreiben. »Nein. Und auch die Menschen bestraften mich nicht. Eine von uns – Eve – sagte als Zeugin vor Gericht unter Eid für mich aus. Wir seien beide von ihm angegriffen worden und ich hätte in Notwehr gehandelt. ›Arzt bringt Serienkiller zur Strecke‹ – das stand damals in den Zeitungen. Ich schaffte es, anonym zu bleiben, aber da bekannt wurde, in welchem Krankenhaus ich lag, belagerten die Reporter wochenlang die Eingangstür. Sie fanden natürlich auch raus, an welcher Klinik ich arbeitete, und wollten filmen, wie ich einige Monate später zum ersten Mal wieder an meinen Arbeitsplatz zurückkehrte – im Rollstuhl. Tja, da hatten sie Pech. Ich kehrte nicht ins Krankenhaus zurück. Ich hatte geschworen, Leben zu schützen. Wie hätte ich nach dem, was ich getan hatte, noch Arzt sein können?«

Etwas Gebrochenes lag in seinem Tonfall. Von seiner ganzen einschüchternden Stärke war nichts mehr zu spüren. Nun verstand ich, warum die anderen ihn mieden. Es war beides: Es war Ächtung, aber auch Respekt.

»Barbara war danach auch nie wieder die Alte«, sagte er. »Ich weiß nicht, ob sie mir je verziehen hat. Und die anderen ... es veränderte sich alles. Einfach alles.«

Er räusperte sich. »Na gut, jetzt weißt du, was du wissen wolltest. Und kannst aufhören, diese dämlichen Schilder vor meinem Fenster herumzuschwenken.«

»Halt!«, rief ich. »Barb wollte, dass du wieder jemanden tötest. Wen, Rubio? Was geht in der Stadt vor? Du weißt es doch!«

»Gar nichts weiß ich«, gab er grob zurück. »Hast du immer noch nicht verstanden? Ich habe mit euch allen nichts mehr zu tun. Ich bin so was wie ein Geächteter, ein Geist – und ich bin froh darüber!« Jetzt erschien wieder das hinterhältige Löwenlächeln auf seinem Gesicht. Sein Blick ging auch heute durch mich hindurch, leicht unscharf gestellt. »Tja, schade, dass du Barbara nicht mehr selbst fragen kannst – sie war die einzige Sehende außer mir.«

Sehende. Der unscharfe Blick. Seine Aussage, dass er Pablo bei vollem Bewusstsein getötet hatte ... Ich brauchte einige Minuten, um das ganze Ausmaß dieser Botschaft zu begreifen. Die Vorstellung war so ungeheuerlich, dass ich trotz der Waffe bis direkt an den Türspalt trat.

»Du *siehst* also tatsächlich!«, flüsterte ich. »Und zwar nicht nur die Menschen, du siehst ... auch ihre Schatten. Und du erinnerst dich!«

»Nicht die Schatten allein«, sagte er trocken. »Sie sind nicht von uns getrennt, auch wenn du das glaubst. Ich sehe die Panthera. Uns.«

Bevor er mir die Tür vor der Nase zuschlagen konnte, rammte ich die Schuhspitze zwischen Tür und Türstock. »Aber wie ist das möglich?«

»Jeder von uns hat die Fähigkeit. Es ist nur eine Sache der Entscheidung«, gab er ungeduldig zurück. »Und eine des Mutes. Keiner von den anderen hatte ihn. Keiner! Nur Barbara Villier. Und wahrscheinlich war sie die Letzte. Ihr seid alle niemals ganz über die Brücke gegangen. Nur halb. Ihr seid weder Schmetterlinge noch Raupen. Ihr seid Monster, Raupen mit einem Flügel. Und wenn ihr fliegen wollt, dann dreht ihr euch um euch selbst. Ja, ihr seid Egoisten, die sich um sich selbst drehen.«

»Der einzige Egoist bist du!«, schrie ich und schlug gegen die Tür. »Du hockst in deiner Höhle und kaust auf deinen Geheimnissen herum. Sag mir, was du weißt!«

Rubio lächelte. »Und wofür, Gil?«, fragte er trocken. »Für wen? Ich bin einmal für euch durch die Angst gegangen und habe das Dunkel vertrieben. Ja, ich sehe! Und ich erinnere mich an jede verdammte Sekunde meiner Existenz als Panthera. Ich bin nicht im Dunkel der verlorenen Erinnerung gefangen. Ich bin Rubio – und auch *Mahes* oder *Panthera leo*. In einer Person, jederzeit. Ohne Spaltung. Und was hat es gebracht? Sind die anderen meinem Beispiel gefolgt? Im Gegenteil. Gefürchtet und verteufelt haben sie mich. Sie ließen die Gemeinschaft zerfallen, ergaben sich den Instinkten und zerhackten die Stadt in Reviere, setzten sich selbst Grenzen. Und was sind wir als Einzelgänger? Weniger als nichts, denn wir sind keine Tiere. Und wir leben nicht in der Wildnis. Wir dürfen den menschlichen Teil in uns nicht verraten – und Menschen leben nun mal in Gemeinschaften und stehen füreinander ein.« Er seufzte tief und hustete. »Es gibt keine Geheimnisse, Gil«, schloss er. »Keine Verschwörung, keinen Fluch, keine Strafe oder was auch immer du dahinter vermutest. Es gibt nur Leute, die zu blind und zu dumm sind, die Wahrheit zu sehen. Lies die Mythen! Sie sind unser Geschichtsbuch, die Symbole sind die Buchstaben. Gebrauche deinen Verstand, und dann jag dein Herz durch die Hölle, wenn du dich traust, und verdiene dir den zweiten Flügel. Aber so viel Mut hast du ja nicht.« Er rollte gerade so weit zurück, dass ich ihn auch mit ausgestrecktem Arm nicht zu fassen bekommen hätte, und zielte in aller Ruhe auf meinen Fuß im Türspalt. Es beruhigte mich nicht zu sehen, dass seine Hand vor Anstrengung leicht zitterte. »Aber weißt du was? Wenn du unbedingt ein Geheimnis erfahren willst, verrate ich dir eines«, sagte er leise. Sein Finger glitt zum Abzug. »Es wird sehr, sehr wehtun!«

Ich hatte keine Wahl. Trotzdem ließ ich mir Zeit, bevor ich zähneknirschend und mit klopfendem Herzen zurücktrat.

»Du lügst, wenn du sagst, dass du nicht weißt, was in dieser Stadt vor sich geht«, presste ich zwischen zusammengebissenen Zähnen hervor. »Du fürchtest dich, du hast Todesangst, nicht wahr? Machst du deshalb Fotos? Vor wem hast du Angst?«

»Vielleicht vor Leuten wie dir«, erwiderte er ernst. »Und die Fotos – tja, Bilder sind hübsch. Und sie lügen nie.« Er musterte mich nachdenklich, aber ich war zu stolz, ihn zu fragen, was er vor sich sah.

»Such dir irgendwo ein nettes Plätzchen, Raupe mit einem Flügel«, sagte er verächtlich. »Mach deine kleinen Katzen-Überlegenheitstricks und stirb glücklich als Einäugiger unter Blinden.«

Mit diesen Worten schlug er die Tür zu. »Und warum zum Teufel hast du mich ins Haus gelassen, wenn du mir nichts sagen willst?«, brüllte ich.

Natürlich bekam ich keine Antwort. Doch als ich auf die Straße trat, meldete mein Handy eine SMS: *WARUM WOHL, EINSTEIN? UM DICH VON DER STRASSE ZU HOLEN.*

Die Brücke

Zoë hatte sich dabei ertappt, wie sie alle zwanzig Minuten nervös auf die Uhr sah. Diese Angewohnheit hatte sie erst traurig gestimmt, schließlich aber hatte sie die Armbanduhr abgenommen und entschlossen in der Tasche versenkt. Es tat unendlich gut, einfach durch die Stadt zu laufen, umflossen von der Musik aus den Ohrhörern. Weiße Zeit, mitten am Tag! Erst hatte sie den Weg zu Paula eingeschlagen, dann aber machte sie sich auf den Weg zur Südstadt. Heute nahm sie nicht die U-Bahn. Noch nie hatte sie die Stadt so bewusst wahrgenommen. Sie sah nach oben, betrachtete die Fassaden, die Gesichter hinter den Fenstern und ließ sich einfach im Strom der Menschen treiben. Spätnachmittag, fast schon Abend. Berufsverkehr, alle hatten es eilig, auch die Fußgänger waren ungeduldig und stauten sich in großen Trauben an den Ampeln. Die Hektik der Leute passte zu Zoës eigener Unruhe. Es war wieder so weit: Zwischen betäubend intensivem Haarspray, Parfüm und durchgelaufenen Schuhen nahm sie sogar den schwachen Geruch des Flusses wahr, Teer von einer Baustelle, aber auch die Facetten von neuem, glattem Putz an renovierten Fassaden. Sogar der Geruch von verschüttetem Pommesfett vor einer geschlossenen Imbissbude, der sich auf eigentümliche Art mit den Ausdünstungen des Bodens verbunden hatte, wurde zu einer Wolke von Duftstoffen, die sie fast schmecken konnte. Es machte ihr mehr Sorgen denn je – gerade jetzt, mit der Aussicht, in die Trainingsgruppe aufgenommen zu werden. In diesem Augenblick war sie unendlich froh, ihrer Mutter nichts von ihrem Blackout und den seltsamen Anfällen erzählt zu haben.

Nach einer Stunde kam der Campus in Sicht: die Universität der Stadt, die Mensa, die Studentenwohnheime. Eine Ansammlung von weißen Hochhäusern, die wie ein modernes Stonehenge mehrere Sportplätze und Grünflächen einfassten. Zoë ging an einer Gruppe von Studenten vorbei und folgte dem Ton einer Schiedsrichter-Trillerpfeife, die sie trotz der Ohrhörer leise wahrnahm. Als sie das Sportfeld betrat, überschwemmte die Begeisterung sie so jäh, dass sie die Musik, die durch ihren Kopf pulste, wie einen bunten Rausch wahrnahm. Im Vergleich zum Sportplatz ihrer Schule glich das Gelände hier einem Stadion. Zwei Volleyballmannschaften spielten gerade ein Turnier. Zoë setzte sich auf die Bank am Rand des Spielfelds und sah zu.

Die Zeit begann im Takt der Musik zu fließen. Die Volleyballmannschaften lieferten sich eine Stummfilmschlacht und schüttelten sich nach eineinhalb Stunden die Hände. Studenten kamen zum Gruppentraining und auch ein paar Einzelkämpfer machten ihre Konditionsübungen. Lichter gingen an, als es am Abend dämmrig wurde, und immer noch trainierten zwei Studentinnen verbissen Runde um Runde. Zoë lief wie in Gedankentrance mit. Sie sah sich selbst über die Bahn fliegen und weiterlaufen. Sie sah sich in zwei Jahren, Schulabschluss. Ein gepackter Koffer, die Laufschuhe im Gepäck. Ihr Zimmer im Studentenwohnheim, ihr eigenes Ziel, Freiheit. Ohne die leiseste Erinnerung an David, ohne die Enge und die komplizierten Rituale des Zusammenlebens mit Leon und ihrer Mutter.

Sie schaltete die Musik aus und hörte: das Atmen der Läuferinnen, die Schritte auf dem federnden Boden – und, unangenehm laut, das Piepsen des Handys, das sich über den fast leeren Akku beschwerte. Hastig holte sie das Handy hervor und sah auf die Uhr im Display. Schon halb neun.

Zu früh, um nach Hause zu gehen. Zu spät, um noch Paula anzurufen und ins Kino zu gehen. Aber nicht spät genug für ein paar Stunden zum Nachdenken und zum Vergessen. Sie sah sich um und überlegte. Welcher Club war hier in der Nähe?

Zu Hause war nur der Anrufbeantworter dran. »Mama, ich bin's! Mein Handy ist gleich leer. Wenn du da bist, geh ran!« Sie war sicher, dass ihre Mutter zuhörte. Aber sie hob nicht ab. »Ich wollte dir nur sagen, dass es heute spät wird. Warte nicht auf mich. Und mein Handy ist leer, ich bin also nicht erreichbar.« Spätestens jetzt hätte sie drangehen müssen. Nun, offenbar war sie wirklich nicht da. Zoë wollte schon auflegen, als ihr der Mord wieder einfiel. »Ach, und mach dir nur keine Sorgen«, setzte sie sicherheitshalber hinzu. »Ich ... bin in der Gruppe unterwegs. Und ich lasse mich später heimfahren – oder ich nehme ein Taxi, ich habe genug Geld dafür mitgenommen.«

Hoffentlich hört mir keiner zu, dachte sie, während sie auflegte. Paula käme nie auf die Idee, ihrer Mutter Beruhigungsnachrichten auf den Anrufbeantworter zu sprechen. Sie warf einen letzten, sehnsüchtigen Blick auf den Sportplatz und stand auf. Irves war wieder nicht zu erreichen. Im Laufen tippte Zoë ihre SMS in ihr piepsendes Handy ein.

Club Cinema *im Alten Schlachthof, 21 Uhr. Gruß, Z.*

Das Handy meldete sich ein letztes Mal, als Zoë auf *Senden* drückte, dann wurde das Display dunkel. Am liebsten wäre sie gerannt, aber sie hatte keine Lust, völlig verschwitzt anzukommen. Nun, in einer halben Stunde müsste sie es zu Fuß locker schaffen.

Zum *Cinema* war sie bis jetzt nur im Sommer gefahren – mit dem Bus und Gruppen von Leuten, die auch ins Freilichtkino oder zu den Konzerten wollten. Heute war sie überrascht, wie ausgestorben die Gegend an einem Märzabend war. Sobald sie die belebte Hauptstraße mit den Läden und Restaurants hinter sich gelassen hatte, wurde es mit jeder Seitenstraße stiller und leerer. Ein paar Junkies lehnten an einer Mauer; ihr Hund, ein Mischling mit verfilztem Fell, sprang auf und knurrte in Zoës Richtung. Mit einem mulmigen Gefühl ging sie weiter und bog rasch in die nächste Straße ein. Von Weitem sah sie die Bushaltestelle. Gut, ab hier waren es nur noch vier Straßen. Beim Club würde sicher mehr los sein. Wenn sie genau hinhörte, konnte sie sogar Stimmen wahrnehmen. Doch noch war sie allein und ihre Schritte hallten viel zu laut zwischen den Fassaden wider. Voller Unbehagen ließ sie den Blick über die Häuser schweifen. Graffiti. Zerbrochene Scheiben, Verfall. Hatte sie im Sommer nie gemerkt, dass die Häuser am Rand des alten Betriebsgeländes unbewohnt waren? Na ja, wie auch, wenn man Arm in Arm mit Ellen zum Freilichtkino ging, sich unterhielt und lachte und sich für alles andere als für die Gegend interessierte!

Sie stutzte, als sie ein Geräusch hörte, und verharrte.

Ein ... Schleifen?

Hinter ihr verstummten Schritte. *Die Junkies?*, fuhr es ihr durch den Kopf. *Maurice? Oder* ... Der Schreck schoss ihr wie Eiswasser durch den Körper. ... *Der Mörder?*

Quatsch, dreh nicht durch, ermahnte sie sich. *Klar, er wird ausgerechnet hier im Nirgendwo herumschleichen!* Aber die eine Schrecksekunde genügte für ein ganzes Blitzlichtgewitter von Gedanken. Einer davon war die Erkenntnis, dass sie im Notfall nicht einmal die Polizei rufen konnte. Und wenn sie um Hilfe schrie – würden die Junkies sich dafür interessieren? Sicher nicht. Sie zwang sich, sich wieder in Bewegung zu setzen. Der Schweiß brach ihr aus, als sie tatsächlich wieder Schritte hörte. Jemand folgte ihr. Eindeutig.

Denk nach, Zoë! Ohne Vorwarnung losrennen? In die

Seitenstraße? Nein, sie musste dorthin, wo Leute waren: zum Club! Am besten, sie ging bis zur Hausecke, bog ab und rannte dann los.

In diesem Augenblick fielen ihr zwei Dinge auf. Sie hörte, dass ihr Verfolger keine Schuhe trug. Es waren schleichende Barfußschritte. Die jetzt auf einmal verstummten. Vielleicht doch einer der Junkies. Kurz bevor sie die Straßenecke erreichte, äugte sie blitzschnell über die Schulter.

Mit allem hatte sie gerechnet, nur nicht damit: Es war der langhaarige Penner, der vor der Schule auf dem Auto gesessen hatte. Er stand ein ganzes Stück von ihr entfernt. Zoë atmete erleichtert auf. Den Kerl konnte sie locker abhängen. Zudem hatte sie zwanzig Meter Vorsprung.

Der Mann grinste, duckte sich – und rannte los.

Und dann verrutschte die Zeit. Im ersten Augenblick war er noch weit entfernt gewesen – und sie dabei davonzuschnellen. Im nächsten traf sie schon ein dumpfer Schlag zwischen den Schulterblättern und brachte sie zu Fall. Ein harter Aufprall, das Gewicht auf ihrem Rücken. Sie landeten beide auf dem Boden. Eine Welle von Gerüchen erstickte sie beinahe. Ihre Hände schrappten über Kies. Ihr wurde schwindelig, sie schaffte es, jedoch reflexartig herumzurollen und zuzutreten. *Wie konnte er so schnell sein?*, schrie eine panische Stimme in ihrem Kopf. *Was ist hier los?* Der Himmel war plötzlich hell und die Augen des Mannes ganz nah. Leuchtende gelbe Scheiben. Sie wehrte sich mit aller Kraft und brüllte den Kerl an, aber niemand schien sie zu hören. Keine Passanten, keine Anwohner. Sie schlug mit der Faust zu, trat und kratzte und kam schließlich wieder auf die Beine.

Der Kerl griff nicht noch einmal an. Er hatte keine Waffe, er stand nur da, als würde er lauern.

Sie wusste nicht, wie sie zum Club gekommen war. Es war, als hätte ihr Gehirn sich wieder für eine Weile ausgeknipst. Und noch weniger konnte sie sich erklären, wie der Blonde es geschafft hatte, vor ihr da zu sein. Auf allen vieren kauernd, erwartete er sie am Eingang des Clubs. Und dort ... *Oh nein!* Keine Leute. Nur eine abgeklebte Tür, die mit einem Vorhängeschloss gesichert war. Der Club war geschlossen. *Zur Straße!*

Zoë bremste keuchend ab, machte eine Kehrtwende und floh in die entgegengesetzte Richtung.

Beinahe wäre sie dabei gegen eine andere Gestalt geprallt, die schon auf sie zu warten schien. Ein grauhaariger, großer Mann in einem altmodischen, ausgeleierten Jackett, auf dem ein Button mit dem Uni-Logo prangte. Auf erschreckende Weise ähnelte sein Raubtierblick dem des Blonden.

Ich hatte meine Position im Café gegenüber von Rubios Wohnung bezogen, aber er ließ sich nicht mehr blicken. Selbst als es dämmrig wurde, blieb das Fenster dunkel. Ich hatte es ungefähr noch zwanzigmal auf seiner Handynummer probiert, aber natürlich hatte er sein Telefon ausgeschaltet. Immer noch konnte ich nicht fassen, dass er ein Gedächtnis hatte. *Wenn es überhaupt stimmt*, sagte meine kritische Stimme. Aber warum sollte er lügen? Die Vorstellung, dass es möglich sein sollte, war elektrisierend. So mussten sich Hunde fühlen, wenn sie eine Fährte aufgenommen hatten. Oder Todkranke, wenn plötzlich Aussicht auf Heilung bestand.

Das Café war schäbig und roch schwach nach Kakerlaken. Der Flipper in der Ecke war mit fettigen Fingerabdrücken übersät. Ich dachte an die blonde Frau, die ich neulich gesehen hatte, und fragte mich, was sie wohl in eine solche Absteige getrieben hatte. Nun, ich fiel hier nicht weiter auf. Die Bedienung, ein sehr dünnes, großes Mädchen mit pink gefärbtem Haar und gepiercter Lippe, versuchte sogar mit mir zu flirten.

Neben der Theke stand ein uralter PC, hier konnte man kostenlos surfen. Ich nutzte die Gelegenheit und verzog mich mit dem Kaffee, den ich nicht trinken würde, in die Ecke.

Der Computer war so langsam, dass sich manche Ladebalken schon in den Bildschirm eingebrannt hatten. Aber ich fand tatsächlich einen Bericht über den Waterfield-Prozess und den Mord an dem Freigesprochenen. Und über den Expolizisten und Serienmörder Pablo Novarro, der von »einem Arzt in Notwehr mit seinem eigenen Messer« getötet worden war. »Der Arzt wurde beim Kampf mit dem Täter selbst schwer verletzt und erlitt eine Querschnittslähmung.« Elf Morde konnten Pablo nachgewiesen werden.

»Hallo? Entschuldigen Sie, brauchen Sie noch lange?« Die ungeduldige Frauenstimme riss mich aus meinem Gedanken. Ich drehte mich um und sah blaue Augen hinter einer Designerbrille. Die Frau musste sich hierherverirrt haben. Maßgeschneiderter Hosenanzug, passend dazu Schuhe mit mörderisch hohen Absätzen und ein Schwall von Bergamotte-Zitrus-Parfüm. Der Kurzhaarschnitt stammte sicher vom teuersten Frisör der Stadt.

Sie hob die Brauen, als sie mein verblühendes Veilchen sah. »Ich muss dringend an den Rechner«, sagte sie etwas freundlicher.

Ich warf einen Blick auf die Uhr, nickte und räumte wortlos das Feld. Kurz vor der Tür summte mein Handy. Ich ließ es beinahe fallen, so hastig zog ich es hervor. Aber es war nur Gizmo. Wie immer ohne ein »Hallo«.

»Nur eine Frage«, begann er. »Du bist doch so ein Läuferfan. Und das Mädchen ...«

»Zoë?« Ich blieb stehen. Die Bedienung, die mir eben noch zum Abschied zugelächelt hatte, sah plötzlich enttäuscht aus.

»Ich weiß nicht, ob sie es ist«, sagte Gizmo. »Hat sie lange schwarze Haare?«

Adrenalin. »Ja, hat sie! Was ist los?«

Ein anerkennendes Pfeifen am anderen Ende der Leitung. »Gut reagiert«, murmelte er gedankenverloren. Kein Zweifel, er sah sich irgendetwas an.

»Gizmo, verdammt! Spuck's aus!«

»Bist du in der Nähe eines Rechners?«

»Ja!«

»Gut, geh auf die Seite mit den Webcams. Klick die vom Kulturzentrum Alter Schlachthof auf. Ich glaube, da hat 'ne Jagd begonnen.«

Ich fluchte und riss beinahe einen Stuhl um, als ich mit dem Handy am Ohr zum Computer hastete.

»Hey!«, rief die Businessfrau empört, als ich sie einfach zur Seite drängte und mir die Tastatur schnappte.

»Notfall«, zischte ich ihr zu.

»Beeil dich«, hörte ich Gizmos träge Stimme. »In dreißig Sekunden aktualisiert sich das Bild.«

Meine Finger flogen über die Tasten, aber die Kiste war immer noch im Schneckenmodus. Als das Bild endlich auf dem Monitor erschien, zeigte der Countdown darunter bereits Sekunde acht an.

Ich kannte das Eck, weil ich es mied. An einem meiner ersten Tage war ich in dieses Viertel gekommen und hatte gleich meine erste, ganz persönliche Kodex-Lektion von Nummer 1 (»Der Wrestler«) gelernt: *In dieser Stadt gibt es Reviere. Also weiche vor dem Stärkeren oder er macht dich platt.* Die Narben in meinem Nacken schmerzten manchmal immer noch.

Der ehemalige Schlachthof war ein riesiger betongrauer Klotz mit einer weiß gestrichenen, fensterlosen Häuserseite, die im Sommer als Leinwand für das Open-Air-Kino diente. Irves hatte mir erzählt, dass manchmal Independent-Bands vor dem Gebäude spielten, und irgendwo im Keller gab es auch einen festen Club. Jetzt im März war das Gelände dagegen fast leer.

Fast. *Sechs ... fünf ... vier ...*

Eine Gestalt mit wehendem schwarzen Haar in weißer Jacke. Eingefroren in der Momentaufnahme eines Sprints. Mir wurde heiß vor Schreck. Zoë! *Was macht sie ausgerechnet dort?*

Die Frau neben mir sagte irgendetwas, aber ich hörte ihr gar nicht zu.

Drei ... zwei ...

Hinter Zoë lief Julian. Und der Taubenfresser vom Campus. Beide am völlig falschen Ort und in schönster Eintracht. Aber das war noch lange nicht das Schlimmste: An der Fassade eines Nebengebäudes, für Zoë nicht sichtbar, noch einer von uns! Eindeutig in Angriffsposition, katzenhaft an das Gemäuer geklammert und zum Sprung bereit. Der Wrestler. *Verdammt.* Der hatte gerade noch gefehlt. Warum hatte ich Zoë heute allein gelassen? Zu spät. Jetzt ging es nur noch um Schadensbegrenzung.

... eins.

Bild aktualisiert.

Leerer Platz.

Ich hoffte, dass immerhin ein Gesetz noch Gültigkeit hatte: Die Jagd führte immer bis zur Hälfte der Brücke. *Ehrwürdige Tradition der Panthera in unserer Stadt,* dachte ich bitter. Aber gut, wenn sie sie wirklich zur Brücke jagten, dann hatte ich eine Chance, wenigstens das Schlimmste zu verhindern.

Ich brauchte gefühlte vier Stunden. In Wirklichkeit war ich aber nur wenige Minuten unterwegs. Ich hastete die U-Bahn-Treppen hinunter und erwischte sofort die richtige Bahn. Fünf Minuten später war ich an der Haltestelle Gerichtsgebäude – quasi in Sichtweite der Brücke. Ein Auto hupte, als ich im Hinkesprint bei Rot über die Straße rannte.

Gutes Timing. Ich sah Zoë, wie sie aus der Seitengasse kam, die wir den »Tunnel« nannten – ein Schleichweg zwischen verlassenen Hinterhöfen auf der schäbigen Rückseite der Hochglanzhäuser mit den Spiegelfassaden. Ab hier wurde es gefährlich. Bisher hatten sie Zoë lediglich durch Seitenstraßen und Hinterhöfe gehetzt, nun aber ging es auf befahrenes Gelände – der letzte Straßenabschnitt vor der Brücke, das Nadelöhr. Fünfzig Meter noch bis zur Brücke. Solange sie auf dem kaum benutzten Fußgängerweg blieb ...

Mitten in diesem Gedanken sah ich den Wrestler und Julian heranstürmen. Sie trennten sich wie auf einen geheimen Befehl. Zwei Raubtiere, die ihren Spaß hatten. Von meiner Position aus konnte ich sehen, wie Zoë zu Julian blickte. Gehetzt, mit einem seltsam leeren Gesichtsausdruck, der mir zeigte, dass sie nicht bei sich war. Ein Blackout spiegelte sich in ihren Zügen. Sie war schon über die Grenze gegangen. Es schmerzte mich, sie so zu sehen.

Julians Haar wallte, seine katzenhaften Bewegungen hatten eine tödliche Präzision. Und dann ... sprang er an einer Wand hoch, stieß sich ab und ... sprang sie von der Seite an.

Mir blieb fast das Herz stehen. Ein Lkw wich laut hupend mit einem Schlenker aus, als Zoë auf die Straße sprang. Sie war jenseits von allem, ich konnte es an ihren Bewegungen sehen. All die Energie und die Geschmeidigkeit, die bisher noch in ihr verborgen gewesen waren, schienen freigesetzt.

Die Wut schäumte in mir hoch. Sie trieben sie absichtlich auf die Straße! *Sie nehmen in Kauf, dass sie umkommt!*

Das Rot verschwand mit einem Augenzwinkern aus meiner Wahrnehmung, meine Kiefermuskeln schmerzten, so fest biss ich die Zähne zusammen, um bei mir zu bleiben. *Nicht abdriften!*

Auf der mittleren Spur sprintend, überholte Zoë zwei Autos und ein Motorrad, das gefährlich zu schlenkern begann, als der Fahrer erschrocken den Lenker herumriss. Hupen und Bremsenquietschen setzten ein. Ich startete durch. Der Lärm war ohrenbetäubend und der Abgasgeruch unerträglich stark. Ich passte eine Lücke zwischen zwei Autos ab und glitt so schnell in die Mitte der Straße, dass der Autofahrer, der sich nach Zoë umsah, mich nicht bemerkte. Zoë lief mir entgegen, aber noch hatte sie mich nicht entdeckt. Ich duckte mich auf der Mittelspur. Das Hupen, das Zoë galt, föhnte mich fast von der Straße.

Dann sah ich eine Lücke – ein Taxi bremste ab, das war Zoës Chance. Ich lief los, entgegengesetzt zum heranbrausenden Strom – direkt auf Zoë zu. Sie war blind vor Panik. Umso stärker war der Effekt, als sie mich sah.

»Zoë!«, brüllte ich, obwohl ich wusste, dass sie mich

im Moment weder hörte noch verstand. »Sofort runter von der Straße!«

Ich machte einen Schlenker, als wollte ich sie anspringen, und sie reagierte wie erhofft: Sie wich mir instinktiv aus – und rettete sich durch die Lücke auf der Fahrbahn auf den gegenüberliegenden Fußgängerweg. Gut, weit weg von Julian. Ich selbst musste springen, um dem Taxi zu entwischen. Auf der Jeans schlitterte ich über das letzte Stück der Motorhaube und erreichte hinter Zoë den leeren Fußgängerweg. Hinter mir brüllte der Taxifahrer lautstark aus dem Autofenster und wünschte mich zur Hölle. Jetzt konnte ich nicht viel mehr tun, als dafür zu sorgen, dass Zoë nicht mehr auf die Straße kam und die Brücke über den sicheren Fußgängerweg erreichte. Ab der Mitte der Brücke würden sie von ihr ablassen. Aus dem Augenwinkel erhaschte ich Julians Grinsen auf der anderen Straßenseite. Er dachte wohl, ich würde mich an der Jagd beteiligen. *Arschloch.* Irgendwo hinter mir musste der Wrestler sein. Und der Taubenfresser? Im Laufen drehte ich mich um, aber ich konnte keinen der beiden entdecken. Als ich nach vorne blickte, rutschte mir das Herz in die Hose. Zoë hatte die Brücke fast erreicht. Aber sie strauchelte und wäre fast gestürzt, als sie den Abgrund des Flusses sah.

»Lauf!«, schrie ich. Sie blieb stehen und starrte über das Geländer ins Wasser, das zehn Meter unter ihr träge glitzernd dahinfloss. *Nicht springen*, flehte ich. Dann stoppte ich, damit ich sie nicht verschreckte.

Zoë drehte sich um sich selbst, suchend schweifte ihr Blick umher. Ich blinzelte verwirrt. Etwas Unscharfes umgab sie wie eine Aura oder bildete ich mir das nur ein? War das nur ein Lichteffekt der vorbeischwirrenden Autolichter?

Und dann – endlich! – glitt sie auf die Brücke. Im selben Augenblick überholte mich der Wrestler mit einem Molekülschweif aus Aggression, Schweiß und Fleischatem. Keuchend blieb ich stehen und sah den beiden nach. *Bilder lügen nicht*, hallte Rubios Stimme in meinem Kopf. Ohne nachzudenken, hob ich mein Handy, das ich seit meinem schnellen Aufbruch aus dem Café noch in der Rechten hielt. Ich staunte, wie ruhig meine Hand war, als ich die beiden Gestalten am Rand der Brücke im Display einfing und auf den Auslöser drückte. Dann hupte wieder jemand, Julian sprang auf ein Auto und lief einfach über das Dach. Dann waren sie alle drei auf der Brücke und verschwanden aus meinem Blickfeld.

Sie hatte wieder vom Laufen geträumt. Und nun war sie tatsächlich völlig außer Atem. Außerdem umklammerte sie etwas Kantiges, Kaltes, das penetrant nach altem Lack stank. Lack, der schon einige Male in der Sonne Blasen geworfen hatte. Darunter lag Rostgeruch. Als sie sich über die Lippen leckte, spürte sie, dass sie trocken wie Papier waren. Und ihre rechte Wange drückte gegen kühles, hartes Metall.

Lag sie wieder auf dem Dach? Nein, sie ... saß! Oder vielmehr kauerte sie irgendwo. Schlagartig kehrten ihre letzten Erinnerungen zurück. Sie war noch gar nicht zu Hause gewesen, sondern auf dem Weg zu Irves. Sie war durch die Stadt gelaufen. Und da war der Blonde. Und noch eine Gestalt und noch eine. Unglaublich schnell. Verfolger, die sie einkreisten, näher kamen. An die Gewissheit, sterben zu müssen, erinnerte sie sich am genauesten. Und an den einzigen logischen Gedanken in der Todesangst: fliehen oder sterben. Und der Lauf saß ihr immer noch in den Knochen. Ihr Atem war ein Luftschnappen, kurz, abgehackt, panisch.

Diesmal hatte sie sich nicht auf das Dach ihres Hauses geflüchtet. Unter ihr war ... Rauschen? Wind strich über ihren Nacken und ihre Hüfte. Das war nicht gut.

Sie öffnete die Augen nur kurz. Unwillkürlich drang ein Wimmern aus ihrer Kehle und ihr brach der Schweiß aus. Unter ihren Fingern knirschte Rost, als sie sich noch fester an den Pfosten klammerte. Der Schlüssel, den sie an einem Band um ihr Handgelenk trug, drückte gegen den Knochen. Ihre Hände pochten vor Schmerz, als wären sie aufgeschürft. Sie presste die Lider so fest zusammen, dass ihr schwindelig wurde. Das war das Ende. Unter ihr war der Fluss! Und sie selbst befand sich irgendwo auf der Brückenkonstruktion, gefangen in einem Spinnennetz aus Stahl, zwischen Verstrebungen und Plattformen, die kaum Platz zum Sitzen oder Stehen boten. Ihr Wimmern wurde heiser, fast ein Fiepen. Die Tränen hinterließen im Wind kalte Spuren auf ihren Wangen. Erst nach und nach wurde ihr das Unausweichliche ganz bewusst: Sie konnte ihre halb sitzende, halb hängende Position nur halten, solange sie sich mit aller Kraft festklammerte. Doch ihre Muskeln schmerzten bereits. Irgendwann würde sie sich bewegen müssen. Sie würde den Halt verlieren. Und fallen. Im Augenblick hielt ihr verkrampfter Körper sie noch an Ort und Stelle und umhüllte das schwarze Loch in ihrer Brust, das Vakuum des Schocks, das alles einzusaugen drohte.

Hilfe rufen! Handy! Wo ist mein Handy?

Danach greifen ging auf gar keinen Fall. Also blieb nur nachsehen. Zoë schluckte und schielte unendlich vorsichtig zu ihrer Jackentasche. Nur um festzustellen, dass sie keinen Blazer und auch kein Oberteil mehr trug. Sondern nur noch das bauchfreie Top und ihre schwarze Hose. Und auch dieses Mal hatte sie ihre Schuhe verloren und war barfuß. Irgendwo in den Verstrebungen über ihr erzeugte der Wind ein Heulen, das ihr angstvolles Wimmern höhnisch nachzuäffen schien. *Mitten in der Nacht halb nackt von der Brücke gestürzt,* schoss es ihr durch den Kopf. *Keine Chance, Hilfe zu rufen. Die Polizei wird sagen, es war Selbstmord. Mama wird verrückt werden vor Kummer ...*

Sie schrie auf, als sie eine winzige Erschütterung spürte. Es war nicht der Wind, es war ein Schlag gegen das Metall. Sie versuchte zu blinzeln, aber sie brachte es nicht mehr fertig, die Augen zu öffnen.

»Zoë?«

Die Stimme war kaum mehr als ein Flüstern im Rauschen des Windes.

»Hier!«, brachte sie mit erstickter Stimme hervor. »Hilfe!«

Dann brach sie vor Erleichterung in Tränen aus.

Wieder eine Erschütterung, ein klickendes Geräusch, als Metall (ein Reißverschluss?) gegen eine der Streben schlug.

»Keine Panik! Bleib ruhig, mach bloß keine schnellen Bewegungen.«

Irves? War das Irves? Nein, die Stimme klang anders. Aber sie konnte die Augen nicht öffnen.

»Dreh dich einfach nach links, dann kannst du meine Hand nehmen.«

»Was?«, stammelte sie entsetzt. »Nein!«

French! Es war tatsächlich dieser zwielichtige Typ. Jetzt verstand sie überhaupt nichts mehr.

»Schau über deine Schulter, Zoë. Ich bin nur einen halben Meter hinter dir.« Seine Stimme klang so anders als sonst, so sanft. »Es ist nur ein kleiner Schritt, links hinter dir ist eine Plattform.«

»Nein!«, schrie sie. »Spinnst du? Ich habe eine Scheißangst vor der Höhe! Sobald ich die Augen aufmache oder mich bewege, falle ich!«

Immerhin eine nützliche Erkenntnis: Solange sie wütend war, konnte sie die Panik unterdrücken.

Von French kam keine Antwort. Augenblicklich stieg in ihr die Angst hoch, dass sie sich seine Gegenwart nur eingebildet haben könnte. Doch dann hörte sie, wie er die Luft einzog. »Gut, bleib, wo du bist. Erschrick nicht. Ich klettere jetzt zu dir rüber. Halt dich gut fest, in Ordnung?«

Um ein Haar hätte sie ihn wieder angeschrien, dass sie ja verdammt noch mal ohnehin keine andere Wahl hatte, da spürte sie schon die Erschütterung. Diesmal war es so schlimm, dass sie bereits zu fallen glaubte. Sie keuchte vor Entsetzen auf, aber dann lag auf einmal sein Arm um ihre Taille und seine Brust drückte gegen ihren Rücken.

»Keine Angst«, hörte sie seine Stimme direkt an ihrem Ohr. »Ich hab dich.«

In ihrer Nase fing sich der Geruch seiner Haut. Irves roch nach Ambra, Leder und Discoluft. Bei French dagegen war es eine sehr viel irritierendere Mischung – Wüste und Sandelholz und noch einige andere Facetten, die sie nicht einordnen konnte. Eine davon war Sorge. Eine andere die Kühle der Konzentration.

»Kannst du einen Schritt machen, wenn ich dich halte?«, fragte er leise. Sein Atem traf warm auf ihre Wange. Anders als sie zitterte er nicht. Seine Ruhe schüchterte sie ein. Auf seine Fragen konnte sie nur stumm den Kopf schütteln.

Er zögerte und schien sich umzusehen, als müsste er sich einen Plan zurechtlegen. »Traust du dich, wenigstens die Strebe loszulassen?«

»Nein!«, stieß sie hervor.

»Aber ich halte dich fest, es kann nichts passieren. Wir müssen nur eine Schrittlänge bis zur Plattform überbrücken. Dort können wir uns hinsetzen und sind erst einmal in Sicherheit.«

»Wir werden abstürzen«, flüsterte sie. »Beide. Du kannst mich unmöglich halten.«

»Doch, kann ich«, sagte er mit einer Bestimmtheit, die ihn noch fremder erscheinen ließ. »Und ich lasse dich nicht fallen, versprochen. Aber du musst loslassen.« Der Griff verstärkte sich, aber seine Stimme bekam einen warmen, hypnotischen Unterton. »Lass einfach die Augen zu, wenn es leichter ist. Und jetzt nimm die linke Hand von der Strebe und leg den Arm um meinen Hals.«

»French, ich ...«

»Auf drei, okay?«

Es gab nicht viele Alternativen. Ihre Arme zitterten schon unter der Anspannung.

»Eins ...«, zählte er mit ruhiger Stimme. »Zwei ...«

Zoë holte krampfhaft Luft.

»Drei!«

Sie wusste nicht, wie sie es fertiggebracht hatte. Es war, als hätte sie abermals einen Zeitsprung gemacht. Zwei, drei Sekunden nur. Sie musste sich ein Stück gedreht haben, denn nun lag ihr Arm tatsächlich um seinen Nacken, sein Haar klebte an ihrer tränenfeuchten Wange. Der French-Duft war so stark, dass sie den Lack- und Rostgeruch der Brücke nicht mehr wahrnahm.

»Gut! Und jetzt der andere Arm«, flüsterte er. »Halt dich so fest, wie du kannst. Eins ... zwei ...«

Es ging schnell. Vor Überraschung konnte sie nicht

einmal schreien. Sie spürte nur, wie sie losließ und sich wie im Reflex an ihn klammerte. Wie sie beide kippten und French sich streckte und sie mit einem Ruck zur Seite zog. Dann ein metallischer Schlag, sie kam hart mit den Knien auf. Wieder trudelten zwei Sekunden ins Nichts. Dann war unter ihr Metallboden, halb saßen, halb lagen sie, und French hielt sie immer noch umfangen.

»Alles in Ordnung. Wir sind auf der Plattform«, sagte er beruhigend. »Hier ist genug Platz. Atme durch. Und wenn du die Augen aufmachst, schau nur nach oben, nicht nach unten.«

Ihr Kopf lag an seinem Schlüsselbein und ihre Arme umklammerten ihn ohne ihr Zutun, aber sie zitterten vor Erschöpfung, als hätte sie eine viel zu schwere Last getragen. Vorsichtig blickte sie hoch. Beinahe war sie überrascht. Sie befanden sich nicht so weit oben, wie sie angenommen hatte. Über ihnen strebte das stählerne Netz, das die Brücke hielt, noch unendlich weit hoch in den Himmel. Sie mussten sich im unteren Drittel befinden, dort, wo es flache Querverstrebungen gab, die die Brückenaufhängung stabilisierten.

»Ich ... bin hier nicht raufgeklettert«, sagte Zoë kläglich.

»Oh doch, das bist du. Du kannst dich nur nicht mehr daran erinnern.«

Vorsichtig blickte sie ihn an. Blank liegende Wahrnehmung: Trotz der Dunkelheit erkannte sie jedes Detail.

French war blass, aber er lächelte ihr zu. Trotzdem schauderte sie. Seine Augen waren braun und die Pupillen riesig, zu dunkel und ... oval! Zum ersten Mal sah sie, dass sie tatsächlich enger und weiter wurden, obwohl das Licht sich nicht veränderte. Und am Grund dieser Dunkelheit lag etwas Schillerndes, ein Glanz wie von Goldpapier. Ein Bild regte sich in ihrem Gedächtnis. Eine unangenehme Erinnerung an gelbe Augen, aber sie kam nicht an die Oberfläche.

»Ist dir kalt?«, fragte er besorgt. Seine Hand strich über die Gänsehaut an ihrem Oberarm. »Blöde Frage«, sagte er mehr zu sich selbst als zu ihr und richtete sich halb auf.

Bisher hatte Zoë geglaubt, das Schlimmste überstanden zu haben. Aber nun, als sein Griff sich lockerte, schwappte die Panik wieder hoch. Zoë klammerte sich noch fester an ihn und brach wieder in Tränen aus. Irgendwo, im hintersten Winkel ihres Bewusstseins, saß eine Zoë, die sich gerade in Grund und Boden schämte für das erbärmliche Bild, das sie bot: ein Mädchen, das sich vor Angst wimmernd und Rotz und Wasser heulend an einen Fremden klammerte, dem es erst gestern eine Abfuhr erteilt hatte.

French kam vorsichtig auf die Knie. Sein verletztes Bein musste schmerzen, aber er ließ sich nichts anmerken. Er schob das Bein sogar zur Seite, setzte sich wieder und zog Zoë zu sich heran. Ehe sie sichs versah, saß sie zwischen seinen Beinen, die rechts und links von ihr eine Barriere gegen die Tiefe bildeten.

»Besser?«, erkundigte er sich. Sie schniefte und nickte verlegen.

»Ich lasse dich nur kurz los, in Ordnung? Aber du kannst nicht wegrutschen, ich halte dich mit den Knien.«

Es war nur der allerletzte Rest von Stolz, der sie widerwillig nicken ließ. French zog vorsichtig seine Arme weg und streckte sich. Während er sich die Jacke auszog, gab er sich sichtlich Mühe, keine hektischen Bewegungen zu machen. Gleich darauf hüllte hautwarmes Fleece Zoë ein. Sie musste sich halb von French wegdrehen, um in die Ärmel zu schlüpfen. Allerdings war es ihr ganz recht, dass er ihr nicht mehr ins Gesicht sehen konnte. »Wo sind meine eigenen Sachen?«, murmelte sie. »Mein Handy ...«

»Die hast du unterwegs verloren. Wir finden sie bestimmt wieder.« Er räusperte sich und fuhr leiser fort: »Ich weiß, wie dir zumute ist. Du denkst, du bist verrückt. Jeder stirbt fast vor Angst, wenn er so was erlebt. Aber es gibt eine Erklärung. Und es ist nicht deine Schuld. Es trifft uns, ohne dass wir etwas dagegen tun können.«

Was trifft uns? Der Wahnsinn?, dachte sie. *Schizophrenie? Multiple Persönlichkeitsstörung?*

»Du hattest einen Blackout«, erklärte er. »Das ist nichts Ungewöhnliches. Es ist nur ... eine Begleiterscheinung. Das haben wir alle.«

An ihrem Rücken konnte sie deutlich fühlen, wie Frenchs Herz schlug – langsam und stark, nicht so wie ihres, das gerade wieder losgaloppierte und zu stolpern begann. Ohne dass sie es wollte, begann sie haltlos zu zittern.

Ihr Schatten war ihr immer noch ganz nah, ich konnte ihn fühlen. Zu viel Nähe für die eine Seite in mir. Aber immer noch zu wenig für die andere. Es war ganz und gar nicht der richtige Zeitpunkt, aber ich konnte nicht anders, als den Duft ihrer Haut wahrzunehmen. Ein, zwei Sekunden verlor ich mich darin. Ich flog ihr zu und konnte nichts dagegen tun. Das war nicht gut. Das Letzte, was Zoë jetzt gebrauchen konnte, war jemand, der seine Gefühle nicht im Griff hatte. Zoë antwortete nicht mehr, also hielt ich sie einfach nur fest und betete, dass Gizmo sich beeilen würde. Zoë zitterte nun wieder stärker, als hätte sie Schüttelfrost, und klapperte vor Entsetzen mit den Zähnen. Jetzt machte ich mir auch noch Sorgen, dass sie unter Schock stand.

»Du wirst heil wieder runterkommen«, redete ich beruhigend auf sie ein. »Jemand ist schon unterwegs, um uns zu holen. Wir müssen nur noch ein paar Minuten hier oben durchhalten.«

Ich konnte gut nachfühlen, was sie empfand. Nur zu gut erinnerte ich mich an mein erstes Erwachen – auf dem Flachdach eines Plattenbaus in der Banlieue von Paris, während das Licht eines Krankenwagens viele Stockwerke unter mir auf der Straße pulste wie ein grelles Herz.

Im Moment war ich mir gar nicht mehr so sicher, ob Zoë wirklich schon wieder ganz da war. Also ließ ich ihr Zeit, zu sich zu kommen, und spähte besorgt zur Brücke unter uns. Autos fuhren dort unten und auch ein einsamer Radfahrer überquerte den Fluss. Von Julian und den zwei anderen keine Spur mehr. Gut.

»Wer ist *wir*?«, flüsterte sie plötzlich.

Ich schluckte. *Wenn ich das selbst wüsste.* »Leute mit besonderen Fähigkeiten«, sagte ich. »Wir leben ein ganz normales Leben – und plötzlich beginnt es. Du merkst es sicher auch schon. Das bessere Hören, das Riechen. Der Heißhunger auf Fleisch. Und wenn es dunkel ist ...«

»... sehe ich trotzdem noch etwas«, antwortete Zoë leise. »So wie jetzt.«

Ich nickte nur und kostete es aus, dass ihr glattes Haar dabei an meiner Wange rieb. »Es klingt verrückt, aber von Zeit zu Zeit ... haben wir die Eigenschaften ... von Katzen«, sprach ich weiter. »Wir nennen diesen Zustand den ›Schatten‹, die zweite Natur. Frag mich nicht, woher er kommt, ich weiß es nicht. Meistens kann man ihn unterdrücken. Aber wenn du ... in richtig großen Schwierigkeiten bist, dann vergisst du für kurze Zeit, dass du ein Mensch bist.« Ich machte eine Pause, bevor ich fortfuhr. »Wenn du auf eine rote Ampel schaust und sie wird grau, dann weißt du, es ist so weit. Katzen nehmen kein Rot wahr. Und wenn du in den anderen Zustand wechselst, hast du keine Gedanken mehr, keine menschlichen jedenfalls. Das hast du vorhin erlebt. Dann existierst du nur noch in deinem Schatten. Du handelst nach den Instinkten einer Raubkatze und erinnerst dich an nichts mehr.«

Ich hätte verstanden, wenn sie geschrien und sich dagegen aufgelehnt hätte. Selbst eine Schockreaktion wäre verständlich gewesen. Ich war sogar gefasst darauf, dass sie mich für verrückt erklären würde – wie lange hatte ich selbst nach vernünftigen Erklärungen gesucht? Aber sie sagte nur ganz sachlich: »Das erklärt einiges.«

Diesmal war ihr Schweigen so dicht, dass es beinahe mit Händen zu greifen war. Ich hätte alles darum gegeben, zu sehen, was sich gerade in ihren Gedanken abspielte.

»Erinnerst du dich daran, dass sie dich gejagt haben?«, fragte ich. »Manchmal bleibt uns ein Eindruck aus der Zeit kurz vor dem Switch. Und manchmal erinnern wir uns auch an kurze Sequenzen während der Zeit im Schatten, das sind dann Flashbacks, ohne Vorwarnung.«

»Da ... war ein blonder Mann«, kam es leise zurück. »Und noch ... ein paar mehr. Beim *Cinema.* Der Club war geschlossen, das wusste ich nicht. Ich wollte weglaufen und sie haben mich eingekreist. Ich hatte ... Angst.«

»Angst, ja. Das ist der Auslöser. So funktioniert es. Leider. Wir nennen es ›über die Brücke gehen‹. In der Anfangsphase giltst du als Läufer und wirst gejagt, bis du dich vor lauter Panik zum ersten Mal in deinen Schatten flüchtest. Manche überleben es nicht. Du hattest Glück, du hättest stürzen können. Oder überfahren werden.« Ich musste mich räuspern, bevor ich weitersprechen konnte. »Aggression oder Angst, beides kann jederzeit den Übergang auslösen. Aber man kann lernen, den Schatten zu unterdrücken. Man kann lernen, den anderen aus dem Weg zu gehen und den Schatten im Käfig zu halten.« Ich redete, als würde ich mich selbst überzeugen wollen.

Sie ließ sich etwas tiefer in meine Umarmung sinken. Das war der Moment, in dem ich mir trotz allem wünschte, dass Gizmo durch eine Welle von roten Ampeln noch ein paar Minuten länger aufgehalten wurde.

»Du ... hast es also auch.« Nur an der dünnen, hohen Tonlage ihrer Stimme konnte ich hören, dass sie versuchte, den Abstand zwischen sich und dem Abgrund zu vergessen. Worte der Normalität, die sicheren Grund boten. Vielleicht spürte sie gerade, dass sie wieder abrutschte – zur Grenze hin. Unwahrscheinlich war es nicht. Wem hätten diese Neuigkeiten keine Angst gemacht? Jedenfalls atmete sie so hastig, dass ich fürchtete, der Schatten würde sie jeden Moment wieder erreichen. Das wäre schlecht. Sehr schlecht. Vorsichtshalber schloss ich meine Hände um ihre Fäuste.

»Ja, ich habe es auch. Und Irves, und ... einige andere aus der Stadt.«

»Irves auch?« Ihre Stimme klang tonlos. »Dann war es kein Zufall, dass wir uns kennengelernt haben.«

»Ja. Wir wussten beide, dass du dich bald verwandeln würdest.« *In eine Raupe mit einem Flügel?* »Die drei

Kerle, die dich gejagt haben, sind auch von unserer Art. Insgesamt gibt es dreizehn von uns in der Stadt.« *Minus Barb. Plus Zoë.* »Das heißt: mit dir jetzt vierzehn.«

Ihr Atem ging immer noch zu schnell und war viel zu flach.

»Deshalb bist du mir die ganze Zeit nachgelaufen«, murmelte sie. »Du wolltest gar nichts von mir.«

Es klang verlegen. Ich hoffte, sie würde nicht spüren, wie mein Herz schneller schlug.

»Ja«, antwortete ich alias Feigling Gil. »Deshalb bin ich dir gefolgt. Damit dir nichts passiert. Nichts Schlimmeres, meine ich.«

»Dann bist du Panthera 92. Und Maurice ...«

»Nummer 12.«

»Hattest du ... warst du schon immer so?«, fragte sie.

Beinahe hätte ich gelacht. Aber es wäre ein bitteres Lachen gewesen.

»Seit ein paar Monaten«, sagte ich leise. »Und ich erinnere mich leider an ziemlich vieles.«

Der Mann auf der Straße. Das viele Blut auf dem Pflaster.

Nun beschleunigte mein Puls so sehr, dass sie es spüren musste, und tatsächlich spannte sie sich ein wenig an. Im selben Moment klickte das Handy in der Fleecejacke. Bevor Zoë reagieren konnte, griff ich in ihre Tasche und zog das Telefon hervor.

»Wie sieht's aus? Hast du sie?«, brüllte Gizmo gegen den Motorlärm an.

»Ja. Wir sind auf der hinteren Plattform. Vierter Pfeiler, Nordseite. Komm schnell!«

»Ich kann auf der Brücke nicht halten«, antwortete er ungerührt. »Hier ist eine Spur gesperrt und ein Stück weiter vorn steht Polizei, da gab es irgendeinen Auffahrunfall. Ich fahre zum Kreisel hinter der Brücke und stell mich hinter die Dönerbude. Beeil dich!«

Klick.

Na prima. Ich spähte angestrengt nach unten und versuchte mir einen Plan zurechtzulegen. Wenn Zoë Höhenangst hatte, würde sie nicht klettern können. Mit etwas Glück würden wir es aber über die Anordnung der anderen Plattformen zum Fußgängerweg schaffen.

»War das Irves?«, wollte sie wissen.

»Nein, Gizmo. Ein ... ein Freund. Er holt uns ab.«

»Sollen wir da etwa allein runterklettern?« Schon die Vorstellung brachte ihre Stimme zum Beben. »Warum rufst du nicht einfach die Feuerwehr?«

»Wenn du möchtest, mache ich das. Allerdings wirst du dann erklären müssen, was du hier oben zu suchen hattest. Sie werden dich ins Krankenhaus bringen – oder vielleicht gleich zur Polizei. Sie werden dich verdächtigen, Drogen genommen zu haben oder betrunken zu sein. Du bist noch zu sehr im Schatten – man sieht deinen Augen an, dass etwas nicht stimmt. Pupillen von Raubkatzen verändern sich mit der Stimmung. Wenn dir einer von den Feuerwehrleuten in die Augen schaut, steht auf jeden Fall eine Blutuntersuchung an. Und dann werden sie deine Eltern anrufen, damit sie dich abholen.

Vielleicht gibt es sogar eine Anzeige. Ich glaube nicht, dass es erlaubt ist, auf der Brücke herumzuklettern.«

Sie schluckte schwer. »Keine Feuerwehr«, sagte sie heiser.

»Wir schaffen es auch ohne Leiter«, sagte ich so beruhigend wie möglich. »Es ist gar nicht so weit bis zum Boden. Ich bringe dich runter.«

»Und wie zum Teufel soll das gehen?«, fuhr sie mich verzweifelt an. Ich rutschte ein Stück zur Seite, bis ich ihr ins Gesicht sehen konnte. Kurz vor dem nächsten Switch. Ihre Augen waren nicht mehr grau, sondern ganz dunkel – mit einem rötlich goldenen Schimmer. Aber sie war ansprechbar, denn als ich sie bei den Schultern fasste, wehrte sie sich nicht.

»Es sind nur ein paar Meter«, sagte ich eindringlich. »Ich trage dich. Du musst nur die Augen zumachen und dich festhalten. Klar?«

Sie traute mir immer noch nicht. Ich konnte ihren Argwohn spüren. Die Situation konnte jeden Moment kippen und ich wollte mir nicht vorstellen, was dann passieren würde. Also ließ ich sie los und stand auf, obwohl ich wusste, dass ich sie damit in die Schreckstarre jagte.

»In den Verladehallen schleppe ich jeden Tag Kisten durch die Gegend, die doppelt so schwer sind wie du«, sagte ich. »Und wie du dir vorstellen kannst, klettere ich weitaus besser, als ein normaler Mensch es je könnte. Und – ich habe keine Höhenangst.«

Zum Beweis stand ich auf, streckte die Arme zu den

Seiten aus und balancierte ganz am Rand der Plattform im Wind, der an meinen Haaren riss.

Sie rang immer noch mit sich. »Du arbeitest auf dem Markt?«, fragte sie leise.

»Klar«, erwiderte ich. »Auch wenn ein ganz normaler Job nicht in deine Straßendealerschublade passt.«

Zu meiner Überraschung errötete sie.

»Das ist schon in Ordnung«, sagte ich. »Ich nehme es dir nicht übel.«

Sie betrachtete mich nachdenklich. »Wie heißt du denn wirklich?«

Ich konnte mich nicht erinnern, wann ich das letzte Mal jemandem meinen Namen genannt hatte. Ich zögerte, aber dann wurde mir klar, dass sie tatsächlich überhaupt nichts über mich wusste.

»Gil. Gil ... Aceval.«

»Das ist kein algerischer Name.«

»Nein, mein Vater war Franzose. Aber meine Mutter Maghrebinerin, sie gehörte zum angesehenen Stamm der Ouled Alaar Khaled. Unsere Heimat liegt in den algerischen Hochebenen, an der Schnittstelle zwischen Norden und Süden, bei den Beduinen. Als Kind lebte ich in zwei Welten – in Algier, aber ein paar Jahre auch in den Nomadenzelten meiner Verwandten.«

Plötzlich war mir, als könnte ich den Staub der Wüste riechen, die Ziegenmilch, das Leder im Zelt meiner Großmutter. Das Heimweh war wie eine schneidende, heiße Welle. Ich sah mich über den Märtyrerplatz in Algier schlendern und erinnerte mich an die Kinderspiele in den Altstadtgässchen, auf den schief getretenen Treppen in den *Rues de la Casbah.*

Das Handy vibrierte ungeduldig. Ohne hinzusehen, drückte ich Gizmos Anruf weg.

»Zeit zu gehen«, sagte ich sanft zu Zoë. »Also?«

Sie rang sichtlich mit sich, doch zu meiner unendlichen Erleichterung flüsterte sie schließlich: »Okay.«

Unten floss der Verkehr mit großen Lücken dahin. Ich musste das Intervall abpassen, in dem wir unbemerkt hinter einem der breiten Hauptpfeiler auf den Fußgängerweg springen konnten.

Zoë erwürgte mich fast, als ich uns beide über den Rand der Plattform bugsierte. Mein Gürtel, den ich um uns beide geschlungen hatte, schnitt unter meinen Rippen ein. Zoës Keuchen hallte in meinem Ohr, aber sie hielt sich fest, während ich nach den Streben griff und mit meinen Füßen Halt suchte. Es ging einfacher, als ich gedacht hatte, obwohl mein Oberschenkel schmerzte wie die Hölle und Zoës Beine gegen meine Rippen drückten. Acht Meter, schätzte ich. Dann überließ ich einfach meinem Körper die Führung. Sosehr ich die Instinkte hasste, manchmal waren sie wirklich nützlich.

Ich hangelte das letzte Stück besonders vorsichtig, nutzte den Sichtschutz der Streben. Das war ein Vorteil: Wie oft kamen wir mit unseren Aktionen unbemerkt durch, weil die Leute nie nach oben, links oder rechts blickten?

Endlich berührten meine Füße den rauen Boden. Vibrationen flossen wie ein Informationsstrom durch die Sohlen: Autos, Schritte, die Bewegungen der Brückenaufhängung im Wind. »Mach die Augen auf, wir haben es geschafft«, sagte ich. Ich öffnete den Gürtel und Zoë knickte ein, als wären ihre Knie aus Gummi. Doch als ich sie stützen wollte, schüttelte sie den Kopf.

»Geht schon«, meinte sie atemlos und verblüffte mich ein weiteres Mal mit ihrer trockenen Sachlichkeit. »Wo parkt dein Freund?«

Gizmo hatte die Motorhaube hochgeklappt und tat so, als müsste er etwas überprüfen. In nervtötender Ruhe machte er die Haube zu und riss die Seitentür des Lieferwagens auf. »Hi«, sagte er. »Sie hatten ein Taxi bestellt?«

Für Gizmos Verhältnisse war der Laderaum relativ leer. Ein paar Kisten, viel zusammengeknülltes Papier. Leere Blisterverpackungen, die unter unserem Gewicht knackten, als wir zwischen zwei Kisten krochen. Im Rückspiegel konnte ich sehen, dass er uns beobachtete. Er wirkte nicht sehr überzeugt von seinem guten Werk. Zoë zitterte wieder, aber als sie sah, dass Gizmo Anstalten machte, in den Süden zu fahren, richtete sie sich auf. »Das ist die falsche Richtung«, sagte sie. »Ich muss nach Hause.«

»Zum Neubaugebiet hinter dem Planetarium«, sagte ich. Gizmos Spiegelbild runzelte die Stirn und ich antwortete mit einem Nicken. *Maurice, ich weiß.* Gizmo bremste scharf an der Kreuzung und machte einen filmreifen U-Turn. Der Ruck warf uns zur Seite. Das Streiflicht eines entgegenkommenden Lasters zeichnete

Zoës Profil nach. Sie sah unglaublich erschöpft aus. Ihre Zähne schlugen aufeinander, sie klammerte sich verzweifelt an der Gegenwart fest. Ich widerstand der Versuchung, den Arm um sie zu legen.

»War es bei dir auch so?«, fragte sie leise.

Schlimmer, dachte ich. Doch ich nickte nur stumm. Warum hätte ich sie noch mehr ängstigen sollen?

»Ich verstehe immer noch nicht, wie ich da hochklettern konnte.«

»Alle Katzen sind schwindelfrei. Dein Schatten wusste nur, dass du in Gefahr warst. Die meisten Katzen klettern, wenn sie sich in Sicherheit bringen wollen. Als ich über die Brücke gejagt wurde, bin ich an den Balkonen auf ein Hochhaus geklettert.« Ich schluckte und fuhr fort: »Es wird sich noch einiges ändern in den nächsten Wochen. Du wirst dich verändern, deine Wahrnehmung, deine Gewohnheiten – und auch dein Körper. Es kann sich anfühlen wie Gelenkschmerzen, manchmal auch wie Kopfschmerz. Das bedeutet nur, dass du stärker und schneller wirst. Und du wirst lernen müssen, den anderen ... aus dem Weg zu gehen. Es gibt Gesetze, die für uns gelten. Wenn man sie von Anfang an kennt, ist es einfacher.«

»Warum gibt es so was?«, rief sie. »Wie ist das möglich?«

Ich konnte nur mit den Schultern zucken. »Ich bin gerade dabei, es rauszufinden.«

Giz bedachte mich mit einem interessierten, scharfen Blick.

»Liegt es in der Familie?« Jetzt schwang wieder Panik in Zoës Stimme mit. »Hat meine Mutter es auch? Und mein Bruder? Kann er es bekommen?«

»Mit Vererbung hat es nichts zu tun«, sagte Gizmo über die Schulter. Und spöttisch fügte er hinzu: »›Kann mein Bruder es auch bekommen?‹ Hey, es ist keine Krankheit, klar?«

Zoë stellte die Frage nicht, aber ich wusste, was sie dachte: *Warum ausgerechnet ich?*

Eine Weile schwiegen wir, während Gizmos Lieferwagen die Straße entlangraste.

Zoë betrachtete ihre bloßen, aufgeschürften Füße und ihre Hände. »Meine Sachen sind weg«, sagte sie kläglich. »Und meine Schuhe.«

»Gewöhn dich dran«, kam es trocken von Gizmo. »Schon mal eine Katze mit Mantel gesehen? Du platzt zwar nicht gerade wie Hulk aus den Klamotten, wenn es dich erwischt, aber die meisten schaffen sich Platz zum Laufen, indem sie sich alles, was stört, vom Leib reißen. Es ist also besser, du trägst Sachen ohne Knöpfe.« Mit einem Grinsen fügte er hinzu: »Obwohl es sich nackt natürlich am besten klettert.«

»Das reicht für heute!«, wies ich ihn scharf zurecht.

Zoë starrte aus dem Fenster. Als die Kräne in Sicht kamen, atmete sie tief durch, als müsste sie sich Mut machen. Ich sah mich nervös um, bevor ich aus dem Wagen stieg. Nun, falls Maurice auftauchen sollte, waren wir immerhin zu zweit. *Falsch:* zu dritt.

Zoë zögerte noch einen Moment. Sie sah aus, als

wollte sie mir etwas sagen, doch dann stieg sie aus dem Wagen und ging einfach. Mitten auf dem Weg blieb sie kurz stehen und spähte zum sechsten Stock hoch. Sie schien erleichtert zu sein, dass alle Fenster dunkel waren. Vermutlich ging ihre Familie früh ins Bett. Gizmo und ich sahen ihr beide nach, bis die Tür hinter ihr zufiel.

»Danke fürs Taxi«, sagte ich nach einer Weile. »Dafür schulde ich dir was.«

»Kein Problem«, erwiderte Gizmo. »Trifft sich ja gut, was? Du und ich ... mitten in Maurice' Revier.«

Zwei Panthera, ein Gedanke. Ich sah auf meine neue Billiguhr. Kurz vor zehn.

»Klar, gute Gelegenheit, sich hier mal umzusehen«, murmelte ich.

Gizmos Augen blitzten auf. »Worauf warten wir dann? Drehen wir eine Runde um den Block und sehen nach, ob Shir Khan wirklich verschwunden ist!«

Gizmo war schneller als ich und er war ungeduldig. Vor allem aber hatte er seine Sinne angeknipst und roch und hörte besser als ich. Wir durchkämmten die Straßen auf der Suche nach Zeichen und Kratzmarkierungen an den Häusern. Keine Spur. Nur Leere. Nicht der leiseste Rest eines Geruchs in der Luft. Nach einer halben Stunde waren wir wieder fast am Ausgangspunkt. Die Baugrube gähnte uns wie ein schwarzes Maul mit einer Zunge aus Bauschutt entgegen. Kiesgeruch, Lehm, Eisen ... Nichts Verdächtiges.

Gizmo beugte sich über den Bauzaun und blickte zu

den Kränen hinüber. Er zog die Oberlippe hoch und atmete scharf durch die Nase ein.

»Riechst du hier irgendetwas?«, fragte ich. Gizmo zuckte mit den Schultern.

Seine Augen leuchteten wie Spiegel auf, als er sich zu mir umwandte. »Ich weiß es nicht. Aber wenn wir schon hier sind, sollten wir uns das ganze Gebiet anschauen.«

»Die Baustelle?«

In der nächsten Sekunde war Gizmo bereits über den Bauzaun geklettert und sprang in die Baugrube. Wie alle Katzen landete er geschmeidig und sicher und schnellte gleich wieder hoch. Ich sah, wie er die Grube durchquerte und auf der anderen Seite über den nächsten Zaun zu dem noch abgesperrten Neubauklotz sprang – so geschmeidig, dass es kaum mehr menschenähnlich aussah. Ich beschloss, dass ich heute genug geklettert war, und lief stattdessen im Bogen um die Baustelle.

Gizmo ging um einen Kran herum, kletterte probehalber ein paar Meter nach oben und verschaffte sich einen Überblick. Ich stieg über die Absperrung und witterte ebenfalls. Ein Windstoß drückte mir das Aroma von abgestandenem Regenwasser in die Nase. Dann drehte der Wind so plötzlich, dass der Kran in den Scharnieren ächzte. Die Bö ließ einen Haufen von Planen knattern, die mit Steinen beschwert waren. Mir wurde schwindelig bei dem, was ich roch.

»Gizmo! Hier!«, zischte ich. Er sprang, kam federnd auf und glitt so schnell heran wie der Schatten eines

Vogels. Im nächsten Moment stürzten wir uns auf die Plane und räumten die Steine herunter. Und als ich die Plane schließlich mit einem Stück Holz vom Bauschutthaufen anhob, sah ich eine Hand. Ein weiterer Windstoß riss an der nun losen Plane und klappte sie auf die Seite wie eine Bettdecke mit Wendefarben: außen schmutzig weiß, innen ein schreckliches Sprenkelmuster in Rotbraun. Eine Weile starrten wir Maurice nur fassungslos an, während der Geruch von getrocknetem Blut uns einnebelte.

»Zumindest ist Zoë jetzt aus dem Schneider«, stellte Gizmo trocken fest. »Der ist schon seit ein paar Tagen tot. Vielleicht hast du ihn sogar als Letzter gesehen?«

Vielleicht warst du es ja selbst?, hallte Rubios Stimme mir im Ohr. Plötzlich war mir todübel. Ich keuchte auf und stolperte zurück.

»Unwahrscheinlich«, knurrte Gizmo.

Mein Mund war so trocken, dass ich kaum schlucken konnte. »Was?«, fragte ich mit schwacher Stimme, noch immer unter Schock.

»Na, dass du ihn umgelegt hast. Das denkst du doch, oder? Aber warum hättest du ihn erst in aller Ruhe bestatten sollen, um danach zur Brücke zu flüchten, als sei der Teufel hinter dir her?«

Er hatte Recht. Meine Knie waren immer noch weich, aber ich nickte erleichtert. »Ich denke, es war derselbe, der Barb erledigt hat«, brachte ich heiser hervor.

»Das denke ich allerdings auch«, sagte Gizmo nur und schlug die Plane mit dem Fuß wieder um.

Kemal

Sie hatte von der Brücke geträumt. Und von Gils Gesicht. Doch jedes Mal, wenn sie es genauer betrachten wollte, verschwamm es und ein anderes Gesicht tauchte auf: gelbe Augen, ganz nah. Wie in einer Zeitlupenaufnahme sah sie, wie der Mann mit dem Button vor dem *Club Cinema* auf sie zurannte. Und die andere Gestalt, viel zu nah. Pupillen, die sich im Licht einer Taschenlampe (wo war eine Taschenlampe gewesen?) zu Schlitzen zusammenzogen. Ein Fauchen, ein Knurren und ein stechender Geruch ...

Das kann nicht sein, wiederholte sie wie eine Beschwörung. *Das bin nicht ich und das passiert nicht mir. Es ist alles ein schlimmer Traum. Ein Irrtum.*

Ihre Augen brannten, als sie blinzelte. Morgenlicht. Baulärm und das Heulen des Windes von draußen. Beim Blick auf die Uhr erschrak sie. 9.12 Uhr! Wie war es möglich, dass sie den Wecker überhört hatte? Aber dann fiel es ihr wieder ein – sie hatte ihn gestern überhaupt nicht gestellt. Sie war einfach nur zum Bett gestolpert und hatte sich unter der Decke verkrochen. Und nun, wenige Stunden später, kam ihr alles in ihrem vertrauten Leben unwirklich vor. Als sei das alles hier nur ein Traum: das Zimmer, die Uhr, deren Sekundenzeichen ruhig weiterblinkten, als wäre Zoës Welt gestern Nacht nicht einfach so aus den Angeln gerutscht. Ihr Kopf war ein einziges glühendes Pochen und durch ihre Knochen rieselten Kälte und Hitze. Schüttelfrost und Zähneklappern.

Draußen brachte der Wind die Planen am Baustellenzaun zum Knattern. Zoë hörte es trotz der geschlossenen Fenster, ebenso wie das Husten in der Wohnung unter ihr und das Gurgeln des Wassers in den Rohren.

Hastig zog sie sich die Decke über den Kopf und drückte ihr Gesicht ins Kissen.

Allmählich trieben auch wieder Erinnerungsfetzen durch ihr Bewusstsein. Sie hatten sie vor der Tür abgesetzt: Gil und dieser komisch gekleidete Typ mit Brille. Dann war sie die Treppen hochgestolpert – den kalten Stein unter ihren bloßen Füßen. Das schwache Licht der Schalter hatte genügt, dass sie die Treppen erkennen konnte. Sie hatte Glück gehabt: Die Tür zum Wohnzimmer, das sich nachts in das Schlafzimmer ihrer Mutter verwandelte, war geschlossen gewesen. Aber ihre Mutter musste wirklich sauer gewesen sein: Kalter Zigarettenrauch stand in der Wohnung. Bei der Erinnerung an den Gestank schnürte es Zoë wieder die Kehle zu.

Sie stöhnte und richtete sich mühsam im Bett auf. Schmerz zuckte durch ihren Arm und ihre Schulter. Jeder noch so kleine Muskel schien gezerrt zu sein.

Ihre Hände waren aufgeschürft und als sie die Bettdecke wegschob, sah sie, dass sie tatsächlich einfach in ihren Kleidern ins Bett gekrochen war. Sie trug immer noch das Top und die Hose (Rostspuren, Staub und Schmutz). Ihre Füße waren schwarz von der Straße und von der nächtlichen Kletterpartie auf der Brücke aufgeschürft.

Auf dem Weg zum Bad musste sie sich an der Wand abstützen. Schwindelig vor Fieber zog sie sich aus, duschte und trank das Wasser direkt aus der Brause. In der Küche fand sie heute keinen Zettel von ihrer Mutter. Offenbar war sie für ihre Frühschicht im Krankenhaus schon spät dran gewesen: Ihre Kaffeetasse war nicht weggeräumt und sie hatte sich nicht die Mühe gemacht, den Aschenbecher zu leeren. Zoë schnappte sich das Telefon und tappte mit weichen Knien ins Wohnzimmer. Im Bademantel verkroch sie sich aufs Sofa.

»Paula?«, flüsterte sie, als ihre Freundin abhob.

»Wo bist du?«, rief Paula. »Ich habe schon x-mal bei dir angerufen. Warum machst du dein Handy aus?«

Der Gong, der den Beginn der nächsten Stunde ankündigte, ließ Zoë zusammenzucken.

»Ich ... mein Handy ist kaputt. Und ich bin heute krank. Fieber. Sagst du bitte im Sekretariat Bescheid? Auch Frau Thalis?«

»Oje, du Arme! Klar!«

Paula sagte noch irgendetwas, aber die Worte ließen sich nicht mehr zu einer sinnvollen Abfolge ordnen. Das Letzte, was Zoë wahrnahm, bevor sie mit dem Telefon in der Hand in den nächsten Fiebertraum glitt, war das hysterische Kläffen eines Hundes, das sie so laut und deutlich wahrnahm, als würde sie direkt neben ihm auf der Baustelle stehen.

Es war ausgerechnet irgendein Rentnerdackel, der die Leiche von Maurice aufgespürt hatte. Seitdem konnte man den Hund und seinen Besitzer im Minutentakt auf allen Kanälen bestaunen.

Eingeblendete Schrift: *Erwin K., Rentner, fand das Opfer.*

O-Ton Erwin: *»Er lag am Schuttplatz, hinter dem Neubaugebiet.* (Geste: hektisches Richtungsfuchteln nach rechts.) *Ich geh da sonst nie mit dem Hund spazieren. Aber heute wollt ich zum Kiosk. Erst hab ich nix gesehen, nur dass da eine Plane lag, die an 'ner Stelle so ausgebeult und lose war. Aber der Hund hat gebellt wie verrückt und da hab ich genauer hingeschaut, und dann ist mir der Hund durch, hat mir einfach die Leine aus der Hand gerissen, und ab unter den Zaun und rüber zu der Beule! Und da bin ich übern Zaun gestiegen und hinterher.* (Geste: hektisches Richtungsfuchteln nach links.) *Dachte erst, der hat 'ne Katze gerochen. Der hasst Katzen. Aber wie der da so an der Plane rumscharrte, seh ich, dass die im Wind zur Seite gerutscht ist. Und da seh ich dann auch auf einmal so eine Hand* (Geste: Zombieklaue) *und ein paar Fetzen von 'nem Unterhemd.«*

Dann wurde der Polizeisprecher eingeblendet. Die Polizei, erklärte er, schließe nicht aus, dass es sich um einen Serientäter handeln könne, der möglicherweise auch Barbara Villier ermordet hatte.

»Alles Verbrecher«, murmelte Choi verächtlich, als die Nachricht über den Minifernseher in seinem Bürokabuff flimmerte. »Das waren die doch selbst! Polizeimafia! Wollen wir wetten?«

Mir fielen an diesem Tag zwei Kisten hinunter, weil ich mich mehr auf die Nachrichten konzentrierte als auf alles andere. Choi zog mir dafür zwei Zehner vom Lohn ab und ermahnte mich, die Finger von den Drogen zu lassen.

Noch auf dem Weg zu Gizmo versuchte ich es wieder mal bei Rubio auf dem Handy. Natürlich ließ er mich abblitzen.

Es war einer der seltenen Tage, an dem ich Irves bei Tageslicht zu Gesicht bekam. Als ich Gizmos Höhle betrat, lümmelte er auf dem Sofa. Auf dem Tisch lagen die Reste einer Mahlzeit – rohes, schon fast eingetrocknetes Hackfleisch auf einem Omateller mit Blümchenmuster und Goldrand.

Neben dem Teller lag die Liste, die wir heute Nacht erstellt hatten. Alle Panthera der Stadt in der Reihenfolge ihres Erscheinens in meinem neuen Leben in der Stadt:

Nr. 1: »Der Wrestler« (Zoës Jäger = Marcus?)
Nr. 2: Irves
Nr. 3: Der Orientale vom Campus (Zoës Jäger = Kemal?)
Nr. 4: Gizmo

Nr. 5: »Miss Underground« (ungefährlich, lebt in den U-Bahn-Schächten, meidet alle anderen = Eve?)
Nr. 6: »Trenchcoat« (Stadt verlassen? = Marcus? Kemal?)
Nr. 7: »Glatze«, Zeitungsverkäufer (= Marcus? Kemal?)
Nr. 8: »Jongleurin« (= Eve?)
Nr. 9: Martha Mayer (betreibt den Schrottplatz, Rand Weststadt)
Nr. 10: Barb
Nr. 11: Julian (Zoës Jäger)
Nr. 12: Maurice
Nr. 13: Rubio (Seher!!! Mörder!)
(Nr. 14: Gil)
Nr. 15: Zoë

Gizmo klickte sich von einer Webcam zur nächsten.

»Hi«, meinte er nur, ohne mich anzusehen. »Irgendwas Neues von Rubio?«

Ich schüttelte den Kopf. »Lass mich mal an den Rechner, vielleicht hat er mir inzwischen auf meine Mails geantwortet.« Nicht, dass ich viel Hoffnung hatte.

Gizmo stand auf und setzte sich an das andere Ende des Sofas. Obwohl Irves und er sich lässig gaben, lag Spannung in der Luft. Drei von uns auf engstem Raum. *Nur eine Bruderschaft*, dachte ich. *Sind wir das? Und nicht mehr?*

Ich setzte mich an den mittleren Schirm und tippte meine Provideradresse ein. Auf dem rechten Schirm flimmerten die Nachrichten mit ausgestelltem Ton. Wieder mal Erwin.

»Das heißt, es können mindestens acht von denen gewesen sein«, sagte Irves. Hinter mir raschelte es, als er die Liste an sich nahm. »Vorausgesetzt, wir rechnen Miss Underground mit. Aber welcher von denen läuft hier plötzlich Amok?«

»Rubio weiß es vielleicht«, antwortete ich. »Und ein paar von den anderen scheinen auch etwas gerochen zu haben. Vielleicht ist Trenchcoat tatsächlich aus der Stadt verschwunden, weil er seine Haut retten wollte, und sucht sich einen neuen Platz.«

»Vielleicht liegt er aber auch unter irgendeiner Plane und wartet auf Rentner Erwin und den Leichensuchdackel«, erwiderte Gizmo trocken.

Mein Herz machte einen Satz. Posteingang: Mail von Rubio! Allerdings war sie von gestern. Er hatte die Nachricht direkt nach meinem Abgang geschrieben. Die Botschaft war bestechend einfach gehalten:

WENN DU NOCH EINMAL VOR MEINEM FENSTER HERUMSTEHST, ERSCHIESSE ICH DICH OHNE VORWARNUNG!

»Vielleicht ist es auch nur irgendeine Mafiageschichte zwischen den Älteren«, sagte Gizmo. »Späte Rache. Wenn es wirklich eine Gemeinschaft gab, wie Rubio sagte, begleicht einer von denen möglicherweise alte Rechnungen.«

»Klar«, meinte Irves ironisch. »Zombiecat Pablo ist aus dem Grab zurückgekehrt. Oder vielleicht ist es sogar Rubio selbst? Was, wenn er aus dem Rollstuhl springt, sobald keiner mehr hinschaut?«

»Das glaube ich nicht. Hast du ihn gesehen? Außerdem hat Rubio selbst Angst«, gab ich zurück, während ich meine Antwortmail tippte:

> Wenn es so weitergeht, kannst du dir die Kugel sparen. Zwei aus der Gemeinschaft sind tot. Wer ist der Nächste, Rubio? Und warum? Wer gehörte zu eurem Club? Du kennst ihre Schatten – wer ist stark genug, um Maurice umzubringen?

»Wenn es eine Sache zwischen den Hundefressern wäre, könnten wir uns ja eigentlich ganz entspannt zurücklehnen und abwarten«, meinte Irves lakonisch. »Bleibt mehr Platz für uns.«

Er hatte mich schon heute Nacht am Telefon mit seiner übertriebenen Coolness genervt. Aber in Augenblicken wie diesen hätte ich ihn schlagen können.

»Warum jetzt?«, sagte Gizmo nachdenklich. »Warum gilt der Kodex seit so vielen Jahren – und jetzt auf einmal dreht einer durch? Was ist da passiert?«

»Ich wette, Rubio weiß es«, meinte ich. »Aber vielleicht bekomme ich auch noch etwas aus Julian raus. Er hat schon mal geredet. Und ich muss herausfinden, was Rubio mit den Mythen meinte.«

»Mythen?«, sagte Irves. Wie immer, wenn sein Interesse geweckt war, kam plötzlich Spannung in seinen Körper. »Was für Mythen?«

»Rubio weiß etwas über unsere Geschichte«, erwiderte ich. »Zumindest tut er so.«

»Und angeblich hat er keinen Blackout nach dem Switch«, setzte Gizmo hinzu. »Er behauptet, er könne die Schatten der anderen sehen.«

In Irves' Augen knipste sich ein Licht an. Das Sofa knarzte, dann war er auch schon direkt neben mir und spähte über meine Schulter zum Monitor.

»Wie soll das gehen?«, fragte er. Unwillkürlich umschloss ich den Trackball fester mit der Hand. Diese Nähe war wie immer eine grenzwertige Sache. Ein Teil von mir wollte ausweichen, der andere zwang sich zur Vernunft.

»Erzähl schon!«, drängte Irves. Ich zögerte, aber dann griff ich nach der Plastiktüte, in welche ich meine gesammelten Aufzeichnungen und Ausdrucke gestopft hatte.

Zwei Stunden später sah Gizmos Keller aus, als hätte es in einer Druckerei eine Explosion gegeben: Papiere auf dem Boden, an den Wänden und neue Ausdrucke in verrutschten Stapeln auf dem Sofa. Gizmo studierte die Kopien aller Steckbriefe, die ich je gezeichnet hatte. Der Stadtplan mit den farbig schraffierten Bezirken – und neue Pfeile mit den Veränderungen, die aufgeweichten Reviergrenzen. Irves und ich durchforsteten meine alten Ausdrucke und die neuen, die wir eben aus dem Drucker gelassen hatten.

»Hier steht: Der Name des Volkes der Singhalesen leitet sich vom Wort ›Löwe‹ aus dem Sanskrit ab«, sagte ich. »Und das hier ist das älteste Abbild eines Löwenmenschen. Dreißigtausend Jahre alt, Altsteinzeit. Gefunden in einer Höhle in Deutschland.«

Die Abbildung war nicht besonders scharf, aber man erkannte trotzdem die kleine Skulptur aus Mammutelfenbein: der Kopf eines Höhlenlöwen, prankenartige Arme. Dazu der aufrechte Körper und die Beine eines Menschen. »Man nimmt an, dass es eine Gottheit darstellt«, fügte ich hinzu. »Vielleicht ist es aber die Darstellung eines Panthera. Würde jedenfalls passen: In jeder Kultur spielen Katzen eine besondere Rolle. In Ägypten wurden Pharaonen als Sphingen dargestellt, als Löwen mit Menschenkopf. Bastet, die Mutter des Löwengottes Mahes, war die Göttin der Stärke und des Guten. Dionysos reitet auf einem Leoparden. Und der Wagen der nordischen Göttin Freya wird von Katzen gezogen. Wenn Rubio damit Recht hat, dass die Darstellungen Symbole sind, dann gab es sehr viele von uns.«

»Die indischen Götter hatten Tiger und Löwen als Reittiere«, sagte Irves mit einem Funkeln in den Augen. »Vielleicht ist das auch nur ein Symbol. Die Doppelnatur. Die Schatten der Götter.« Ich wusste nicht warum, aber irgendetwas an Irves' Begeisterung behagte mir nicht. »Vielleicht waren wir selbst die Götter«, setzte er fasziniert hinzu. »Und vielleicht haben wir geherrscht.«

»Götter«, stieß Gizmo verächtlich hervor. »Das hättest du wohl gern! Soll ich euch sagen, was ich von eurer Märchenstunde halte?« Er funkelte uns beide wütend an. Die Luft schien sich zu zwirbeln und an Spannung zu gewinnen wie ein Gummiband. »Gar nichts! Mich interessieren nur zwei Dinge. Erstens: Wer war's? Zweitens: Wie stoppen wir ihn?«

Ich schwang mich mit dem Bürostuhl herum und starrte ihn an. Ganz neue Töne. Er hatte tatsächlich »wir« gesagt.

»Dieser ganze Kram hier ist völlig nutzlos«, fuhr Gizmo unwillig fort. »Symbole und Sagen – gut, dadurch wissen wir nur, dass es solche wie uns schon immer gab. Na und? Es geht hier nicht um Götter, es geht um irgendwen, der Leute wie uns abschlachtet, weil er mehr weiß oder stärker ist als wir. Es geht darum, den Typ zu finden und zum Teufel zu jagen. Und nicht um diesen Mythenscheiß!«

»Hey!«, rief Irves, als Gizmo einen sortierten Papierstapel mit solcher Wucht von der Sofalehne fegte, dass es mehrere Sekunden lang Sagen und Legenden schneite. In diesem Augenblick lernte ich etwas über Gizmo: Er war längst nicht so unberechenbar, wie ich immer gedacht hatte. Er spielte gern mit der Gefahr, solange er sie einschätzen konnte. Aber er hasste es, keine Kontrolle zu haben. »Also: Es geht darum, unseren Gegner einschätzen zu können – also um seinen Schatten«, knurrte er. »Wie kriegen wir raus, wie wir ihn sehen können?«

Irves verschränkte die Arme und lehnte sich an den Tisch. »Vielleicht hat es etwas mit Rubios Fotos zu tun?«, überlegte er. »Vielleicht sieht man den Schatten darauf?«

Ich schüttelte den Kopf und zog mein Handy hervor. Ich rief das Bild von Zoë und dem Wrestler auf der Brücke ab und zeigte es Irves. »Das dachte ich auch – für einen Moment. Aber hier: nur Leute, die auf die Brücke rennen. Kein Schatten. Nichts.«

»Logisch, sonst müssten die Webcams und Überwachungskameras an den Ampeln schon eine hübsche Sammlung von Panthera-Porträts haben«, gab Gizmo zu bedenken. Ich blickte zum Monitor mit der Webcam-Seite. Doch dann fing ein Gesicht auf dem Nachrichtenschirm meine Aufmerksamkeit. Der Ton war ausgestellt, aber man konnte auch so sehen, was sich abspielte: Eine Reporterin interviewte eine braunhaarige Frau, die auf dem Gelände des Alten Schlachthofs stand. Sie antwortete ernsthaft, mit leicht besorgtem Gesichtsausdruck. Ich brauchte ganze zwei Sekunden, um sie einordnen zu können: Es war die Frau mit dem grünen Halstuch, die mir am St. Patrick's Day ihre Hilfe angeboten hatte. »Juna Talbot, Geschäftsführerin von *Artemis Immobilien*«, leuchtete als Einblendung unter dem Bericht.

»Die kenne ich«, sagte ich in das Schweigen hinein. Im nächsten Augenblick schaltete die Reporterin ins Studio zurück. Auch das Gesicht der Nachrichtensprecherin war pietätvoll ernst. Einblendung Polizeisprecher.

»Mach es lauter!«, befahl Gizmo. Irves beugte sich

zur Seite und haute mit dem Zeigefinger auf die Lautsprechertaste. Zwei, drei Sätze sprangen uns überlaut entgegen. »Jetzt wissen wir wenigstens, welcher von denen Kemal war«, murmelte Gizmo. Dann hörten wir nur noch fassungslos zu.

»Liebes!« Die Hand, die auf Zoës Stirn lag, fühlte sich eiskalt an. Zoë schreckte aus einem diffusen Traum von wirbelnden Gesichtern hoch und blickte in das besorgte Gesicht ihrer Mutter. »Um Himmels willen, warum hast du mich denn nicht angerufen? Hätte ich gewusst, dass du krank bist, wäre ich schon viel früher nach Hause gekommen.«

Hastig streifte ihre Mutter den taubenblauen Mantel ab, warf ihn achtlos auf den Sessel und setzte sich an Zoës Bett. Zoë verbarg unwillkürlich ihre aufgeschürften Hände unter der Decke.

»Ich hab mich wohl etwas erkältet«, murmelte sie. »Es geht schon.«

Das mit der Erkältung war glatt gelogen. Sie nahm alle Duftfacetten wahr: das schon verblasste Parfüm ihrer Mutter, das nach Kamille riechende Haarshampoo und den Geruch nach Desinfektionsmitteln und Krankenhausböden. Und noch eine Nuance: Nervosität.

»Es geht schon?«, meinte ihre Mutter zweifelnd. »Hast du heute überhaupt etwas gegessen? Nein? Dachte ich es mir doch! Oh Süße, was machst du für Sachen?«

Wirklich gute Frage, Mama.

Immer noch war das Gefühl der Unwirklichkeit da.

»Was ist los?«, fragte Zoë leise. »Du bist so fahrig. Ist etwas passiert?«

»Nein, Liebes. Ich mache dir erst einmal etwas zu essen und einen Tee«, sagte ihre Mutter eine Spur zu munter. »Und du machst es dir gemütlich und ruhst dich aus. Lass den Fernseher aus, das strengt dich nur an. Ich hole dir das Fieberthermometer.« Sie stand schwungvoll auf und streifte dabei den Couchtisch. Ein Haufen von Briefumschlägen und Papieren kam ins Rutschen. Zwei flache Päckchen mit den grellen Werbefarben des Drogeriemarktes fielen auf den Teppich. Dazu ein weiterer Umschlag und zwei Abholscheine für Fotos. Zoë stutzte. Irgendetwas irritierte sie. Etwas Vertrautes.

»Lass sie einfach liegen!«, rief ihre Mutter im Hinausgehen. »Ich heb sie nachher auf. Das sind nur die Fotos für Dr. Rubio, habe sie gerade noch kurz abgeholt. Er gibt wirklich ein Vermögen für die Abzüge und die Negativentwicklungen aus. Ich verstehe nicht, warum er sich keine Digitalkamera kauft. Ach so – und der weiße Umschlag ist für dich. Lag im Briefkasten.«

Zoë beugte sich vor und nahm den Umschlag an sich. Jetzt nahm sie es ganz deutlich wahr. Es stand kein Absender darauf, aber der Brief war eindeutig von Irves! Wenn sie die Augen schloss, nahm sie den Duft so deutlich wahr, als würde er vor ihr stehen. Etwas Kleines, Schweres und Flaches rutschte gegen die rechte Kante des Briefumschlags. Ihr verschollener MP3-

Player? Zoë öffnete den Umschlag und hielt einen iPod in der Hand. Er war neu. Sie suchte nach einem Zettel, einer Erklärung, aber sie fand nichts. Doch als sie das Gerät einschaltete, sah sie, dass es bespielt war. »*Buddha Lounge Mix*«, las sie auf dem Display. Und der erste Song trug den Titel: *Nur geliehen*. Trotz allem musste sie lächeln. Ihr wurde wieder schwindelig und flau im Magen, aber zum ersten Mal seit dieser Nacht hatte sie das Gefühl, wieder etwas Halt zu finden.

Rubio schien tatsächlich nicht da zu sein. Zumindest hatte er mich nicht erschossen, als ich wieder unter dem Fenster stand. Außerdem quoll sein Briefkasten fast über. Trotzdem stopfte ich noch den Rest meiner Fragen und Kopien hinein und betrat dann das Café. Bis auf die gepiercte Bedienung, die mich sofort wiedererkannte und mir zur Begrüßung zulächelte, war es leer.

> Von: panthera92@gmx.net
> Datum: 21.03.2010 17:23 Uhr
> An: 'zoe' zoe.valerian@einstein-schule.eu
> Hallo Zoë. Ich hoffe, es geht dir gut und du hast den Schock einigermaßen verkraftet. Sicher weißt du es schon aus den Nachrichten: Einer deiner Verfolger ist heute tot aufgefunden worden. Jemand hat ihn in eine Sackgasse getrieben und dort umgebracht. Und auch Maurice wurde ermordet – allerdings schon vor einigen Tagen. Wir nehmen an, der Mörder

ist einer der Alteingesessenen von uns aus der Stadt. Sind ihm auf der Spur. Wir müssen vorsichtig sein. Hier der Notfallplan für dich, d.h. die sicheren Zonen: U-Bahn, Lindenplatz (neutrales Gebiet). Bahnhof (meistens Durchgangszone), Oststadt, Irves' Revier (Partymeile Weststadt), meine Gegend (Autohäuser, Industriegebiet plus Wohngebiet inkl. Verladehallen), Gizmos Gegend (Haltestelle E-Werk). Tagsüber vermutlich relativ sicher: deine Schule, Sportplatz. Nimm dich nur vor Julian in Acht (der Blonde, der dich gestern gejagt hat). Bleib auf jeden Fall weg vom Krankenhaus, vom Alten Schlachthof, von der Brücke, dem Süden und dem Campus, bis wir mehr wissen. Und achte auf folgende Leute (siehe Anhang, Steckbriefe), die in der Stadt herumstreifen. Falls du einen von ihnen auf der Straße sehen solltest, bring dich sofort (!) in der nächsten U-Bahn-Station in Sicherheit und fahr am besten ein paar Stationen weiter. Sieh nach, ob dir keiner folgt. Im Anhang findest du alles, was du sonst noch wissen musst. Meine Handynummer steht auch dabei. Ruf mich an, wenn etwas ist, egal wann!

Einige Momente starrte ich nur auf die Tastatur und rief mir den Duft ihrer Haare ins Gedächtnis. Die Haut, ihr Herzschlag, so nah – und die grauen Augen, die den Schatten angenommen hatten. Ich dachte an das Bild der lachenden Zoë, das ich aus dem Internet ausgedruckt hatte, und verlor mich für ein paar Sekunden in der Erinnerung, sie in den Armen zu halten. Meine Vernunft befahl mir, logisch zu denken, aber mein dummes Herz wollte nicht gehorchen. Bei Zoës Lachen begann es schneller zu schlagen. Und irgendwo zwischen Schlüsselbein und unterster Rippe pochte noch etwas anderes, eine fast schmerzhafte, jähe Sehnsucht, die meine Gedanken abdriften ließ und mich trotz allem beinahe zum Lächeln brachte. Meine Finger schwebten über den Tasten, bereit für die nächsten Sätze, jene, die ich wirklich schreiben wollte: *Ich träume von dir, Zoë. Davon, dir nahe zu sein, und sogar davon, dich zu küssen, davon ...* Doch dann riss ich mich endlich zusammen, schrieb einfach nur: »Gruß, Gil« darunter und speicherte die gescannten Steckbriefe als Anhang. Schließlich fügte ich noch das wichtigste Dokument hinzu: den Kodex. Oder das, was ich bisher dafür gehalten hatte.

Die Bedienung fragte mich zum zehnten Mal, ob ich noch einen Kaffee wolle, und auch diesmal enttäuschte ich sie und ging wieder nicht auf ihren Versuch ein, ein Gespräch mit mir anzufangen. Stattdessen schrieb ich die zwanzigste Mail an Rubio:

Du denkst, ich kann mit den Mythen nichts anfangen, Rubio? Du denkst wirklich, ich bin blind? Nun, du irrst dich. Ich komme aus dem Maghreb, der Stamm meiner Mutter lebt 300 Kilometer südlich von Algier, auf dem Hochplateau, nahe am Himmel – und Haut an Haut mit der Wüste. Unser

Geist lebt durch die Märchen und Geschichten, die unsere Frauen nach Anbruch der Nacht erzählen. Niemals am Tag, denn die Märchen haben ihre eigene Magie. Wer sie unbedacht verschenkt oder bei Tag erzählt, ist verflucht und wird krank. Bei diesem Stamm habe ich eines gelernt: Jede Geschichte hat ihren eigenen Schlüssel. Und jeder Zuhörer muss ihn selbst finden.
Totemtiere als Beschützer: Einige Indianerstämme glaubten, dass die Ältesten einst den Puma und andere Raubkatzen riefen, um die Welt und das Universum zu beschützen.
So galt der Puma als Beschützer des Nordens.
Jaguare als Seher: Die Huaroni, ein Amazonas-Volk, glauben an Jaguare, die wie Geister in den Körpern der Menschen leben können. Diese sehen für sie und warnen sie vor Eindringlingen.
Ich sage: Das waren und sind alles wir, Rubio.
Der Schlüssel ist unsere Bestimmung. Wir sind tatsächlich Beschützer. Meine Großmutter würde über die Huaroni sagen, dass die Geister-Jaguare gute Wesen sind. Hüter der Menschen. Aber was ist mit Herkules? Er war auch einer von uns, nicht wahr? Aber er tötete den Nemeischen Löwen (auch einen Panthera?). Warum? Um die Gemeinschaft vor dem Menschenfresser zu schützen? Heißt das, der Kodex wurde schon immer gebrochen? Heißt das, wir dürfen einen Einzelnen töten, um viele andere zu schützen?

Es überraschte mich maßlos, als fast postwendend seine Antwort kam. Rubio saß am Rechner! Alarmiert warf ich einen Blick über die Schulter und spähte durch die Glasfront des Cafés zu Rubios Haus. Das Fenster war nach wie vor dunkel. Vielleicht stand sein Computer in einem anderen Raum.

> Warum werde ich den Verdacht nicht los, dass du nur wegen dir selbst fragst? Was hast du angestellt, Schlafwandler Gil?

Diesmal wäre es beinahe ich gewesen, der die Verbindung kappte. Aber dann gab ich doch eine Antwort ein. Zugegeben, der klügste Schachzug war es nicht.

> Und wenn es so wäre, alter Mann? Was ändert es an der Tatsache, dass wir alle in Gefahr sind und dass du die Klappe hältst, wo du reden müsstest? FEIGLING!

»Willst du wirklich keinen Kaffee?«, fragte die Bedienung hoffnungsvoll. Eines musste man ihr lassen: Sie hatte ein unschlagbares Gespür für das falsche Timing. »Nein, danke!«, sagte ich betont höflich. Sie spürte wohl meinen Schatten, denn sie blinzelte verwirrt und zog sich dann so leise zurück, als würde sie sich vorsichtig aus der Reichweite eines Raubtiers entfernen. Als endlich Rubios Antwort kam, war ich immer noch auf hundertachtzig.

Na gut, Hitzkopf, da du so gerne Schlüssel suchst: Meinst du wirklich, das Fell des Nemeischen Löwen machte Herkules unbesiegbar? Unsinn. Der Löwe war sein eigener Schatten. Er musste sich selbst besiegen, um ganz zu werden. Wir hatten alle die Chance, so zu sein wie er. Helden und – ja! – Hüter. Aber wir haben uns entschieden, Raubtiere zu sein. Und Raubtiere töten nun mal. So einfach ist das.

Ich schnaubte und kniff die Lippen zusammen, dann hämmerte ich in die Tastatur: ES IST KEINE ENTSCHEIDUNG!

Die Antwort kam fast im selben Atemzug: Lügner!

Grenzgänger

Zoë erwachte nicht wie ein Mensch, sondern wie ein Tier: Von einem Augenblick zum nächsten war sie mit allen Sinnen hellwach. Auf ihrem Wecker leuchtete die Mitternacht und das Zimmer war dank ihrer schärferen Sinne in Zwielicht getaucht. Irgendetwas war anders: Zum ersten Mal seit Wochen war sie einfach nur ruhig. Wie in der vergangenen Woche hörte sie auch jetzt das Atmen viel lauter und nahm alle Gerüche im Zimmer als Einheit von Farbe, Duft und Geschmack wahr. Aber die überempfindliche Wahrnehmung ängstigte sie nicht länger. Im Gegenteil. Nun fühlte es sich zum ersten Mal richtig an.

Sie schloss noch einmal die Augen und spürte den Träumen nach, ein endloser, reißender Strom von wirren Bildern. Erschreckende Sequenzen einer Jagd. Ein Streiflicht in einer Seitenstraße, ein Uni-Button, der aufleuchtete. Gurgelndes, schäumendes Flusswasser und ihre bloßen Sohlen, die auf der Straße hämmerten. Und das Ziehen in den Schultergelenken, als sie sich aus ihrem zu engen Blazer wand, um mehr Bewegungsfreiheit zu haben.

Nun, zumindest die Schmerzen hatten nachgelassen, zurückgeblieben war nicht viel mehr als ein Pochen in den Muskeln. Sie atmete tief durch.

Im selben Moment wurde ihr bewusst, dass es nicht ihr eigener Atem war, den sie die ganze Zeit über schon so deutlich hörte. Alarmiert fuhr sie hoch und blickte zum Fenster. Es stand offen. Richtig: Sie erinnerte sich daran, es selbst geöffnet zu haben, irgendwann zwischen zwei Träumen.

Ihr Kopf wusste, dass das, was sie dort sah, absolut unmöglich war. Und dass sie erstaunt oder erschrocken hätte sein müssen. Aber ihr Körper schien schon im Schlaf registriert zu haben, was sie nun erst bewusst wahrnahm: Auf dem Fensterbrett, die Ellenbogen lässig auf die Knie gestützt, hockte Irves. Barfuß, nur mit einer weißen Cargohose bekleidet.

»Hey, Durga-Girl!«, sagte er. »Willkommen im Club.« Seine Augen leuchteten wie Perlmuttscheiben unter geisterhaft hellem Haar. »Gehört das dir?«

Eine schwungvolle, knappe Bewegung aus dem Handgelenk. Einer der Turnschuhe, die sie bei ihrem Nachtlauf durchs Viertel verloren hatte, landete mit einem lauten Poltern auf dem Boden. Zoë zuckte zusammen, doch dann fiel ihr ein, dass ihre Mutter das Geräusch nicht annähernd so laut hören würde wie sie.

»Wo ... hast du den gefunden?«, fragte sie.

Klar, dachte sie im selben Augenblick, *ich sitze mitten in der Nacht in meinem Bett, rede mit dem bestaussehenden Jungen der Stadt, der kein T-Shirt trägt und anscheinend gerade in den sechsten Stock geflo-*

gen ist, und alles, was mich interessiert, ist, wo er meinen Turnschuh aufgesammelt hat!

Irves deutete mit einem Rucken des Kinns über seine rechte Schulter.

»Er lag auf der Feuerleiter, im dritten Stock.«

Das beantwortete sogar zwei Fragen: zum einen die, wie Irves zu ihrem Fenster gekommen war; zum anderen wusste sie nun, dass sie vor ein paar Tagen von außen bis zum Dach hochgeklettert war. Plötzlich war ihr so kalt, als würde der Schüttelfrost zurückkehren.

»Was ... machst du hier?«, fragte sie und zog die Bettdecke bis unters Kinn. Das schien ihn zu amüsieren, er verzog den Mund zu einem ironischen Lächeln, das seinem Gesicht tatsächlich etwas Raubtierhaftes gab.

Einer von ihnen, schoss es Zoë durch den Kopf. *Irves und ich ... und Gil.*

Gil!

Auch von ihm hatte sie geträumt. Er hatte sie sanft umfangen gehalten. Und wenn sie sich jetzt daran erinnerte, waren es die einzigen Sekunden des vergangenen Tages und der Nacht, in denen sie sich wirklich ruhig und sicher gefühlt hatte. Plötzlich war alles wieder da: das Gefühl, über dem schwindelnden Abgrund unter der Brücke zu balancieren, die verwirrende Nähe, seine Augen und die sanfte Stimme. »Ich lasse dich nicht fallen.« Es war, als könnte sie den Strom der geflüsterten Worte an ihrem Ohr spüren. Seine Stimme hatte so ... behutsam geklungen, fast zärtlich. Irgendetwas brachte sie in ihr zum Schwingen. *Mach dich nicht lächerlich*, dachte sie. *Er hat dich gerettet, das heißt noch lange nicht, dass er etwas für dich empfindet.* Doch gleichzeitig ertappte sie sich bei dem Wunsch, ihn wiederzusehen. Sie schluckte leise und senkte hastig den Blick.

»Ich wollte nur nachschauen, wo du abgeblieben bist«, sagte Irves. »Schließlich hast du mich gestern versetzt. Mann, du musst ja eine Auswahl haben! Aber Zoë ...«, er schnalzte tadelnd mit der Zunge, »ausgerechnet French?«

»Er heißt Gil!«, erwiderte sie etwas zu heftig. Und als hätte sie damit schon zu viel über sich verraten, fügte sie schnell hinzu: »Du hast mich vor dem *Mata Hari* angesprochen, weil du wusstest, dass ich zu ... zu euch gehöre?«

Irves nickte.

»Was ist mit all den anderen, die in der Stadt leben?«, fragte sie weiter. »Kennt ihr euch alle untereinander? Gibt es eine Art Verbindung zwischen euch? Dieser Typ – Gizmo –, ist er so was wie euer Troubleshooter?«

Irves lachte. »So läuft es bei uns nicht. Jeder für sich. Wenn Gizmo euch gestern geholfen hat, hatte er einen Grund dafür.«

»Gil hat mir geholfen! Und er hatte sicher keinen Nutzen davon.«

Irves gähnte und streckte sich. Obwohl er nur auf den Fußballen balancierte – hinter sich den Abgrund von sechs Stockwerken –, hielt er sein Gleichgewicht mühelos.

»Gil will ja auch ein guter Mensch sein«, sagte er gelangweilt.

»Du magst ihn nicht besonders, oder?«, fragte Zoë.

Irves lachte leise. »Nicht, wenn er dich mir so mühelos ausspannt.«

Jetzt hätte Zoë beinahe gelächelt. Es war seltsam: Bei Irves war die Verbindung sofort wieder da, als hätte sie einfach ein Licht angeknipst. Es war eine Vertrautheit wie Musik auf einer Wellenlänge.

»Aber ihr kennt euch schon länger?«, fragte sie. »Du hast gesagt, ihr seid Freunde. Lebt er schon lange hier?«

Irves zuckte mit den Schultern. »Einige Monate. Vorher war er in Paris. Aber vielleicht gibt es dort zu viele von uns. Manchmal weicht man dann besser aus und sucht sich einen neuen Platz.«

Das war eine weitere Neuigkeit, die Zoë erst einmal schlucken musste. *Paris. Zu viele von uns.* Bedeutete das, Leute wie der Blonde konnten die Stadt für sich beanspruchen? Der Gedanke, dass ihr jemand den Platz in ihrer Heimatstadt streitig machen könnte, war erschreckend.

»Und du?«, fragte sie. »Warum hast du London aufgegeben? Gab es dort auch zu viele?« Die Veränderung in der Atmosphäre war kaum spürbar, nur eine kleine Verschiebung der Puzzlestücke, ein winziger falscher Ton in einer Melodie. »Du hattest doch eine Band«, fügte Zoë hinzu. »Aber du hast sie von einem Tag auf den anderen verlassen. Warum?«

Die Erwähnung seiner Band behagte ihm offenbar nicht. Sie konnte es an der Spannung seiner Körperlinie sehen und empfand den Stimmungsumschwung wie ein elektrisches Kribbeln auf der Haut.

Als Irves immer noch nichts antwortete, ergänzte sie: »Die Stücke, die du mir aufgespielt hast, sind von *Ghost*, nicht wahr?«

»Nicht alle«, antwortete er knapp. »Nur die ersten fünf.«

»Sie sind gut! Im Internet stand, ihr hättet nur Neo-Punk gespielt, aber das hier klingt viel besser. Alles dabei: Deep Tech-Acid House, Electronic Beats .... Ihr wart richtig professionell! Kein Mensch lässt eine solche Band einfach so im Stich. Was ist passiert?«

Er zeigte nur ein schmallippiges Lächeln. »Was wohl? Ich bin über die Brücke gegangen. Wie du. Und dann hat es mit der Band nicht mehr gepasst. Tja, es hat auch Nachteile, wenn man auf einmal ein perfektes Gehör hat. Wenn die Jungs gespielt haben, war es plötzlich wie Folter. Schlechte Verstärker in den Bars, dröhnende Boxen. Unser E-Gitarrist spielte wie eine Kreissäge. Außerdem war mir vorher nie aufgefallen, dass unser Sänger die Töne nicht hundertprozentig trifft. Ich habe keinen Auftritt mehr ganz durchgehalten. Und dann dachte ich mir: Wenn es ohnehin zu Ende ist, kann ich auch gleich ganz neu starten. Das ist alles.«

Es klang zu glatt, zu cool, zu selbstverständlich. Im Grunde klang es genauso, wie Zoë selbst noch vor einer Woche geklungen hatte, wenn sie von David und Ellen sprach. *Also hat es doch seinen Preis,* dachte Zoë.

»Außerdem kannst du in London keinen Schritt machen, ohne von Überwachungskameras gefilmt zu werden«, fügte Irves hinzu. »Kann bei einem Blackout von Nachteil sein. Vermute ich jedenfalls.«

»Und wovon lebst du?«, bohrte Zoë weiter.

»Habe ich etwas nicht mitbekommen?«, erwiderte er verärgert. »Bin ich hier beim Speed-Dating?«

»Immerhin bist du in den sechsten Stock geklettert, um mich zu sehen«, konterte Zoë ungerührt. »Paula würde das eindeutig als Dating-Versuch werten. Also?«

Irves schnaubte. »Geht keinen was an.« Er musterte sie prüfend. Dann stahl sich wieder das diebische Lächeln in sein Gesicht.

»Ich habe keine Lust, die ganze Nacht auf der Fensterbank herumzuhocken. Drehen wir eine Runde und führen deinen Schatten spazieren?«

Zoë schüttelte den Kopf. »Ich kann nicht raus. Meine Mutter könnte aufwachen und außerdem habe ich …«

… *Fieber*, wollte sie sagen. Doch im selben Moment bemerkte sie, dass das Fieber vollkommen verschwunden war. Und mit dem Fieber auch die Müdigkeit.

»Du klingst ja wirklich schon wie Gil«, sagte er spöttisch. »Hat er dir auf der Brücke eine Gehirnwäsche verpasst? Du willst doch nicht werden wie er? Ein

Sportwagen, der ständig mit angezogener Handbremse fährt.«

»Immerhin hat er mich von der Brücke runtergeholt«, bemerkte Zoë spitz. »Wo warst du, als die drei mich beim Club erwischt haben?«

Warum habe ich bloß das Gefühl, Gil verteidigen zu müssen?

Irves grinste über die Stichelei und zuckte mit den Schultern. »Früher oder später hätte dich jemand erwischt und gejagt. Gehört zum Ritual. Außerdem habe ich die SMS erst später gelesen und dir eine Nachricht geschickt, dass du dich vom Schlachthof fernhalten sollst.«

»Nützt nur nichts, wenn das Handy weg ist.«

Irves griff nach hinten, zog etwas aus der Hosentasche und warf es ihr zu. Reflexartig fing sie es auf. Es war ein ziemlich zerkratztes Handy.

»Schön, dass du danach gesucht hast«, sagte sie trocken. »Aber das ist nicht meines.«

»Jetzt schon. Standardcode 9805. Den haben wir alle drei, na ja, mit dir jetzt vier. Kurzwahltasten sind programmiert. 2 für mich, 3 für Gizmo, 4 für Gil. Wenn du es verlierst, sag Bescheid.« Er hob vielsagend die Brauen. »Und ich gehe jede Wette ein, du wirst es verlieren.«

»Klar, so wie zwei Paar Schuhe, meine Jacke und den MP3. Teurer Spaß auf die Dauer!«

»Denke voraus. Sorge dafür, dass du deine Wertsachen dort verstaust, wo du sie dir nicht runterreißen kannst. Oder deponiere deine Klamotten irgendwo, bevor du losrennst. Wenn du es richtig anstellst, kann die Sache sogar Spaß machen.«

»Wenn du denkst, ich laufe oben ohne durch die Gegend, hast du dich geschnitten!«

»Schade«, entgegnete er mit einem Funkeln in den Augen.

Gegen ihren Willen musste sie lachen. Es war lange her, dass ein Gespräch mit jemandem so sehr dem Laufen im selben Takt geähnelt hatte.

»Also?«, fragte er.

Zoë biss sich auf die Lippe. Es war verlockend, am liebsten wäre sie einfach aus dem Bett gesprungen und nach draußen gelaufen – in die Nacht, zu Irves und zur Musik. Aber mit einem Blick auf ihren Laufschuh erinnerte sie sich an Gils Warnung. »Was ist mit Maurice?«, fragte sie leise. »Er ist doch zwischen elf und drei hier unterwegs?«

Irves' Miene veränderte sich kaum merklich. Sie wurde härter und seine Augen bekamen einen durchdringenden Blick. »Sag bloß, du hast heute noch keine Nachrichten gesehen?«

»Nein, warum?«

Er runzelte die Stirn. Einige Sekunden schien er zu überlegen und sie fragte sich beunruhigt, worüber er nachdachte. Irgendeine Schwingung in der Atmosphäre war wie ein Missklang. Eine Warnung schwang darin mit und eine Unruhe, die sich sofort auf Zoë übertrug.

»Was ist passiert?«, fragte sie zaghaft.

»Erklär ich dir, wenn du unten bist«, gab er zurück.

»Irves, was ...«

Doch er stieß sich mit einem geschmeidigen Satz ab – und sprang! Zoë schlug erschrocken die Hand vor den Mund. *Er ist nicht gestürzt,* beruhigte sie sich. *Er ist nur auf die Leiter gesprungen.* Dennoch brauchte sie eine Weile, bis ihr Herzschlag wieder ruhiger ging.

Ein, zwei Minuten war sie noch unschlüssig, doch dann sprang sie aus dem Bett, riss die Schranktür auf und zog sich hastig an.

Vor der Wohnzimmertür zögerte sie, aber sie sagte sich, dass ihre Mutter wie ein Stein schlafen würde und zumindest in den nächsten Minuten nicht aufwachen würde. Mit einem Blick auf ihre Schuhe beschloss sie, heute kein Risiko einzugehen, und eilte die Treppen barfuß hinunter.

Irves erwartete sie schon an der Bushaltestelle, die Beine lässig vor der Sitzbank ausgestreckt, die Hände in den Hosentaschen. Trotz der Kühle schien er nicht zu frieren. Zoë tappte auf bloßen Füßen über die kalte Straße.

»Du bist nicht wirklich durch die Tür gegangen und die Treppen runtergelaufen?«, fragte Irves ungläubig. »Wozu gibt es Fenster?«

»Ich bin nicht schwindelfrei«, erwiderte sie etwas zu heftig. »Was ist jetzt mit Maurice?«

»Tot«, erwiderte er knapp. »Und einer von deinen Verfolgern auch.«

»Was?« Ihr Aufschrei schien in der Straße widerzuhallen. Ihre Knie waren so weich, dass sie sich haltsuchend am Unterstand abstützen musste. Mit einem Frösteln erinnerte sie sich an Maurice' Gesicht.

»Wie kann das sein?«, flüsterte sie entsetzt.

»Ganz einfach: Jemand hat ihn ermordet«, erwiderte Irves lakonisch. »Er wurde auf der Baustelle gefunden. Du hast tatsächlich nichts davon mitbekommen? Du hättest nur mal von eurem Balkon runterschauen müssen, heute Vormittag war die Polizei auf der Baustelle und hat Spuren gesichert.«

Direkt vor ihrer Haustür! Jetzt fühlte sich die Nachricht noch mehr wie ein Schock an. Von einem Augenblick zum anderen raste ihr Puls. Plötzlich verstand sie, warum ihre Mutter so nervös gewesen war und den Fernseher nicht angestellt hatte. Und warum sie selbst in ihren Träumen so viele Menschenstimmen auf der Baustelle gehört hatte. Bei der Vorstellung, dass Maurice dort unten gelegen hatte, nur wenige Meter von der Straße entfernt, verspürte sie eine flaue Übelkeit. Sie hatte ihn nicht gemocht, nein, aber einen solchen Tod hätte sie ihm nicht gewünscht.

»Weiß man schon, wer es gewesen ist?«, fragte sie. »Hat es ... etwas mit dem Mord an der Obdachlosen zu tun?«

»Darauf kannst du Gift nehmen.« Irves stand mit einer geschmeidigen Bewegung auf und verschränkte die Arme. »Gil denkt, es ist einer von denen, die schon länger in der Stadt sind. Einer von uns.«

Jetzt fror Zoë noch mehr. »Jemand von … uns?«, fragte sie mit schwacher Stimme. »Und was bedeutet das? Solche wie wir … bringen andere Menschen um?«

Irves schüttelte den Kopf. »Es liegt uns im Blut, dass wir einander nicht töten. Aber irgendein Durchgeknallter scheint da anders zu ticken.« Beim Blick auf ihr blasses Gesicht fügte er hinzu: »Kein Grund, gleich Panik zu schieben. Gil und Gizmo kümmern sich darum. Wir haben neuerdings so eine Art Netzwerk – die Handys, Mails, wir bleiben in Kontakt und warnen uns gegenseitig, wenn wir etwas Auffälliges bemerken. Also halte die Augen offen.«

Netzwerk. Das passte nicht zu seiner vorherigen Aussage: *Jeder für sich.*

»Willst du damit sagen, wir könnten auch in Gefahr sein?«, fragte sie leise.

Irves zuckte mit den Schultern. »Kommt darauf an, wie man Gefahr definiert. Du glaubst, es ist weniger riskant, nachts aus dem Haus zu gehen und in irgendwelchen Clubs zu tanzen? Die Stadt ist voll von Gesindel – Vergewaltigern, Psychopathen, Junkies, die schon so weit sind, dass sie für den nächsten Schuss töten würden. Du begegnest ihnen jeden Tag. Jeder Mensch ist ständig in Gefahr. So ist das, wenn man im Dschungel lebt. Aber wir sind im Vorteil. Wir haben unsere Sinne. Also lerne sie zu gebrauchen, umso besser kommst du aus der Gefahrenzone.«

Gefahrenzone. Töten. Zum ersten Mal dämmerte Zoë, was sich alles verändert hatte.

»Du meinst wirklich, der Mörder ist hinter ... uns her?«, fragte sie.

»Vielleicht ja, vielleicht nein.« Seine Stimme wurde leiser und er beugte sich vor, bis ihr sein Hautduft betörend intensiv in die Nase stieg. »Aber eines ist auf jeden Fall sicher: Wenn du in dieser Stadt durchkommen willst, musst du eines lernen: anzugreifen. Dazu sind wir da. Für die Jagd. Gil geht immer nur zurück und weicht aus. Mach nicht denselben Fehler.« Seine Stimme bekam wieder diesen ironischen Unterton. »Und hör um Himmels willen auf, die Treppe zu benutzen!«

Zoë leckte sich nervös über die Lippen und sah sich um. Gil hatte Recht gehabt: Angst und Nervosität ließen sie noch weiter in diesen Zustand driften. Ihre Umgebung erschien ihr wie ein Puzzle, von dem sie die Einzelteile zwar erkannte, die nun aber anders zusammengesetzt waren als sonst und ein ganz neues Bild ergaben. Eines, das ihr bedrohlich und dunkel erschien. Sie ballte die Fäuste und zwang sich dazu, nicht abzudriften.

»Ich will das nicht«, stieß sie hervor. »Ich will nicht noch einmal einen Blackout haben und irgendwo aufwachen. Und ich will nichts mit irgendwelchen Morden zu tun haben!«

»Wir sind alle Grenzgänger«, erwiderte er leise. »Es ist wie Seiltanzen, du musst nur lernen, das Gleichgewicht zu halten. Du musst sie nicht übertreten, aber geh an die Grenze! Ganz nah! Je näher du der Grenze bist, desto stärker wirst du sein. Und desto sicherer bist du.«

Er breitete die Arme aus und legte den Kopf in den Nacken. Dann atmete er tief und genüsslich ein. Mit klopfendem Herzen betrachtete Zoë die gespannte Linie seiner Kehle.

»Riechst du das?«, fragte er und sah sie wieder an. »Und die Stadt – hörst du sie? Nimm sie wahr. Probier's aus, na los!«

Der Blick in seine Augen hatte etwas Hypnotisches und Zoë konnte nicht anders, als der Versuchung nachzugeben. Obwohl sie vor Angst völlig verkrampft war, entspannte sie ihre Hände und – ließ es einfach zu. Sie hörte das Sirren von Elektronik und das hohe Pfeifen alter Fernseher hinter den Glasscheiben. Süßes Parfüm irgendwo, der stechend frische Lackgeruch des neuen Straßenschilds, ein Handyklingeln drei Straßen weiter ...

»Merkst du es? Die Welt fächert sich auf«, fuhr Irves fort. »Als hätte man vorher nur vier Karten im Spiel gehabt und jetzt sind es plötzlich dreißig, vierzig oder mehr: Gerüche, Geräusche, Formen. Und das ist noch lange nicht alles. Fast alle Raubkatzen schaffen locker mindestens fünfzig Stundenkilometer auf der Jagdstrecke. Klettern, Sprungvermögen, Wahrnehmung, Koordination, Gehör, schnellere Wundheilung. Und all die Leute um dich herum spüren den Schatten und gehen dir aus dem Weg, wenn du es darauf anlegst. Man wäre doch ein Idiot, das alles nicht zu nutzen.« Er drehte sich abrupt um und ging mit federnden Schritten die Straße entlang. »Komm!«, rief er ihr über die Schulter zu.

Zoë fragte sich, was jemand denken mochte, der sie hier sah – ein Paar, das im März barfuß spazieren ging. Der raue Straßenbelag drückte sich unangenehm in ihre Sohlen, doch sie spürte die Kälte kaum. Sie wollte Irves noch unendlich viel fragen, aber dann ließ sie sich auf den gleichmäßigen Takt ihrer beider Schritte ein. Seltsamerweise genügte es tatsächlich, einfach die Eindrücke einzusaugen. Irves wurde unmerklich schneller und schließlich strebten sie Seite an Seite dahin, geschmeidig, kraftvoll, mit langen Schritten.

Erst in der Nähe des Planetariums horchte Zoë auf.

Schleif – klick-klick. Stille.

Dann das Schaben von Atem, der durch eine enge Kehle strömte. Der Blonde? Die erste Reaktion war wieder Sorge, aber gleichzeitig fühlte sie noch etwas anderes: einen zornigen Trotz. *Einmal habt ihr mich gejagt,* dachte sie. *Aber keiner vertreibt mich aus meiner Stadt!*

Ein jäher Windstoß trug ihr eine Witterung zu. Es war nichts Menschliches. Sondern der überwältigende, provozierende Geruch nach ... Hund!

Noch nie hatte Zoë bewusst darüber nachgedacht, aber sie erkannte den Geruchsmix, als hätte sie nie etwas anderes gewittert. Acht Nuancen. Eine davon Fleischatem. Eine andere der dumpfe, schweißlose Geruch von Hundehaut.

Im selben Moment tauchte am Ende der Straße die Silhouette eines riesigen Kampfhundmischlings auf. Misstrauisch witterte er in ihre Richtung, dann senkte er den Kopf, zog die Lefzen zurück und knurrte. Zoë schnappte nach Luft, als sie die Fangzähne sah.

Irves ging unbeirrt weiter. Sie sprang vor und packte ihn am Arm. Haut an Haut. Irves zuckte leicht zusammen, doch dann entspannte er sich wieder und sie blieben Arm an Arm stehen.

»Geh da nicht hin! Den Hund kenne ich, er gehört dem Kioskbesitzer«, flüsterte Zoë. »Er wird geschlagen und ist deshalb bissig.«

»Wirklich?«, fragte Irves gelangweilt.

»Ja. Er hat mich vor ein paar Tagen verfolgt. Ich glaube, er hat meine Jogginghose zerfetzt.«

Die Erinnerung an ihre Angst stieß etwas in ihrem Inneren an. Eine rote Werbetafel, die schwach beleuchtet war, nahm einen matschgrauen Farbton an. Zoë betrachtete den Hund und verspürte außer ihrer Furcht noch etwas anderes, etwas, was verdeckt war und nur darauf wartete, an die Oberfläche zu kommen.

»Tja«, meinte Irves, »in diesem Fall hat er sich wohl eine Lektion von dir verdient.«

Jagdfieber

Nachrichten von Zoë! Sie meldete sich über SMS und Mail. Flaschenpost aus dem Meer der Ungewissheiten. Beunruhigende Nähe, die mich bis in meine Träume verfolgte. Dann sah ich sie tanzen und lachen. Und manchmal waren wir ganz normale Leute, die Hand in Hand durch die Straßen schlenderten, ohne Gefahr, ohne das Dunkle in uns, weit entfernt vom Abgrund. Ich träumte tatsächlich davon, dass wir zusammen waren und dass das Leben einfach und gefahrlos war. Und es hatte längst nichts mehr mit Sorge und Mitleid zu tun.

Vielleicht ging ich Irves deshalb aus dem Weg. Vor seinen Antennen hätte ich mich nicht verbergen können. Gizmo dagegen konzentrierte sich gerade ohnehin nur auf die Nachrichten und auf die anderen von uns.

Ich kann es nicht fassen, dass ich nach der ganzen Aktion nicht einmal Danke gesagt habe!

Das schrieb Zoë in der ersten Nachricht. Ich konnte gar nicht anders, als ihre Stimme zu hören und zu lächeln, als ich die Zeilen las.

Ja, ich habe den Schock inzwischen einigermaßen verkraftet. Aber ich bin trotzdem verwirrt. Ich habe noch so viele Fragen, Gil! Zu mir, zu den Morden, zu der Verwandlung – und zu dir. Wann sehen wir uns???

Ich hatte gedacht, dass es nicht mehr viel gab, was mich aus der Fassung bringen konnte. Nun, meine Reaktion auf diese Nachricht belehrte mich eines Besseren. Es war wie ein elektrisches Flirren. Direkt unter dem Brustbein, dort, wo Kummer und Schmerz ihren Platz haben. Aber ich entdeckte im selben Augenblick, dass an derselben Stelle auch die Sehnsucht saß. Es beunruhigte mich und ließ mich sofort auf Abstand gehen. Ich schrieb zurück:

Bald. Bis dahin pass auf dich auf! Und bleib zu Hause, wenn es geht. Wir sind immer noch in Gefahr. Wenn du rausgehst, achte wenigstens darauf, nicht alleine zu sein. Wer auch immer der Mörder ist, offenbar greift er nur an, wenn das Opfer allein ist. Ich melde mich. Gruß, Gil.

Ich konnte nur zu deutlich spüren, dass sie von meiner sachlichen Distanz enttäuscht war. *Ist das alles? Nur Instruktionen?* Das stand in der SMS, die ich auf dem Weg zu Gizmo erhielt. Und noch während ich sie las, vibrierte das Handy in meiner Hand. Zoës Nummer! Mein erster Impuls war, den Anruf wegzudrücken, aber dann erinnerte ich mich daran, dass es auch ein Hilferuf sein könnte.

»Hallo Zoë«, sagte ich.

Ein schnelles Atmen, dann ein Räuspern. »Hallo. Wo bist du gerade?«

»Unterwegs.« Ich hoffte, sie würde nicht die Nervosität in meiner Stimme hören.

»Irgendwo in meiner Nähe? Können ... wir uns vielleicht treffen?«

»Warum? Ist etwas passiert?«, fragte ich so sachlich wie möglich.

Für einige Sekunden war sie sprachlos. »Eine ganze Menge ist passiert«, erwiderte sie dann verärgert. »Wo finde ich dich? Gibst du mir deine Adresse? Oder willst du zu mir kommen? Ich bin heute zu Hause.« Als ich zögerte, fügte sie mit kaum verhohlener Ironie hinzu: »Wo ich wohne, weißt du ja.«

Ich brauchte eine Weile, um den Wunsch niederzukämpfen. Einfach zu Zoë gehen! Aber was dann? Was, wenn sie mir die falschen Fragen stellte? Was, wenn ich tatsächlich antwortete?

»Nicht ... heute«, sagte ich. »Ich habe noch einiges zu erledigen.«

»Wann dann, Gil? Morgen? Am Samstag?« Mein Schweigen schien sie noch mehr zu verärgern. Sie schnaubte. »Dann eben nicht!«, sagte sie und legte auf. Als hätte ich mich verbrannt, schaltete ich das Handy aus und atmete tief durch.

Was soll das, Feigling?, schalt ich mich. Aber es fühlte sich sicherer an. Sicherer für Zoë.

»Wir müssen wissen, was jeder Einzelne von ihnen tut«, betonte Gizmo auch an diesem Tag, als wir in seiner Höhle zusammensaßen. »Vielleicht schließt sich die alte Gemeinschaft wieder zusammen, um den Mörder zu finden? Möglicherweise überlagern und vermischen sich deshalb neuerdings die Reviere?«

»Wenn es nach Rubio geht, existiert die Gemeinschaft nicht mehr«, antwortete ich. Aber sicher war ich mir nicht. Die Grenzen verschoben sich in der Tat weiter. Ich sah Miss Underground einmal an der Treppe zu Rubios U-Bahn-Station und entdeckte Markierungen, die Julian mit Taubenblut an der Börse hinterlassen hatte – neben Eddingzeichen, die ich der Jongleurin zuordnete: gekreuzte Linien und fünf Kreise, die für ihre Jonglierbälle stehen mochten. War das eine Kommunikation zwischen ihnen? Trenchcoat sah ich nicht wieder und auch der Wrestler schien wie vom Erdboden verschluckt, während Julian an den seltsamsten Orten auftauchte. Aber immer wenn ich versuchte, mit ihm zu reden, tauchte er sofort wieder ab.

Die Nächste, die sich aus dem Staub machte, war Martha Mayer. Wir wussten es, weil sie den Schrottplatz ganz offiziell verkaufte. Die Anzeige der neuen Besitzer erschien in irgendeinem Wochenblatt, aber Gizmo hatte sie natürlich gelesen. So wie es aussah, packte Martha einfach den Koffer voller Geld und verschwand aus der Stadt. Minus Nummer 9. Währenddessen suchte die Stadt nun ganz offiziell nach einem Serienkiller. Einer, der mit Messern tötete, aber auch Risswunden von Krallen hinterließ. Im Fernsehen gab es kein anderes Thema mehr. Pausenlos gaben irgendwelche Experten psychologische Analysen ab. Vermuteter Täter: männlich, intelligent, nicht im Affekt tötend. Bei Panthera hätte das Raster auf jeden und jede gepasst.

Meine Alarmsirene im Kopf war auf Dauerbetrieb. Noch nie hatte ich so viele Polizeiautos und misstrauische Blicke von Passanten gesehen. Die Hälfte meiner Streifzeit verbrachte ich damit, mich in Hauseingängen herumzudrücken und darauf zu warten, wann ich unbeobachtet weiterlaufen konnte. Es war Choi, der mir schließlich in einem Anfall von Solidarität mit den Geknechteten ein paar Geldscheine in die Hand drückte und mich heimschickte. »Die machen Kontrollen«, sagte er. »Verschwinde für ein paar Tage, ich will keinen Ärger.« Und mit einem Blick auf meine Haare fügte er hinzu: »Geh zum Friseur und besorge dir eine neue Jacke. Dann siehst du weniger aus wie ein Verbrecher.«

Noch auf dem Heimweg überlegte ich, ob ich heute wieder meinen Posten in Rubios Café beziehen sollte, aber beim Anblick des nächsten Polizeiautos beschloss ich, zur Abwechslung einfach mal auf Choi zu hören. Verschwinden war tatsächlich keine schlechte Idee.

Gizmo blickte kaum auf, als ich mich durch das halb offene Kellerfenster gleiten ließ und neben dem Trockner landete. Er schraubte einfach weiter an einem Mac-Gehäuse herum. Stumm setzte ich mich an den Rechner und rief meine Mails ab. Rubio. Immerhin. Eine Antwort auf zwanzig Nachfragen. Bei ihm kein schlechter Schnitt. Nicht dass seine Mails wirklich meine Fragen beantwortet hätten, aber sie lieferten winzige Splitter, die ich mühsam zu Ahnungen von Bildern aneinanderreihte.

Ohne viel Hoffnung klickte ich die Mail auf, in der

Erwartung, dass mir eine neue Welle von Beleidigungen entgegenspringen würde. Doch schon als ich die ersten Zeilen las, wusste ich, dass sich etwas verändert hatte. Offenbar hatte ich mit einer meiner letzten Nachrichten endlich den Schlüssel gefunden – den zu Rubios Antworten. Beinahe hätte ich gelacht. Jeder Geschichtenerzähler meines Stammes hätte es mir sagen können: Willst du von jemand anders etwas erfahren, dann musst du ihm erst einen Teil deiner eigenen Geschichte zum Geschenk machen.

> Du bist ein guter Märchensammler, Gil. Und du stammst also von maghrebinischen Nomaden ab. Interessant. Deine Großmutter ist eine kluge Frau – und vermutlich machst du deinem Stamm von Geschichtenerzählern alle Ehre. Aber du denkst zu kompliziert. Du fragst dich immer noch, warum es den einen trifft und den anderen nicht. Ganz einfach: Das Tier ist ein Teil der menschlichen Natur. Du hast richtig vermutet, als du sagtest, dass wir in jeder Kultur eine wichtige Rolle spielen (oder jedenfalls spielen sollten). Aber du täuschst dich in der Annahme, wir seien eine Sonderform oder Mutation. Nein, jeder Mensch hat seinen Schatten. Jeder, Gil! Und je heller Menschen strahlen, desto dunkler und größer kann auch ihr Schatten sein.

Jeder Mensch? Der Gedanke erschien so absurd, dass ich mir unwillkürlich Choi vorstellte und mir einen Panthera-Schatten dazudachte. Aber alles, was mir bei ihm einfiel, war ein durchgeknallter Terrier, der jeden Polizisten anfiel.

Er zeigt sich oft in der Jugend, beim Übergang ins Erwachsenenalter. Manchmal aber auch erst viel später – wie bei mir. Ich war schon eine Weile Arzt, als ich meinen Schatten fand – oder er mich. Es war in einer Notsituation, als ein Patient versuchte, sich aus dem Fenster zu stürzen, und mich beinahe mit in die Tiefe gerissen hätte, weil ich ihn zurückhalten wollte. Ich zweifelte in jener Zeit an mir selbst und an der Welt. Ich war zerrissen und unglücklich. Ich lud den Schatten mit meiner Verzweiflung und meiner Furcht vor dem Tod ein – und überlebte den Sturz.
Ein Prinzip scheint es dabei zu geben: Es geschieht immer in einer Lebensphase, wenn nichts fest gefügt ist, wenn Zweifel und Neuorientierung anstehen, wenn der Druck zu groß wird. Und manchmal auch, wenn die Diskrepanz zwischen dem, was dein Herz will, und dem, was du dich zu tun und zu sein zwingst, zu groß und unvereinbar ist. Ich wollte der Herr über das Leben sein und weigerte mich, den Tod zu sehen. Meine Furcht vor ihm war so groß, dass ich zu leben vergaß.
Im Prinzip hast du also Recht mit dem, was du bei den Initiationsritualen vermutest. Ja, wenn die Indianer ihr Seelentier suchen, dann begegnen sie ihrem Schatten zum ersten Mal bewusst. Allerdings

werden die meisten Menschen nur kurze Zeit von ihm begleitet und gehen kein einziges Mal über die Grenze. Sie nehmen ihn nur am Rand wahr – als schwierige Phase, als Unruhe, als Albtraum, als Verrücktheit – und lassen ihn verblassen. Manche verleugnen ihn auch bewusst und leben dadurch wie Einbeinige, die sich mühsam durchs Leben bewegen. Einige wenige aber rufen ihn über die Schwelle und erwecken ihn. So wie ich damals. Und so wie du, ob du es wahrhaben willst oder nicht. Man hat nur ein kleines Zeitfenster, um sich zu entscheiden. Und du hast dich entschieden, Gil. Du hast ihn gerufen, aber du weigerst dich immer noch, ihn anzusehen. Und du weißt es.

Zoë träumte. Die Erinnerung daran, wie der Hund in der Nacht vor ihr geflohen war, war süß und köstlich wie der Geschmack von Fleisch. Keine Flucht mehr, kein Schmerz, keine Angst. Nur etwas, was sie noch nie zuvor gefühlt hatte: Das hier war ... wie tanzen! Nur dass sie vier Beine hatte und Sohlen, so weich und gepolstert wie Turnschuhe. Bei jedem Sprung glitt die Landschaft unglaublich schnell an ihr vorbei. Viel Luft in der Lunge und Bewegungen, die ein Gleiten waren. Zwielicht und Nebelatem. Blaue, aufstrebende Silhouetten von Nadelbäumen, felsiger Untergrund, auf dem ihre Pfoten mühelos Halt fanden. Das flüsterleise Brechen von trockenen Baumnadeln begleitete sie wie eine Melodie, der Duft von Nadelwald und ... die Witterung eines fliehenden Tieres. Fell! Oder ... Leder? Zoë spürte, wie sie lächelte, obwohl ihr anderes Ich nicht lächeln konnte. Schlafwandlerisch sicher jede ihrer Regungen: Heute war sie es, die jagte. Es war wie heimkommen – und zwar an den richtigen Ort. Ihr Atem strömte durch sie hindurch und mit ihm pumpte das Blut durch die Muskeln. Konzentration, schneller werden. Sie sah den Hund und roch seine Angst. Mühelos holte sie ihn ein, trieb ihn erst durch den Wald, dann plötzlich durch Schluchten. Sie sprang vor und schnitt dem Hund mit einem Satz den Weg ab. So mühelos, als würde sie mit ihm tanzen, wich sie den schnappenden Zähnen aus. Die Traumbilder klarten auf, jetzt war es nur noch Erinnerung. Sie hatte den Hund in eine Gasse hinter dem Planetarium getrieben und ihn erst dort entkommen lassen. Das hatte Irves gemeint! Nur hatte sie nicht geahnt, wie einfach es sein würde, die Fähigkeiten, die sie hatte, wachzurufen und zu erproben, ein Balanceakt dicht an der Grenze. Schwindelerregend nah am Abgrund, aber immer noch sicher. Dicht am Übergang zum schwarzen Nichts, aber dennoch war sie immer noch bei sich, immer noch Zoë, und sie erinnerte sich an jedes Detail. Dann bekam der Traum wieder eine andere Färbung. Der verblassende Geruch von Nadelwald mischte sich mit Benzindämpfen und Auspuffgasen. Motorradgeräusche. David, wie er auf einer Straße dahinbrauste. Und sie neben ihm, in mühelosen Sätzen, leise und schnell wie sein Schatten. Er entdeckte sie nur, weil er nach links blickte, um ein Schild am Straßenrand zu lesen, und klappte den Mund zu einem Schrei auf – genau im selben Moment, in dem sie sich abfederte und sprang.

Auch diesmal war sie sofort hellwach, im Bett sitzend und dem vibrierenden Hochgefühl des Jagens und Laufens nachspürend. Sie streckte sich (keine Spur von Muskelkater mehr) und sprang aus dem Bett. Sie hatte lange geschlafen, es war fast schon Mittag. Auf dem Handy nur eine Nachricht von Irves: *Sonntag* Exil, *1 Uhr? Electronic Beat Night!*

Für einige Augenblicke kämpfte sie gegen die Enttäuschung an, keine Nachricht von Gil zu haben, dann schaltete sie den Computer ein. Sie starrte so konzentriert auf den Monitor, als wollte sie eine Nachricht von ihm beschwören. Als tatsächlich zwei Mails von ihm eintrudelten, machte ihr Herz einen Satz – doch dann sah sie, dass es wieder nur Informationen waren.

Missmutig klickte Zoë weiter. Zwischen mehreren Mails von Paula fand sie plötzlich eine Nachricht, die wie eine verirrte Postkarte aus einer lange vergangenen Zeit wirkte: *Bitte verzeih mir! Ich war eine Riesenidiotin. Aber jetzt ist es aus. Liebe Grüße, Ellen.* Im Anhang ein Bild: zwei Mädchen mit Zahnlücken und regennassen Haaren, grinsend wie Fledermäuse. Schulausflug Juni 2001.

Zoë starrte das Bild eine volle Minute an. *Alles ist anders, Ellen,* dachte sie mit einer traurigen Wehmut. Als sie sich dabei ertappte, wie sie ihr eigenes Mädchengesicht nach Spuren von Katzenzügen absuchte, fuhr sie den Computer runter.

Auf dem Küchentisch erwartete sie schon ein Zettel.

Guten Morgen, Schöne! Hoffe, es geht dir besser. Mach dir einen schönen Freitag! Die Entschuldigung für die Schule schreibe ich dir heute Abend noch. Ansonsten:
1. Schinkenauflauf ist im Kühlschrank.
2. Dein Termin bei der Hausärztin ist um 14 Uhr. Bitte geh auf jeden Fall hin, auch wenn du kein Fieber mehr hast!
3. Die Praxis ist ja in der Nähe des Lindenplatzes, also sei so lieb und nimm die Fotos für Dr. Rubio mit. Wirf sie ihm einfach auf dem Heimweg in den Briefkasten.
4. Gestern Abend habe ich mit deiner Lehrerin telefoniert, Frau Thalis. Auch wenn du jetzt böse auf mich bist: Ich unterschreibe es nicht. Das Training ist für dich zu anstrengend. Ich fürchte, dass deine anderen Leistungen in der Schule darunter leiden, du bist jetzt schon in Mathe hart an der Grenze. Wir reden heute Abend!
5. Leon wird um fünf zurückgebracht. Ich versuche, rechtzeitig da zu sein. Aber wahrscheinlich schaffe ich es nicht. Mach dem Kleinen einfach etwas von dem Schinkenauflauf warm.
6. Kuss!!! Mama

Zoë spürte kaum, wie sie den Zettel zerknitterte und in die Ecke pfefferte. Die Wut war so jäh und schneidend, dass sie die Augen schließen musste. Die Verschiebung war spürbar, wie ein Haarriss in einem Zahn bei der Berührung mit Eiswasser. Ein Impuls, der bis in die letzte Nervenfaser ging. Und dann geschah etwas Seltsames: Sie roch Maurice!

Flashback.

Für einige Sekunden war es Nacht und sie rollte sich auf dem Boden ab, voller Triumph, entkommen zu sein, die Hand noch schmerzend von einem Schlag, der gut getroffen hatte.

Flashback Ende.

Japsend holte sie Luft und öffnete die Augen.

Küche. Alltag.

Gefängnis.

So trocken Gils Ratschläge waren, so nützlich waren sie heute auch. Es war tatsächlich keine gute Idee, sich ohne Hörschutz durch die Stadt zu bewegen. Schon nach zwei Straßen gab Zoë auf und kaufte sich in einer Drogerie Ohrstöpsel. An der Kasse blickte sie immer wieder nervös auf die Uhr. Schon fast eins. Im Gehen rief sie sich die sicheren Zonen ins Gedächtnis: U-Bahn, drei Stationen zum Sportplatz der anderen Schule. Und bis zur Haltestelle waren es noch drei Straßen. Ihre Tasche schlug bei jedem Schritt gegen ihre Hüfte, als sie die Straße entlangrannte. Trotz des Gehörschutzes machte sie das durchdringende Kreischen einer Steinsäge so aggressiv, dass die Leute, die ihr entgegenkamen, ihr unwillkürlich auswichen oder verblüfft einen Bogen um sie machten. Ein kleines Kind in einem Kinderwagen starrte sie mit offenem Mund an wie einen Geist. Die

Leute um sie herum spürten es also tatsächlich. Sie bewegte sich, als würde sie sich in einem leeren Raum befinden, wurde kein einziges Mal aus Versehen berührt oder angerempelt. Und je mehr sie sich in den anderen Zustand vortastete, desto deutlicher konnte sie den unsichtbaren magischen Kreis, der sie umgab und abgrenzte, wahrnehmen.

Die Schule wirkte wie ein Hochglanzbild aus einer Werbebroschüre: frisch gestrichen, mit neuen Fenstern, die den regnerischen Himmel spiegelten. Keine Graffiti an der Wand, keine Zeichen von Zerstörung. Und die Tartanbahnen und Spielfelder waren so neu, dass die weißen Markierungen Zoë entgegenleuchteten wie frisch poliert. Eine Gruppe älterer Mädchen wärmte sich am Rand der Bahnen auf. Zoë nahm all ihren Mut zusammen, dann trat sie zu ihnen. Eine Blonde, die mindestens einen Meter achtzig groß war und wie eine Studentin aussah, schien ganz nett, also wandte sich Zoë an sie.

»Hallo! Seid ihr die Trainingsgruppe von Frau Thalis?«

Die Blonde unterbrach ihre Stretching-Übung und wandte sich ihr zu. »Ja, sind wir, warum?«

Zoë schluckte. Mit einem Mal starrten alle sie an. Die Front aus herablassenden Mienen schüchterte sie ein.

»Ich komme zum Training«, antwortete sie mit fester Stimme.

»Bei uns?«, fragte die Blonde zweifelnd. Die anderen musterten ihre alten Sportschuhe, die sie in einer der Kisten unter dem Bett gefunden hatte, und zeigten nur ein mitleidiges Grinsen. Zoë presste die Lippen zusammen und fasste ihre Tasche fester. Das fing ja gut an!

Ein Mädchen mit lackschwarzem Haar und dunklem Teint konnte sich ein Lachen kaum verkneifen. »Wie alt bist du? Zwölf? Diese Gruppe ist für Leute ab achtzehn!«

»Das weiß ich«, erwiderte Zoë. »Frau Thalis will mich in der Gruppe haben.«

»Wirklich?«, fragte die Schwarzhaarige spitz. »Als was? Team-Maskottchen?«

Zoë wollte ihr gerade eine scharfe Antwort geben, als sie einen Geländewagen an der Straße halten sah. Grelle Xenon-Scheinwerfer blendeten sie. Zoë fragte sich gerade, wer mitten am Tag mit Licht fuhr, als Frau Thalis ausstieg.

»Na los, warum steht ihr herum?«, rief sie der Gruppe statt einer Begrüßung zu. Das Kommando wirkte. Die Mädchen entfernten sich auf der Stelle und wandten sich wieder den Übungen zu. Nur Zoë blieb stehen und wartete. Frau Thalis hob erstaunt die Brauen, als sie Zoë sah. Doch dann lächelte sie. Sie schloss das Auto ab und kam auf Zoë zu. Das holzige Parfüm, das die Lehrerin immer trug, kam Zoë heute erstickend stark vor.

»Ich dachte, du bist krank?«, meinte sie. »Oder war das eine Spontanheilung?«

»Es ging mir etwas besser und ich wollte mir die Gruppe ansehen.«

Die Lehrerin deutete auf die Turnschuhe. »Ansehen oder mitlaufen?«

»Nun ... eigentlich mitlaufen.«

Frau Thalis' Begeisterung hielt sich in Grenzen.

»Ich habe mit deiner Mutter telefoniert«, sagte sie. »Sie ist nicht damit einverstanden, auch wenn sie keine richtigen Gründe vorbringen konnte. Eigentlich dürfte ich dich heute also gar nicht trainieren lassen.«

Die Schwarzhaarige blickte zu ihnen herüber und Zoë glaubte in ihrer Miene so etwas wie spöttischen Triumph wahrzunehmen. Zum ersten Mal sah Zoë sie genauer an. Sie war eine Schönheit. Ähnlich groß wie Zoë, aber bei Weitem anmutiger. *Abwarten, Puppengesicht!*, dachte Zoë.

»Ich werde trotzdem laufen!«, erwiderte sie etwas zu heftig. »Ich weiß, dass meine Mutter dagegen ist, aber es ist meine Entscheidung. Ich möchte wenigstens hier beim Probetraining mitmachen. Für mich. Um auszutesten, ob ich es kann. Und wenn es mir liegt, denke ich nicht daran, mir diese Chance nehmen zu lassen. Dann werde ich einen Weg finden und dafür sorgen, dass ich die Unterschrift bekomme.«

Frau Thalis antwortete nicht, aber Zoë glaubte ein Lächeln auf ihrem unbewegten Gesicht zu erahnen. »Verstehe«, meinte sie nach einer Weile. »Kämpfernatur. Also schön. Carla!«

Von allen Mädchen drehte sich ausgerechnet die Schwarzhaarige um. Als sie widerwillig zu ihr herüberkam, erkannte Zoë an den koordinierten Bewegungen, dass sie es mit einer Sportlerin zu tun hatte, die es nicht gewöhnt war, Zweite zu werden.

»Carla, das ist Zoë. Heute seid ihr Trainingspartner und lauft eine Runde gegeneinander.«

Carla nickte nur und streckte Zoë die Hand hin. Ihre Miene zeigte keine Regung, aber ihr Händedruck war hart und ihre Augen sprühten Blitze. Zoë gab sich keine Blöße und hielt beim Händedruck dagegen.

»Aufwärmen! Fünf Runden!«, rief Frau Thalis.

Im Vergleich zu diesem Training waren die Nachmittage mit der Marathongruppe ihrer Schule gemütliche Joggingtreffen gewesen. Und Carla machte es ihr nicht einfacher. Schon nach einer halben Stunde war Zoë kurz davor, das Handtuch zu werfen. Doch als Carla beim Hundertmetersprint schon auf den ersten Metern mühelos an ihr vorbeizog, biss Zoë die Zähne zusammen und ließ es zu, dass ihre Wut und ihr ganzer Frust sie bis an die Grenze trieben. Der Schmerz in den Muskeln wurde abrupt besser, das Blut pochte in ihren Schläfen. Mit aller Kraft stellte sie sich vor, sie wäre in ihrem Traum und würde neben Davids Motorrad rennen. *Auf der Jagd mindestens fünfzig Stundenkilometer*, hörte sie Irves' Stimme. Und plötzlich war es einfach und mühelos. Die Bahn schnurrte zur Linie zusammen, sie hörte nur noch Carlas empörten Aufschrei, als sie an ihr vorbeischnellte. Im nächsten Augenblick, so schien es ihr, flog sie über die Ziellinie. Die Blonde, die die Zeit nahm, starrte verblüfft auf die Stoppuhr. »Gute Zeit«, sagte sie verwundert. »Extrem gute Zeit!«

Es waren nur wenige Stationen zu Dr. Rubios Wohnung. Lindenplatz. *Der Platz gehört zur neutralen Zone,* rief sie sich ins Gedächtnis. Sie stieg aus der U-Bahn und sprintete die Treppen hinauf. Es fiel ihr leicht, obwohl sie bereits spürte, dass ihre Muskeln so langsam am Ende waren. Aber immer noch schwebte sie im Triumph des Sieges. Allein Carlas fassungsloser Blick war es wert gewesen.

Der Lindenplatz war leer bis auf ein paar Mütter, die beim U-Bahn-Schild standen und plaudernd eine kleine Herde von Kinderwagen bewachten. Im Laufen griff Zoë in ihren Rucksack und zerrte ungeduldig die beiden Fotopäckchen von Dr. Rubio heraus. Wenn sie sich beeilte, konnte sie gleich die nächste Anschlussbahn erwischen, die in knapp zwei Minuten fuhr. Dann hatte sie noch einige Stunden für sich, bevor Leon wieder seinen Platz in der Wohnung und in ihrem Leben einnahm.

Rennend überquerte sie den Platz und sprintete um die Ecke. Um ein Haar hätte sie eine Frau umgerissen, die mit einem Stapel von Papieren unter dem Arm vor einem Haus stand. Ein Stoß gegen die Schulter, dann fielen zwei Mappen zu Boden. Eine Papierkaskade ergoss sich auf das Pflaster. Geschäftspapiere mit einem blauen Logo.

»Entschuldigung«, stieß Zoë atemlos hervor. Sie ging in die Hocke und versuchte mit einer Hand die Bögen aufzusammeln. Doch es war nicht so leicht, wenn einem ein Zuviel an Parfüm fast die Nase röstete. Zitrone und noch ein anderer, viel zu intensiver Geruch. Sie schluckte krampfhaft, um ein Würgen zu unterdrücken.

»Schon gut«, sagte die Frau unwirsch. Sie war so wütend, dass sie Zoë nicht einmal ansah. »Lass das liegen und fass nichts an! Du bringst es nur durcheinander!«

Zoë konnte sich vorstellen, was die Frau in ihr sah: eine verschwitzte, ungeschickte Schülerin in Joggingklamotten. Auch gut. Ein Blick auf die Uhr zeigte Zoë, dass sie nur noch eine knappe Minute hatte. Also sprang sie auf und rannte weiter – zur grauen Eingangstür und zu dem Briefkasten, wo sie die Fotopacken einwarf. Die Frau sammelte immer noch Papiere ein, also lief Zoë kurzerhand um das Gebäude herum und an der Straße zurück in Richtung Lindenplatz. Irgendein getuntes Moped gab ganz in der Nähe kreischend Gas, ein Geräusch, das sich in ihrem Kopf trotz der Ohrstöpsel so anfühlte wie tausend kleine Presslufthämmer. Vielleicht nahm sie deshalb erst nicht wahr, dass etwas viel zu dicht an ihr vorbeiglitt. Erschrocken sprang sie zur Seite. *Der Wrestler?,* schoss es ihr durch den Kopf. Doch da nahm sie schon die Molekülwolke wahr: Leder, Auspuffgase, Haut. Hastig holte sie die Stöpsel aus den Ohren und zuckte zusammen, als die Geräuschwelle über ihr zusammenschlug. Das Mopedkreischen wurde zwar leiser, je mehr sich das Gefährt entfernte, dafür hörte sie aber das Brummen von Ampeln, das Gerede der Mütter, Autos und Elektronik. Und schließlich: Davids Motorrad.

Er fuhr einen scharfen Schlenker und bremste so

abrupt vor ihr, dass er ihr den Weg zur U-Bahn-Station abschnitt. Mit einer genau abgezirkelten Geste, die Zoë so gut kannte, nahm er den Helm ab. Der Duft nach warmem Haar umfing sie und rief weitere Erinnerungen wach. Seltsamerweise gab es ihr heute keinen Stich.

»Ganz schön schnell gesund geworden«, bemerkte David kühl und musterte ihr Trainingsoutfit.

»Ich wüsste nicht, was dich das angeht«, gab sie ruhig zurück.

»Vermutlich genauso viel wie dich meine Freunde.«

»Freundinnen, wolltest du wohl sagen.«

Es war ihr herausgerutscht, ein Automatismus aus einer anderen Zeit, in welcher David oder Davids neue Freundinnen tatsächlich eine Rolle gespielt hatten. Doch noch während sie den Satz aussprach, merkte sie, dass die Zeit mit ihm verblasst war – eine Erinnerung an gute und schlechte Tage, aber dennoch Vergangenheit.

Für einige Sekunden betrachtete sie ihn, als wäre er ein Fremder – ganz ohne die Farben der Verliebtheit. Nur ein gut aussehender Junge aus ihrer Schule. Sie wusste, sie hatte ihn geliebt. Nun fiel es ihr jedoch schwer, sich zu erinnern, was sie beim letzten Kuss empfunden hatte. Es gelang ihr nicht mehr, den Zorn auf ihn wiederzufinden, sie verspürte nur noch Bedauern. *Paula hat Recht gehabt,* dachte sie verwundert. *Das Gegenteil von Liebe ist Gleichgültigkeit.*

»Du kannst zufrieden mit dir sein«, sagte David. »Stell dir vor: Ellen hat Schluss gemacht. Genau das wolltest du doch erreichen?«

»Im Moment will ich nur eines«, erwiderte Zoë. »Zur U-Bahn. Also lass mich vorbei.«

Seine Hand lag gespannt am Lenker und als sie einen Schritt zur Seite machte, bockte das Motorrad mit einem gefährlichen Satz direkt vor ihr auf den Bürgersteig.

»Hey!«, rief sie.

»Ich bin noch nicht fertig«, sagte David.

Das Seltsame war, dass sie wirklich keine Angst hatte. Es war eher wie ein Sammeln, alle Eindrücke fokussierten sich auf seine Kehle. Herzschlag pochte dort, ebenso wie in der Ader an seiner Stirn. Er redete weiter, davon, dass Ellen ihm sehr viel bedeutete und dass das Perlenmädchen kein Seitensprung war, sondern dass er sie schon lange kannte, sie sei eine Freundin, weiter nichts. Wie in einem Parallelfilm lief die Sequenz in ihrem Traum vor Zoës Augen ab: David in voller Fahrt, ein Sprung, ein Angriff. *Es wäre so einfach,* dachte sie erstaunt. Doch stattdessen trat sie ganz bewusst von der Grenze zurück.

»Okay«, sagte sie. »War ein Fehler, mich einzumischen. Tut mir echt leid. Du hast Recht: Es geht mich nichts an.«

Ohne seine Reaktion abzuwarten, drehte sie sich auf dem Absatz um und ging. Das heißt, sie wollte gehen. Aber schon nach den ersten Schritten blieb sie abrupt stehen. *Verdammt!*

Es war eine Sache, die Steckbriefe vor sich zu haben, aber eine ganz andere, den Panthera direkt gegenüberzustehen. Drei waren es. Kaum fünf Meter entfernt von ihr, halb geduckt. Die Frau stand in der Mitte.

»Du! Was hast du hier zu suchen?«, rief sie Zoë mit schneidend klarer Stimme zu. Die Gänsehaut an Zoës Armen stellte die Härchen auf ihrer Haut auf. Die Furcht katapultierte sie wieder gefährlich nahe an die Grenze. *Weg!*, dachte sie. Den Rest erledigte ihr Körper ganz instinktiv. Es war nur eine Sache von Sekundenbruchteilen. Noch im Herumwirbeln sah sie, dass die drei losrannten – zwei glitten zur Seite. *Mist.* Sie wollten sie einkesseln. *U-Bahn!*, gellte eine panische Stimme in ihrem Kopf. Dumm nur, dass David im Weg stand.

Als sie auf ihn zurannte, riss er überrascht die Augen auf. Dann stieß sie sich schon mit aller Kraft vom Boden ab. »Hey, was …«, rief er. Er schrie auf, als ihr Schienbein im Sprung sein Knie traf, dann kletterte sie schon weiter, seinen Oberschenkel als Stufe benutzend, sie stieß sich kräftig vom Tank ab – und während David mit der Maschine kippte, war sie schon auf der anderen Seite, federte tief in den Knien durch und fegte davon, kurz bevor das umkippende Motorrad sie streifen konnte. Das Getöse hinter ihr, als die Maschine auf den Boden krachte, war ohrenbetäubend. Der Motorradhelm rollte auf den Bürgersteig. David fluchte. Drei endlose Sekunden später war Zoë an der U-Bahn-Treppe. Ohne einen Blick zurück raste sie hinunter bis zum Bahnsteig – und schaffte es gerade noch, durch den sich schließenden Spalt der U-Bahn-Türen zu springen. Die Fahrgäste starrten sie entgeistert an, aber sie machten ihr Platz. Das Letzte, was sie sah, bevor die Bahn in den Tunnel tauchte, war Julians verzerrtes Gesicht hinter der mit fettigen Handabdrücken beschmierten Scheibe.

»War der etwa hinter dir her, Mädchen?«, fragte eine ältere Frau besorgt.

Tja, willkommen in meiner schönen neuen Welt, dachte Zoë. Doch sie schüttelte nur japsend den Kopf und klappte zusammen. Sie stützte die Hände auf die zitternden Knie und zwang sich, langsam zu atmen. Das reichte. Für heute war sie wirklich am Ende.

Mit weichen Knien stieg sie fünf Stationen später aus. (So schnell konnte keiner der drei sein!) Endlich hatte das Handy wieder Empfang.

Gil war sofort dran. »Zoë? Alles klar? Wo bist du?«

»Auf dem Heimweg, Ecke Planetarium«, sagte sie atemlos. »Ich komme aus der Stadt. Der Lindenplatz ist nicht neutral! Drei von uns waren hinter mir her.«

»Was?« Die Sorge und die Angst, die in diesem einen Wort nur zu deutlich mitschwangen, taten ihr gut. »Bist du in Ordnung?«, fragte er weiter. »Ist dir was passiert?«

»Nein, ich habe sie abgehängt. Ich bin gleich zu Hause.«

Sie konnte fast hören, wie ihm der Stein vom Herzen fiel, und musste lächeln. Umso überraschter war sie, als sein Tonfall nach einer Pause sofort wieder ins Sachliche kippte.

»Du warst am Lindenplatz? Warum?«

»Ich bin doch nicht inhaftiert, oder? Ich war auf dem Rückweg vom Training und musste etwas erledigen. Ich dachte, das wäre die neutrale Zone.«

»Das war sie bisher auch! Wer war dort?«

Sie war selbst überrascht, wie enttäuscht sie von seinem Rückzug war. *Geschäftsgespräch*, dachte sie. *Die Agenten tauschen Informationen aus. Ist das wirklich alles?* Oder nahm er ihr die Ablehnung, die sie ihm am Anfang entgegengebracht hatte, etwa immer noch übel? Sie leckte sich über die ausgetrockneten Lippen und blickte sich gehetzt um. Aber da war nichts Verdächtiges.

»Der Blonde – Julian«, erklärte sie dann. »Außerdem der Glatzköpfige. Er trug eine orangefarbene Weste, wie die Verkäufer der Obdachlosenzeitung.«

»Nummer 7«, murmelte Gil.

»Und dann die Frau in dem karierten Artistenjackett. Die Jongleurin. Sie hat mich angesprochen. Sie wollte wissen, was ich dort mache.«

»Du hast mit ihr *gesprochen*?«

»Nicht direkt, für Small Talk war nämlich zu wenig Zeit«, schnappte Zoë. »Was möglicherweise daran lag, dass ich vollauf damit beschäftigt war, zur U-Bahn zu flüchten, bevor sie mich anfallen konnten.«

Sie konnte hören, dass er Luft holte. Eine Pause entstand, die Zoë wieder wütend machte. Warum war es mit Gil so schwierig? Sie machte sich schon auf die nächste Verhörfrage gefasst, als er sie wieder überraschte.

»Geht es dir wirklich gut, Zoë?« Die plötzliche Sanftheit in seinem Tonfall verwirrte sie und entwaffnete sie völlig. *Was ist jetzt mit uns?*, hätte sie am liebsten ins Telefon gerufen. *Hast du mich nur gerettet oder sind wir so was wie Freunde? Gib mir endlich ein Zeichen, Gil!*

Er wartete auf Antwort. Es war nur eine einfache Frage, aber Zoë blieb stehen, schloss für einige Sekunden die Augen und dachte darüber nach. Ob es ihr gut ging? Die Geräusche der Stadt umflossen sie, das Summen ihres Blutes in den Adern. Der Lauf, der Wettkampf, die Flucht. *Ja!*, dachte sie verwundert. *Trotz allem. Oder gerade deswegen?*

»Zoë?«

»Ehrlich gesagt habe ich mich nie besser gefühlt«, antwortete sie und ging weiter. Sie musste lachen. »Vielleicht ist mein Schatten ja sogar ein Gepard. Ich war schneller als sie.«

Er schien zu stutzen, dann erwiderte er zögernd: »Unwahrscheinlich. Geparden klettern nicht so gut wie du.« Und leiser fügte er hinzu: »Am besten, du bleibst am Wochenende zu Hause. Da bist du sicher. Und ... halte dich fern von der Grenze.«

Zoë war vor den Kiosken angekommen und blieb wieder stehen. »Warum sollte ich?«, fragte sie ernst. »Wozu habe ich die Sinne, wenn ich sie nicht nutzen darf? Es ist meine Stadt. Und ich denke nicht daran, mich zu verkriechen!«

Sein Atem veränderte sich. Die Stimmung kippte.

»Mach diesen Fehler nicht, Zoë!«, sagte er warnend. »Meide den Schatten. Du darfst auf keinen Fall ...«

»Erzähl mir nicht, was ich darf und nicht darf, Gil.«

Jetzt konnte sie auch seinen Ärger spüren, als wäre er eine Strahlung. Immerhin, endlich eine Reaktion. Und seltsamerweise konnte sie nicht widerstehen, ihn herauszufordern.

»Ich hab's im Griff, okay?«, sagte sie hart.

»Das denkst auch nur du!«, gab er ebenso unfreundlich zurück. »Spiel nicht damit herum. Du hast keine Ahnung, worauf du dich einlässt.«

»Aber du offenbar, ja? Dann klär mich auf, statt mir immer nur Befehle zu geben! Oder bist du zu feige, mit mir zu sprechen? Erst folgst du mir – und jetzt weichst du mir ständig aus. Warum?«

Gil hätte Paulas Bruder sein können: ungesagte Worte, die die Atmosphäre zwischen ihnen zum Flimmern brachten. Im Hintergrund hörte sie Motorengeräusche und ein Autoradio mit den Nachrichten.

»Wovor soll ich mich fürchten?«, setzte sie nach. »Davor, zu sein, was ich nun mal bin?«

Gils Stimme bebte vor unterdrücktem Zorn: »Du denkst, es ist ein Spiel«, zischte er. »Aber wenn du mit deinem Höhenflug fertig bist, dann hör mal in die Nachrichten rein. Und dann überleg dir, ob du die Nächste sein willst.«

Mit diesen Worten legte er auf.

»Wehe, du schmeißt das Handy aus dem Fenster!«, sagte Gizmo. Ich umklammerte es tatsächlich, als wollte ich es zerquetschen. Und – ja – ich hätte gute Lust gehabt, es einfach aus dem Autofenster gegen die Wand zu pfeffern. Am besten mitten in die Zeichen, die die Jongleurin und Julian dort hinterlassen hatten. Natürlich rief Zoë sofort wieder an. Sogar das Vibrieren des Handys fühlte sich wütend an. Ich drückte den Anruf weg.

»Was Neues von deiner Liebsten?«, fragte Gizmo.

Ich ignorierte den süffisanten Unterton und zwang mich dazu, von meinem Wutpegel runterzukommen und wenigstens wieder Rot wahrzunehmen. »Nummer 7, Julian und die Jongleurin halten neuerdings zusammen«, sagte ich heiser. »Und zwar nicht nur bei der Läuferjagd.«

Zoë wird doch nicht wirklich an die Grenze gehen?, dachte ich. *Was hat sie nur geritten?*

»Also doch Mafia«, stellte Gizmo fest. »*Julian & the Gang*. Was, wenn die drei das Killertrio sind?«

Konzentrier dich, Gil!

»Das passt aber nicht zu Julians Verhalten«, erwiderte ich. »Sein Herumstreifen in Maurice' Revier, er war zu vorsichtig, als würde er allen Ernstes befürchten, dass Maurice ihm doch noch über den Weg laufen würde. Nein, für mich hört sich das so an, als hätte sich die Gemeinschaft nur aus Angst wieder zusammengefunden.«

»Wer bleibt dann noch übrig? Miss Underground?«

Ich ließ mich in den Sitz zurückfallen und kurbelte

die Fensterscheibe hoch. Es tat gut, in der Stille des Lieferwagens zu sitzen. Der Spiegel, den ich heruntergeklappt hatte, um die Straße hinter mir im Blick zu behalten, fing meine Augen ein: ellipsenförmige Pupillen, leicht pulsierend.

Die Stimmung einer Katze lässt sich an den Pupillen ablesen. Diese Lehrbuchsätze hatte ich erst gestern für Zoë abgespeichert und ihr per Mail geschickt. *Vor allem bei starker Erregung verändern sie sich, unabhängig vom Lichteinfall: Sind sie weit geöffnet, so spricht dies für Abwehrhaltung, bei aggressiver Stimmung sind sie dagegen stark verkleinert.*

Ich schloss die Augen, versuchte nicht mehr an Zoë zu denken und auch die Sorge um sie zu unterdrücken. Um mich abzulenken, lauschte ich der Stimme des Radiosprechers. Auf der roten Leinwand meiner geschlossenen Lider konnte ich die Bilder sehen, die im Fernsehen dazu abliefen. Darunter das Gesicht des Wrestlers, ein Polizeifoto seines toten, blassen Gesichts, verbunden mit dem Aufruf, »Hinweise zur Identität des Toten« an die Polizei weiterzugeben.

»… wurde der Tote heute in den Morgenstunden an der Schleuse vier Kilometer stadtauswärts aus dem Fluss geborgen. Er wies tiefe Schnitt- und Risswunden am Hals auf. Erste Nachforschungen ergaben, dass es sich bei dem Toten um Marcus Kaban handelt.«

Ich öffnete die Augen und setzte mich auf. Das war neu! Gizmo stellte den Motor ab und beugte sich vor. Dann lauschten wir angespannt.

»Der 43-Jährige hatte bis vor einigen Jahren als Türsteher und als Taxifahrer gearbeitet. Inzwischen geht die Polizei von einem Serientäter aus, der sich seine Opfer unter Obdachlosen sucht. Neben Marcus Kaban fielen ihm bisher Barbara Ruth Villier, der 48-jährige Maurice Gendo und der ehemalige Physikdozent Dr. Kemal Abbas zum Opfer.«

»Hast du das gehört?«, sagte Gizmo. »Noch ein Doktor. Hättest du dem Taubenfresser das zugetraut? Aber wenigstens ist jetzt klar, warum er sich ständig bei der Uni herumgetrieben hat.«

»Der Wrestler war also Marcus«, murmelte ich. Ich rief die Bildergalerie im Handy auf. Ich musste mich durch zwanzig abfotografierte Wandzeichen klicken, die wir in der vergangenen Stunde abgelichtet hatten, dann fand ich endlich das Bild von der Brücke: Marcus, gesund und munter, rennend. Gizmo beugte sich vor und betrachtete die Aufnahme. Seine Augen wurden schmal – wie immer, wenn er dabei war, ein Problem zu lösen.

»Was ist?«, fragte ich.

»Marcus wurde aus dem Fluss gefischt. Spricht also einiges dafür, dass er in der Nähe des Ufers ermordet wurde. Keiner schleppt eine blutende Leiche durch die halbe Stadt. Geht viel schneller, sie einfach am Tatort über das Geländer ins Wasser zu werfen. Könnte sogar sein, dass es direkt auf der Brücke passiert ist.« Er tippte vielsagend an mein Handy.

»Du meinst, während ich dort war?«

»Seitdem hat ihn jedenfalls keiner mehr gesehen.«

»Was willst du damit sagen? Denkst du, ich war's? Julian ist hinter ihm hergerannt.«

Gizmo ließ sich durch meinen Ausbruch nicht aus der Ruhe bringen.

»Denk logisch, Mann. Wenn es so ist, wie du vermutest, hat Julian selbst Angst vor dem Killer. Aber wenn Marcus auf der Brücke getötet und ins Wasser geworfen wurde, und du warst es nicht, wer bleibt dann noch übrig?«

Jetzt klappte mir die Kinnlade nach unten. »Du meinst doch nicht etwa Zoë damit? Das ist nicht dein Ernst!«

Gizmo wandte sich mir zu und sah mir in die Augen. Auch seine Pupillen waren unruhig. »Reg dich nicht gleich auf. Aber überleg mal: Drei von uns jagen sie. Zwei dieser Jäger sind jetzt tot. Kemal wurde beim *Cinema* umgebracht, wo die Jagd begann. Marcus hat es auf der Brücke erwischt. Ist das nicht seltsam?«

»Blödsinn! Sie hat nichts damit zu tun!«

»Hast du gesehen, dass sie es nicht war?«

»Vergiss es. Ich habe sie von der Brücke geholt, erinnerst du dich? Ich habe sie höchstens zwei Minuten aus den Augen verloren.«

»Wir können verdammt schnell sein.«

»Hör auf!« Erst jetzt merkte ich, dass ich laut wurde. »Gut, dann lass uns logisch denken«, fuhr ich mit mühsamer Beherrschung fort. »Was ist mit Maurice? Und mit Barb? Sie sind mehrere Tage vorher ermordet worden.«

Gizmo startete den Wagen und fuhr los. »Vielleicht warst du es ja doch«, sagte er nach einer Weile nachdenklich. »Ohne es zu wissen.«

Ich fühlte, wie mir das Blut aus dem Gesicht wich. »Du hältst mich für einen Mörder?«, schrie ich. »Drehst du jetzt völlig durch? Als wir Maurice gefunden haben, hast du gesagt, ich kann es nicht gewesen sein.«

»Das habe ich nicht gesagt«, korrigierte Gizmo, ohne mit der Wimper zu zucken. »Ich sagte: unwahrscheinlich. Andererseits hattest du einen Blackout in der Nacht, als Barb und Maurice starben. Das passt verdammt gut. Vielleicht hat ja jemand anders die Leiche weggebracht und auf der Baustelle versteckt.«

»Vielleicht war es Irves?«, brauste ich auf. »Passt ja alles: Er hat kein Alibi, er träumt von der Weltherrschaft und denkt, Julian und die anderen zu töten wäre auch nicht schlimmer, als streunende Katzen zu erschießen!«

»Hey, kein Grund, gleich sauer zu werden«, sagte Gizmo. »Nur ein Gedankenspiel. Hätte doch sein können. Vielleicht hättest du einem anderen damit einen Gefallen getan, weil du ihm zufällig zuvorgekommen wärst.«

»Du kannst mich echt mal mit deinen Gedankenspielen!«, brüllte ich. »Halt an!«

Die Vollbremsung warf mich gegen den Gurt. Fünf Sekunden später war ich auf der Straße. Ich hörte erst auf zu rennen, als ich vor der Börse ankam. Allein im Feindesland, aber in diesem Augenblick war es mir gleichgültig. Das Schlimme war nicht, dass Gizmo mich tatsächlich verdächtigte. Das Schlimme war, dass ich Angst hatte, er könnte Recht haben. Fieberhaft ging ich jede Minute, an die ich mich erinnern konnte, durch, jeden Schritt, jede Begegnung. Doch ich konnte Gizmos Verdacht weder bestätigen noch widerlegen.

Die Leute strömten um mich herum, keiner rempelte mich an. Ich war wie ein Geist. Und noch nie hatte ich mich so allein gefühlt. Ich betete, dass Rubio dranging, aber das Handy klingelte ins Leere. Nur eine SMS von Gizmo: *Vergiss nicht, mir die Fotos zu schicken, Hulk!*

Idiot!, dachte ich und steckte genervt das Handy wieder ein. Ein Fensterputzer reinigte die verspiegelte Fassade der Börse. Als er die Tropfenfläche der nassen Scheibe mit dem Abzieher in einen glatten Spiegel verwandelte, sah ich mich selbst, festgefroren zwischen den vorbeieilenden Leuten. Neue Lederjacke aus dem Secondhandladen. Kürzere Haare, sorgfältig rasiert. Keine Schwellungen oder blauen Flecken mehr im Gesicht. *Zivilisation*, dachte ich. *Oder ist es nur perfekte Mimikry?* Aber der Mann im Spiegel war keine Bestie, das war einfach nur Gil, wie ihn Ghaezel kannte, der vierzehnjährige Junge, der immer seinen Zeichenstift dabeihatte und auf den Familienfotos aus Prinzip nie lächelte. Und, ein paar Jahre später, der Algerier, der durch das Altstadtviertel zur Schule ging. Der Auswanderer, der in Paris aus dem Flieger stieg und erschlagen war von dem unendlichen Grau der Landebahnen und dem Weiß des Himmels. Ja, ich sah tatsächlich menschlich aus. *Hi Gil*, dachte ich niedergeschlagen. *Lange her!*

Es war nicht die Bewegung, die mich aus meinen Gedanken riss. Sondern etwas Regungsloses mitten im Menschenstrom. Im Spiegel der Hausfront sah ich die Frau, so etwa zwanzig Meter hinter mir. Eine schmale, zerbrechliche Gestalt mit fransigem, blondem Haar und einem verwaschenen, fliederfarbenen Blazer. Miss Underground! Sie stand an einer Ecke vor einer Litfaßsäule und studierte mit gerunzelter Stirn ein Plakat, das ich nicht sehen konnte. Dann zog sie unter dem Blazer eine Spraydose hervor und sprühte etwas auf das Plakat. Markierungszeichen! Ich drehte mich um und ging im Bogen auf die U-Bahn-Station zu. Ich nutzte ein paar Fußgänger zur Deckung und umrundete die Säule. Aber Miss Underground war auf Zack: Aus dem Augenwinkel hatte sie offenbar meine Bewegungen beobachtet und blickte mich nun an. Sie floh nicht, sie starrte nur zu mir herüber. Ein Fahrradfahrer und einige Passanten nahmen mir für ein paar Sekunden die Sicht. Als ich wieder hinsah, war sie weg. Nur ein fliederfarbenes Aufblitzen zwischen den Gitterstäben der U-Bahn-Treppe zeigte, dass sie sich nicht einfach in Luft aufgelöst hatte.

Zu meiner Überraschung stand sie noch auf dem Bahnsteig, als ich in den Katakomben ankam. Für einen Augenblick fragte ich mich, ob vielleicht die neutrale Zone »U-Bahn« ebenfalls aufgehoben war, aber das war eher unwahrscheinlich: zu viele Überwachungskameras. Zum ersten Mal sah ich Miss Underground länger als ein paar Sekunden. In ihren blonden Strähnen zeigte sich Grau, aber sie war immer noch hübsch, ein von feinen Linien durchzogenes Gesicht. Mit einer goldumrandeten Brille und einer Hochsteckfrisur hätte sie wie eine reiche Erbin gewirkt. Sie musterte mich kühl und so genau, als wollte sie sich jedes Detail meines Gesichts einprägen, während die Leute im Bogen um uns herumströmten, ohne uns zu berühren.

»Können wir reden?«, rief ich ihr zu.

Passanten drehten sich nach mir um, aber ich ignorierte sie. Beim Klang meiner Stimme verengten sich Miss Undergrounds Augen. Sie machte eine warnende, abwehrende Geste (»Bis hierhin und nicht weiter!«), drehte sich um und ging einfach.

»Warte!«, rief ich. Doch sie blieb nicht stehen. Letzte Chance. Ich holte Luft und brüllte: »Eve?«

Es war, als hätte ich sie mit einem Befehl eingefroren. Sie erstarrte, dann wirbelte sie herum und blickte mich ungläubig an. Eine Bahn fuhr neben uns ein und wir standen beide da, bis das Getöse vorbei war und die Türen sich zischend geöffnet hatten.

»Rubio hat mir von dir erzählt!«, rief ich ihr dann zu. »Du hast zur Gemeinschaft gehört. Du hast vor Gericht für ihn ausgesagt.« Jetzt klappte ihr der Mund auf, sie wurde blass. Ich musste warten, bis die Gruppe von Leuten sich in die Bahn geschoben hatte und die Türen sich wieder schlossen. »Er und Barb waren eure Seher«, fuhr ich fort. »Barb wusste, wer Maurice und die anderen auf dem Gewissen hat. Und ihr? Kennt ihr eure Schatten? Wer steckt dahinter, Eve? Es muss ein Ende haben.«

»Verschwinde!«, fauchte sie. Sie hatte eine seltsame Stimme, heiser und angestrengt – wie ein Mensch, der lange geschwiegen hat.

Die Bahn fuhr wieder an, wurde schneller, übertönte jedes andere Geräusch. Eve huschte so schnell zur Seite, dass ich ihr kaum mit den Augen folgen konnte. Unbemerkt von den Leuten auf dem Bahnsteig sprang sie auf die Hängerkupplung zwischen zwei Waggons. Wow! Aus dem Stand fast drei Meter. Punktlandung. Im nächsten Augenblick war sie bereits im Tunnel und ich konnte der Bahn nur noch staunend hinterherschauen.

Der scharfe Geruch frischer Farbe brannte in meiner Nase, als ich zur Säule auf dem Börsenplatz trat. Das Plakat – irgendeine Musicalwerbung – war halb zerfleddert und ziemlich verschmiert. Ein Witzbold hatte der singenden Schönheit einen Schnurrbart verpasst. Aber darunter, am rechten Rand, erkannte ich die Zeichen von Julian und der Jongleurin – und daneben vier parallele Kratzer (das Zeichen von Glatze). Neu war Eves pinkfarbene Zahl (4), von der noch die Farbe rann. Sie verdeckte die anderen Zeichen nicht, sondern ergänzte sie. Kurz entschlossen holte ich meinen Stift hervor und kritzelte ein schwungvolles *»Gil«* daneben.

Vibes

Zoë war es gewohnt, dass ihr Bruder ein wenig fremdelte, wenn er ein paar Tage bei Fabio und Andrea gewesen war. Auch ihr kam es dann vor, als würde Leon plötzlich ein Hauch von fremder Luft umgeben. Aber diesmal war es nicht nur fremde Luft – eher eine komplette Entfremdung. Schon bei der Begrüßung wand sich Leon aus ihren Armen und starrte sie halb verstört, halb misstrauisch an. »Du riechst wie der Räuber!«, maulte er und brach zu ihrer Überraschung in Tränen aus. Und das war erst der Anfang. Ihre Mutter kam noch weniger mit Leons schlechter Laune klar als Zoë. Und als Leon quengelte, dass er wieder zu Andrea wolle, war die Stimmung an diesem Abend so gereizt wie noch nie. Es war, als wäre irgendetwas aus dem Takt geraten, als wäre die ganze Familie eine Maschine, deren Zahnräder auf einmal nicht mehr richtig ineinandergriffen. Diesmal ging die Fernbedienung wirklich zu Bruch, als ihr Bruder sie auf den Boden warf, während zum hundertsten Mal die Nachrichten über die jüngsten Morde in der Stadt über den Bildschirm flimmerten. Doch heute sprang Zoë nicht auf, um sich um ihren Bruder zu kümmern. Stattdessen konzentrierte sie sich darauf, sich von dem Lärm und der Aggression nicht an die Grenze drängen zu lassen. Das kostete unendlich viel Kraft und Konzentration. Sie nahm die kleinste Stimmung wahr wie eine Berührung, jedes wütende oder genervte Wort wie einen elektrischen Impuls, der die Farbstimmung im Raum veränderte. Und selbst die Ohrstöpsel nützten nicht viel bei Leons Geschrei. Für einen Moment wünschte sie sich tatsächlich, Leon packen und schütteln zu können.

Gerade rutschte er vom Sofa und stieß dabei mit dem Fuß ein Glas Apfelsaft um, das auf dem Couchtisch stand. Ihre Mutter begann mit Leon zu schimpfen und Leon heulte noch lauter. Normalerweise wäre Zoë nun sofort eingesprungen und hätte ihren kleinen Bruder getröstet, damit ihre Mutter in die Küche (ins Bad, auf den Balkon ...) gehen konnte, um Abstand zu haben. Heute aber stand sie ruhig auf, ging zur Tür und blieb mit verschränkten Armen stehen.

»Was ist los mit dir?«, schalt ihre Mutter sie, während Leon heulend an Zoë vorbei aus dem Zimmer stürmte und die Tür zu seinem Zimmer so laut zuwarf, dass die Scheiben des Wohnzimmerschranks klirrten. »Du bist sauer, weil ich dir das Training nicht erlaube, stimmt's?« Ihre Mutter sprang auf und rieb sich die Stirn. »Herrgott, ich habe keinen Nerv mehr für dieses Affentheater!«, stöhnte sie. »Ich muss morgen Vormittag zu einer Schulung, ich brauche meine Ruhe, sonst werde ich noch verrückt!«

So viel zum Thema: Der nächste Samstag gehört

ganz mir, dachte Zoë. Doch seltsamerweise war sie nicht überrascht. Und noch seltsamer war, dass sie gar kein Bedürfnis hatte, sich zu verteidigen.

»Und zu allem Überfluss darf ich mir demnächst überlegen, woher ich das Geld für den Kindergarten bekomme«, fuhr ihre Mutter fort. »Dr. Rubio verkauft sein Haus und zieht weg. Das sagt er mir einfach – am Telefon. Den Makler hat er schon beauftragt. Ich darf ihm gerade noch beim Kofferpacken helfen – und dann: ›Tschüss, danke, das war's, Gisela!‹«

Etwas in Zoës Innerem hatte sich verschoben. Sie betrachtete ihre Mutter auf ähnliche Art, wie sie heute David betrachtet hatte: Als würde sie weit entfernt sitzen und auf eine Bühne blicken. Sie sah eine Frau, die mit siebzehn Jahren eine Tochter bekommen hatte und nun alles und jeden für ihre verpassten Chancen verantwortlich machte und ständig auf der Flucht war – in die Arbeit, auf den Balkon, zu einer Schulung, zu Dr. Rubio – auf jeden Fall aber weg von ihrem Zuhause.

»Ich bin tatsächlich sauer, ja!«, antwortete Zoë ruhig. »Aber nicht, weil du mir das Training verbieten willst. Sondern weil du es aus den falschen Gründen tust. Ich bin sauer, dass du meine Zeit opferst, damit du dich als Märtyrermutter fühlen kannst, statt dir Hilfe zu holen. Ich bin sogar stinksauer, weil du deine Probleme komplett auf mich abwälzt. Ich fühle mich wie in einem Gefängnis! Ich bin nicht Leons Mutter, Mama. Und auch nicht deine beste Freundin, der du deine Probleme anhängen kannst! Und ob du den Wisch für Frau

Thalis unterschreibst oder nicht: Ich werde zum Training gehen!«

Es war das erste Mal, dass sie ihre Mutter völlig sprachlos erlebte. Es tat ihr leid und die Hilflosigkeit machte sie traurig, aber gleichzeitig fühlte sie sich so erleichtert, als hätte sie sich endlich aufgerichtet und eine unendlich schwere Last abgeworfen.

Rubio hatte wieder nicht auf meine Mails geantwortet. Sein Telefon war abwechselnd besetzt und ausgeschaltet. Also machte ich mich nützlich und schickte Gizmo die Bilder. Dann lief ich durch die Stadt und schrieb neben die Zeichen der anderen mein *»Gil«* und kritzelte mit Bleistift ein paar Erklärungen und Fragen daneben. Ein paar Stunden verbrachte ich in der U-Bahn auf der Suche nach Miss Underground. Auch ihr hinterließ ich Botschaften. Falls sie mich sah, verbarg sie sich gut. Na ja – es war ja auch ihr Revier. Schließlich holte ich mir eine Packung Gulasch aus einem Billigmarkt, schlang es hinunter und sah mir dabei die Nachrichten auf den Bildschirmen an den Bahnhöfen an. Natürlich ging mir Zoë nicht aus dem Kopf, aber ich brachte es aus irgendeinem Grund nicht fertig, zu ihr zu gehen.

Als ich wieder an die Oberfläche tauchte, war es dunkel geworden. Die Lichter der Stadt brummten und surrten, ich hörte das klappernde Flügelschlagen von Motten, die mit der Leuchtschrift über einem Dönerstand flirteten. Ohne viel Hoffnung wählte ich wieder

Rubios Nummer – und bekam einen kleinen Schock, als er tatsächlich abhob. »Rubio?«

Ich musste fassungslos klingen, denn ich hörte sein heiseres, tiefes Lachen, das in ein Husten überging.

»Jetzt mach dir mal nicht in die Hosen vor Schreck, Junge«, sagte er. »Gut, dass du anrufst. Ich schreibe dir gerade eine Nachricht.«

An diesem Punkt der Unterhaltung hätte ich jeden Eid geschworen, dass ich nicht mit Rubio sprach. So freundlich kannte ich ihn gar nicht.

»Hast du gehört? Marcus ist tot«, sagte ich.

»Ich weiß. Und er wird nicht der Letzte sein.« Ein resigniertes Atemholen. »Aber es geht mich nichts mehr an. Meine Koffer sind gepackt. Zeit, die Stadt zu wechseln.«

»Du haust ab?«, rief ich.

»Allerdings. Und wenn du klug bist, verschwindest du auch. Die anderen sind es nicht wert. Aber du ... Also jedenfalls: Bring dich in Sicherheit.«

»In Sicherheit vor wem?«

»Ist das wichtig?«, murmelte er.

Dazu hätte ich eine Menge zu sagen gehabt, aber die Türklingel, die in diesem Moment losschrillte, prasselte wie eine Funkendusche auf mein Trommelfell.

»Lies dir meine Nachricht gut durch«, sagte Rubio müde. »Leb wohl, Märchenerzähler.«

»Rubio, verdammt, was ...«

Dann war er weg. Einfach aufgelegt. Als ich seine Nummer wählte, erklärte mir die mechanische Ansage, dass der Teilnehmer im Augenblick nicht erreichbar sei. *Türklingel*, dachte ich. *Er ist also zu Hause.* Na ja: Falls nicht gerade der Taxifahrer geklingelt hatte, der ihn zum Flughafen bringen sollte.

Ich blickte auf die Uhr. 22.37. Nächste U-Bahn zum Lindenplatz in zwei Minuten.

Es war kein gutes Gefühl, den Platz zu betreten. Im Schatten glaubte ich Julian zu sehen, aber es war nur ein Betrunkener, der sich an den Hauswänden entlang nach Hause tastete. Im Café saß ein Nachtschwärmer und surfte am Rechner. Als ich zu Rubios Fenstern hochblickte, verlor ich fast den Mut. Sie waren dunkel. Und als ich vor der Tür stand, fiel mir auf, dass sein Klingelschild weg war. Auch an den Wohnungen unter und über ihm kein Name. Unendlich lange schrillte die Klingel – so lange, dass ich es selbst nicht mehr ertragen konnte. Wäre er da gewesen, hätte er die Klingel längst ausgestellt – oder wäre wahnsinnig geworden.

»Verdammt!«, zischte ich. Dann rief ich Gizmo an.

»Na, hast du dich wieder beruhigt?«, sagte er. »Ich bin gerade dabei, deine Bilder runterzuladen. Wo bist du?«

»Bei Rubio. Ich hab ihn angerufen. Sieht so aus, als wollte er ebenfalls die Sachen packen und verschwinden. Hör zu, du musst in meine Mails schauen. Da muss eine von Rubio dabei sein.«

Promptes Klicken. »Passwort?«, fragte er.

Ich zögerte nur kurz. Jetzt war es auch schon egal, ob Gizmo einen Blick in meine Mails warf. »NomadE92. Das N und das E groß.«

Klicken. »Nichts da.«

»Sieh noch mal nach! Schau auch in den Spam-Ordner!«

»Nope«, sagte Gizmo.

Ich fluchte.

»Soll ich dich abholen?« Unglaublich, aber wahr: Jetzt klang auch der abgebrühte Gizmo leicht beunruhigt.

Ich blickte an der Fassade hoch. Sie war glatt auf dieser Seite – aber über dem zweiten Stock gab es einen Vorsprung. Wenn ich am gegenüberliegenden Haus hochkletterte und dann einen Satz zum Vorsprung machte, konnte ich vielleicht zur Frontfassade klettern und einen Blick in Rubios Fenster werfen.

»Nicht nötig«, erwiderte ich. Ich konnte es mir nicht verkneifen: »Du weißt ja: Ein Killer kommt zurecht. Ich sehe mich nur noch kurz um, dann verschwinde ich. Ruf mich sofort an, wenn die Mail eintrudelt!«

Ich zog meine Schuhe und die Jacke aus und legte beides auf die Türschwelle. Dann suchte ich nach dem Winkel, der mir am ehesten Sichtschutz geben würde. Am Tag wäre es schon riskant gewesen, aber selbst in der Nacht hatte ich beste Chancen, dass mich jemand an der Fassade hängen sah. »Risiko«, flüsterte ich, dann stützte ich mich auf einer Mülltonne am gegenüberliegenden Haus auf und stieß mich ab. Meine Fingernägel kratzten über den Putz, dann hatte ich meinen Halt in einer Mörtelritze gefunden und zog mich hoch. Die Wahrnehmungen verdichteten sich auf der Stelle.

Und gegen meinen Willen musste ich mir eingestehen, dass ich das Klettern genoss. Im dritten Stock klammerte ich mich an ein Fensterbrett, schätzte die Entfernung zu Rubios Haus ab – und sprang. Fingernägel kratzten über Beton, dann hatte ich Halt gefunden.

Um zum Fenster zu gelangen, musste ich die Deckung aufgeben und um die Ecke zur Vorderfront biegen. Die Kante drückte gegen mein Brustbein. Ein Blick von oben auf den Lindenplatz: Die U-Bahn-Station wirkte wie die Trichterfalle eines Ameisenlöwen, der geduldig darauf wartete, dass die Passanten ihm in den Schlund rutschten. Im Café spülte die Bedienung in tiefer Konzentration Biergläser aus. Gut.

Vorsichtig schob ich mich oberhalb des Vorsprungs entlang weiter zu Rubios Fenster. Mein ganzes Gewicht lastete auf den Fingergelenken und den Zehen. Am Vorsprung angekommen, verhakte ich mich sorgfältig mit dem rechten Fuß und pendelte dann mit dem Oberkörper nach unten. Jetzt wurde ich direkt von der Straßenlaterne angeleuchtet. Fehlte nur noch die Zirkusmusik.

Das Zimmer war dunkel, aber das Licht der Stadt genügte für meine Augen: Katzenaugen mit Restlichtverstärker: *tapetum lucidum.* Erst erschrak ich, als zwei Augen zurückleuchteten, aber dann erkannte ich, dass es nur eine Leopardenmaske mit Perlmuttaugen war, die über der Tür hing.

Ganz unten rechts an der Fensterscheibe prangte ein Klebesiegel. Kaum zu glauben, aber wahr: Rubio hatte

Panzerglas in die Fenster einsetzen lassen. Zum ersten Mal wurde mir klar, wie groß seine Angst sein musste. Ich konzentrierte mich wieder und spähte in Rubios Reich. Ein großes Zimmer. Wenn er tatsächlich abgereist war, hatte er nicht viel mitgenommen. An den Wänden hingen noch Bilder, ein Regal voller Bücher und kleiner Skulpturen stand neben der Tür. Und – direkt unter dem Fenster – ein unberührtes Bett mit glatter Tagesdecke. Meine Stimmung sank auf den Nullpunkt. Kein Zweifel: Er war weg.

Lachen brach sich laut in meinen Ohren, Grölen, das Schleifen von Gummisohlen auf dem Asphalt. Unten schlenderten ein paar Leute aus der U-Bahn die Treppen hoch. Bis hierher konnte ich den süßlichen Duft von Alkopops riechen. Mir brach der Schweiß aus. In ein paar Sekunden würden sie auf dem Platz sein. Keine Zeit für den langen Rückweg.

Ich vergewisserte mich mit einem Über-Kopf-Blick, dass der Boden vor dem Haus eben war und keine Scherben herumlagen. Dann sprang ich. In der Luft überließ ich den Instinkten die Regie. Mein Körper drehte sich, dann sah ich den Boden heranrasen. Ich ächzte, als der Aufprall alle Luft aus meiner Lunge drückte. Mit der ganzen Muskelspannung fing ich mich auf allen vieren ab und federte nach. Wie immer war es ein Gefühl, als würden alle Knochen in meinem Körper mühsam wieder ihren Platz suchen. Sohlen und Hände taten höllisch weh, aber ich war unten. Unverletzt und unentdeckt. Als die Jungs endlich die Treppen hochgewankt waren, hatte ich schon längst meine Sachen erreicht. Ich schnappte mir die Schuhe und wollte sie gerade anziehen, als ich in der Nähe der Tür auf etwas trat. Ich tastete nach meiner Sohle und fühlte etwas Scharfkantiges – wie einen biegsamen Splitter. Als ich ihn zwischen den Fingern drehte, fühlte ich, dass er aus Kunststoff war. Eine Art zusammengerollter fester Folie. Als ich die Finger öffnete, schnappte er auseinander. Eine kreisrunde, winzige Scheibe lag in meiner Hand. Ungeduldig streifte ich sie ab und zog Jacke und Schuhe an. Dann zückte ich das Handy.

Zoë hatte gedacht, dass sie nach diesem Tag vor Erschöpfung wie eine Tote schlafen und zerschlagen aufwachen würde, aber als sie die Augen öffnete, war sie hellwach und völlig ausgeruht. Sie war mit den Ohrhörern bei laufender Musik eingeschlafen. Die Musik spielte noch. Irves' Mix pulsierte durch ihren Körper. Ein Blick auf den Wecker zeigte ihr, dass es erst kurz vor elf war.

Zoë schloss noch einmal die Augen und tauchte in die Klänge ein, die sich zu Bildern formten: Gil und Irves. Der eine düster und ernst, erfüllt von einem Glühen wie Lava unter Vulkangestein, an dem man sich die Finger (und das Herz?) verbrennen konnte. Der andere strahlend und kühl. Schwarz und Weiß. Sie nahm das Handy und betrachtete nachdenklich die Tasten: 2 für Weiß. 4 für Schwarz.

Irves ging schon nach dem ersten Klingeln ran.

»Bist du zufällig in der Nähe?«, fragte sie.

»Kommt darauf an, was du vorhast.«

»*Mata Hari*. Ich bin in zwanzig Minuten dort. Und du?«

Ein Lachen, das ihre Niedergeschlagenheit auf der Stelle wegwischte. »Keine Angst vor dem Mörder?«, fragte er.

»Hol mich ab, dann sind wir immerhin zu zweit.«

»Hast du Gil auch schön um Erlaubnis gefragt?«, fragte er spöttisch.

Zoë grinste und legte auf. Als sie ein paar Minuten später auf den Flur trat, stellte sie sich vor, was los sein würde, wenn ihre Mutter bemerken würde, dass ihr Zimmer leer war. Nur um festzustellen, dass sie sich zum ersten Mal keine Sorgen machte.

Die Tür zum Wohnzimmer war nur angelehnt und sie warf im Vorbeigehen einen Blick hinein. Ihre Mutter schlief auf dem ausgezogenen Sofa so tief, dass Zoë nicht einmal ihr Atmen wahrnahm. Selbst jetzt sah man noch, dass sie geweint hatte. Leon hatte sich bei ihr eingekuschelt. Mit offenem Mund blies er mit einem kleinen, erkälteten Kinderschnarchen vor sich hin. Die Zärtlichkeit für die beiden überwältigte Zoë so sehr, dass ihre Augen brannten und sie schlucken musste. Zwei, drei tiefe Atemzüge lang blieb sie noch stehen. Dann schloss sie ganz sachte die Wohnzimmertür und ging.

Die Bushaltestelle war leer und auch auf der Straße

war Irves nirgendwo zu sehen. Doch als Zoë die Straße überquerte, ließ ein leiser Pfiff sie herumfahren. Sie drehte sich um und entdeckte ihn – oben im ersten Stock, auf dem Geländer eines der kleinen Frontbalkone sitzend. Er grinste ihr zu – und sprang! Zoë hielt erschrocken die Luft an. Sein weißer Mantel flatterte, dann landete Irves mühelos mit einer federnden Bewegung und richtete sich seelenruhig auf. In seinen Augen funkelte der Schalk, als er sah, wie blass sie geworden war.

»Na, hätte ich mir ja denken können, dass du die Treppe nimmst«, meinte er und ging voraus.

Beim letzten Mal war sie nur deshalb ins *Mata Hari* gekommen, weil der Türsteher sie für die Begleitung eines Studenten gehalten hatte. Doch mit Irves unterwegs zu sein hatte etwas von »Sesam, öffne dich!«. Der Türsteher winkte sie beide einfach durch und das Mädchen an der Kasse schenkte Irves ein mehr als verliebtes Lächeln (bevor sie Zoë entdeckte und das Lächeln schlagartig gefror).

Dröhnende Bass-Vibes ließen Zoës Haut kribbeln, als sie die Lounge betraten. Ein anderes Universum: Schwarzlicht und violette Blitze. Obwohl es noch nicht spät war, kochte die Tanzfläche. Tausend Tonsplitter und Geruchswahrnehmungen, die sich zu einem grellen Gesamteindruck mischten. Zoë war überrascht, aber sie wehrte sich nicht, als Irves ihre Hand nahm und sie mit sich auf die Tanzfläche zog. Ganz von selbst verbanden sich ihre Bewegungen mit der Musik. Sein Duft umhüllte sie und die farblosen Raubtieraugen, die im jetzt roten Scheinwerferlicht aufleuchteten, waren ganz nah. Eine Wellenlänge. Keine Geheimnisse mehr. Stattdessen ein Gleichklang, der in seiner extremen Nähe beunruhigend, aber auch aufregend war. Nur aus den Augenwinkeln nahm sie wahr, dass jede Frau in diesem Raum zu ihnen herüberstarrte. Dann verschwamm auch dieser Eindruck und es gab nur noch Irves und sie. Sein Lächeln, den hypnotischen Perlmuttblick und das Begreifen, dass sie für Momente einfach nur schwebte und glücklich war.

Keine Mail von Rubio. Und Irves hatte nichts Besseres zu tun, als sein Handy auszustellen. Immerhin war er berechenbar. Es gab nur vier Clubs, in die er zurzeit ging, und schon im ersten wurde ich fündig. Eigentlich hätte ich nur den Blicken der Frauen folgen müssen, aber auch so war er nicht zu übersehen: der Geistermann. Mitten auf der Tanzfläche – in voller Aktion. Jetzt blieb sogar ich stehen und betrachtete ihn fasziniert. So hatte ich ihn noch nie gesehen. Panthera im Blut und der geschmeidige Beat eines Tänzers. Dann glitt er zur Seite und mir klappte die Kinnlade nach unten. Er war nicht allein. Beide Tänzer bewegten sich im Gleichklang. Beide in Weiß, nur dass auf einem T-Shirt dieser rote Kreis leuchtete, den ich schon einmal gesehen hatte. Vor ... hundert Jahren?

Das war nicht mehr Zoë. Das war eine Panthera

durch und durch. Die Art, wie sie sich bewegte, die verhaltene Aggressivität. Hart an der Grenze. Und mehr als das. Rubios Bild von Raupe und Schmetterling fiel mir ein. Zoë war verdammt nah am Fliegen!

Einen Augenblick redete ich mir vergeblich ein, dass ich mich täuschte und dass es doch eine Fremde war, aber dann wirbelte sie herum – fliegendes Haar! – und lächelte Irves auf diese unvergleichliche Zoë-Art an, die jede Verwechslung ausschloss. Die Vertrautheit zwischen ihnen nahm mir schlagartig die Luft und trieb mir die Galle in die Kehle. *Irves und Zoë!* Diese Erkenntnis fühlte sich fast so gut an wie angeschossen werden. Als hätte mein Blick ihre Haut versengt, zuckte Zoë zusammen, hörte auf zu tanzen und sah verwundert zu mir.

Dort stand tatsächlich Gil! Nur, dass sie ihn fast nicht erkannt hätte. Das war nicht mehr der Typ mit den zu weiten Jeans, der altmodischen Jacke und dem Gesicht eines Schlägers. Dieser Gil hier trug eine schmale, schwarze Lederjacke und Hosen, die betonten, wie drahtig er war. Das Haar war kürzer und hob seine klaren Gesichtszüge hervor. Ein Gesicht ohne Verletzungen, mit dunklem Teint und schwarzen Raubtieraugen. Auf eine herbe, widerspenstige Art war er beinahe schön. Das Dunkle umgab ihn wie eine glühende Aura. Die Musik wechselte in einen schnelleren Rhythmus, aber Zoë konnte nur dastehen und ihn ansehen.

Gil kniff die Lippen zusammen und setzte sich in

Bewegung. Einen Augenblick kämpfte sie gegen den Impuls an zurückzuweichen.

»Weißt du, was du tust?«, fauchte er. »Warum zum Teufel bleibst du nicht weg von der Grenze?« Sein Tonfall war wie eine Ohrfeige. Ohne Vorwarnung packte er sie an den Schultern. »Willst du eine Bestie sein?«, brüllte er.

Irves war so schnell da, dass sie keine Bewegung sah.

»Wir *sind* Bestien«, zischte er Gil zu. »Und du kennst das Sprichwort: *Besser ein Tiger, den man fürchtet, als ein Hund, den man liebt.* Und jetzt lass sie verdammt noch mal los!«

Bevor Zoë wusste, was geschah, ließ Gil sie tatsächlich los und schnellte an ihr vorbei. Dann taumelte Irves unter einem Schlag zurück. »Ist das deine Version von ›Wir halten sie aus der Gefahrenzone‹?«, zischte Gil ihm zu.

Einen Moment lang starrten sie einander an, während die Umstehenden zurückwichen, einen Ring aus Leibern bildend. Dann lachte Irves. Seine Augen glühten im Stroboskoplicht auf, als er sich aufrichtete. *Wie zwei Gladiatoren in der Arena*, dachte Zoë entsetzt. *Und Irves scheint ihn absichtlich herauszufordern.*

»Ja, das ist meine Version«, sagte Irves. »So leben wir nun mal. Wir gehen raus und schärfen unsere Sinne. Wir verkriechen uns nicht wie ängstliche Kaninchen in unsere Höhlen. Es sei denn, man heißt *French* und hat Angst, die Bremse rauszunehmen.«

Gil schrie auf und schnellte los. Dann war die Schlägerei mitten auf der Tanzfläche in vollem Gang. Jemand rannte zum Ausgang, um die Türsteher zu holen. Zoë stand da wie betäubt. Bassvibrationen schüttelten sie durch, und die aufgepeitschte Stimmung umbrandete sie wie Sturmwellen und drohte sie umzureißen. Der plötzliche Schweiß- und Panikgeruch aus den Reihen der Leute machte sie aggressiv. Es war zu viel. Sie drehte sich um und bahnte sich mit den Ellenbogen einen Weg nach draußen.

Während sie den Security-Mann, der versucht hatte dazwischenzugehen, noch vom Boden aufsammelten, war ich längst schon auf dem Weg hinaus. Mein Blut kochte und ich wollte nur noch nach Hause. Mochte der Teufel wissen, wo Irves abgeblieben war, nachdem er mit seinem Rücken den Rand der Glastheke demoliert hatte. Zumindest daran erinnerte ich mich. Und auch daran, dass Zoë ganz plötzlich nach draußen gestürmt war. Der Gedanke an sie gab mir einen Stich. Ich sah ihr fassungsloses, empörtes Gesicht nahe der Tanzfläche und fühlte mich auf der Stelle noch elender. *Toller Auftritt*, dachte ich bitter. *Und du predigst ihr, dass sie den Schatten nicht in ihre Nähe lassen soll! Jetzt hast du alles versaut, Gil.* Es fühlte sich nach Verlust und nach Niederlage gleichermaßen an. Die Tatsache, dass ich mir eingestehen musste, dass es mich nicht nur störte, sie mit Irves zu sehen, sondern mich komplett fertigmachte, konnte die Sache nicht verbessern. Verdammt, wie hatte ich mir nur so lange einreden können, es wäre nur Sorge, die ich für sie empfand!

Die Nachtluft war kühl genug, um mich wieder einigermaßen auf den Boden zu bringen. Aber je länger ich lief, desto niedergeschlagener wurde ich. Als ich in meine Straße einbog und auf den Durchgang zum Innenhof zusteuerte, war von meiner Wut nicht mehr viel geblieben. Mit hängenden Schultern schlurfte ich in den Innenhof. Doch beim Blick auf die Tür richtete ich mich sofort wieder auf.

Etwas war anders. Im Schatten der Tür zeichnete sich der Umriss einer sitzenden Gestalt ab. Im allerersten Moment dachte ich an Irves – Loungegeruch nach den Kunststoffdämpfen der Plastiktische stieg mir in die Nase –, aber dann erkannte ich die Person. Außer Irves der letzte Mensch auf dieser Welt, den ich jetzt sehen wollte. Ich hätte einiges dafür gegeben, mich einfach wegbeamen zu können, aber es war zu spät. Natürlich hatte sie mich längst bemerkt, der Wind stand für sie günstiger als für mich. Langsam stand sie auf und klopfte sich den Staub von der Hose. »Hi«, sagte sie. »Das vorhin war ja wirklich eine zirkusreife Nummer. Wenn du deine Freunde so behandelst, dann will ich nicht dein Feind sein.«

Ich ärgerte mich darüber, dass ich rot wurde. »Bei uns gibt es keine Freundschaften«, erwiderte ich grob. »Täusch dich nicht.«

»Auch nicht zwischen uns?«, fragte sie leise. »Immerhin hast du mich von der Brücke geholt. Ohne dich wäre ich abgestürzt. Warum hast du das getan?«

In diesem Augenblick lernte ich etwas Neues über Gil: Er war verdammt feige.

»Wie kommst du so schnell hierher?«, fragte ich ausweichend. *Tolle Frage, sehr intelligent!*

Sie zuckte mit den Schultern. »Taxi«, meinte sie trocken. »Nicht, dass ich es mir leisten könnte«, fügte sie ironisch hinzu. »Und Irves hat mir gesagt, wo du wohnst. Im Gegensatz zu dir macht er nämlich nicht um alles und jedes ein Geheimnis.«

Irves. Schon die Erinnerung an die Nähe zwischen den beiden gab mir den Rest.

»Eifersüchtig?«, fragte sie. In dieser Situation wurde mir endgültig bewusst, dass sie dem Schatten bereits näher war, als ich gedacht hatte. Sie nutzte ihre Sinne ganz selbstverständlich. Irves war offenbar ein guter Lehrer (noch ein Grund, warum ich ihm am liebsten wieder ins Gesicht gesprungen wäre). Und Zoës Antennen waren nun direkt auf mich ausgerichtet.

»Denk, was du willst«, knurrte ich. »Ich habe einfach nur versucht, es dir leichter zu machen und dich zu beschützen. Jetzt ist offenbar Irves dran. Viel Glück!«

Sie verzog den Mund zu einem schiefen Lächeln. Dennoch vibrierte Ärger in der Luft. »So wie in einem alten *Indiana-Jones*-Film? Eine schwache Frau, die in der Ecke steht und kreischt, während die Helden sie tapfer vor den Bösen beschützen – falls sie sich nicht gerade um sie prügeln? Siehst du mich so, Gil? Ist das alles, was uns verbindet?« Die Enttäuschung in ihrem Tonfall brachte mich noch mehr durcheinander als ihre bloße Gegenwart. Es gab viele Möglichkeiten, um meine Nervosität zu verbergen. Eine davon war, besonders hart gegen den Briefkasten zu schlagen, um die Verankerung auszuhebeln. Zoë zuckte bei dem Geschepper zusammen, aber sie blieb stehen und sah mir ruhig dabei zu, wie ich den Schlüssel aus der Mauerritze holte. Tja, und ab diesem Zeitpunkt hörte das Drehbuch bei mir auf. Sollte ich einfach an ihr vorbeigehen und sie hier draußen stehen lassen? Auf der einen Seite hätte ich sie am liebsten zum Teufel gejagt. Aber andererseits ...

»Was ist?«, fragte sie. »Bleiben wir jetzt hier stehen oder gehen wir in deine Wohnung?« Sie schluckte und fügte hinzu: »Können wir nicht einfach mal in Ruhe miteinander reden, ohne dass du irgendjemanden anfällst, mir ausweichst oder mich zum Teufel jagst?«

Vielleicht war es die Tatsache, dass sie ohnehin schon zu viel von meinem Schatten gesehen hatte. Es spielte keine Rolle mehr, wofür sie mich hielt. Das Spiel war gelaufen. Ich überlegte, wie lange es her war, dass ich jemanden durch meine Haustür gebeten hatte. Und kam zu dem Ergebnis, dass es tatsächlich eine Premiere war. »Fünfter Stock«, murmelte ich.

Bisher hatte ich immer gedacht, dass das Haus ganz passabel aussah. Aber jetzt kam es mir wirklich schäbig vor. Die Treppe knarrte unter unseren Schritten, und als ich das Licht in meiner Wohnung einschaltete, das ich sonst nie benutzte, fiel mir ein, dass es unnötig war, da

Zoë ja im Dunkeln genauso gut sah wie ich. Zoë trat so vorsichtig in mein Zimmer, als sei es ein verbotener Ort, und blickte sich um. Viel zu sehen gab es nicht. Eine winzige Dachkammer mit schrägen Wänden. So gut wie leer. Ein Regal mit Kleidung, ein Bett und die unbenutzte Küchenzeile. Nur der Kühlschrank brummte vor sich hin. Dazu offene Fenster. Papier raschelte: Meine Zeichnungen, die mit Reißnägeln an die Tapete gepinnt waren, atmeten im Wind. Die meisten davon waren Steckbriefe, aber da hingen auch einige meiner Porträts. Zum Glück befanden sich meine ganzen Skizzen von Zoë noch auf dem Zeichenblock.

Ich bezweifelte, dass die anderen Bilder Irves jemals aufgefallen waren. Zoë trat dagegen zielstrebig auf ein Bild zu, das ich aus dem Gedächtnis gezeichnet hatte, und betrachtete es eine ganze Weile. Ich wunderte mich über den argwöhnischen Blick. »Wer ist das?«

Ich verschränkte sofort die Arme, um meine Nervosität vor ihr zu verbergen. »Ghaezel. Meine ... meine Schwester.«

Der misstrauische Zug um ihren Mund verschwand und sie lächelte mir überrascht zu. »Sie sieht jemandem ähnlich, den ich kenne. Lebt sie noch in Paris?«

Ich nickte zögernd.

»Und die Kinder?«, wollte sie wissen.

»Neffe und Nichte. Isabelle ist erst ein Jahr alt. Thierry ist vier.«

»Mein Bruder ist fünf.«

Wieder eine Pause. Ihre Ruhe verunsicherte mich.

Und auch die Art, wie sie sich umsah, von Zeichnung zu Zeichnung ging und jede einzelne sorgfältig studierte. Bilder von Leuten aus Algier, ein Porträt von Charles (einem Freund, mit dem ich immer in den *Rues de la Casbah* herumgehangen hatte) – und schließlich meine Großmutter, die das Kochfeuer anfachte: Flammen zwischen drei Steinen, auf denen der Topf stand.

Dieses Bild betrachtete Zoë besonders lange. Im schwachen Schein der Fünfundzwanzig-Watt-Birne schien sie zu leuchten. Helle Haut, das zarte Profil und das Schneewittchenhaar, das ihr über den Rücken fiel. Doch dazu diese neue Facette, die Aufmerksamkeit eines Raubtiers. Es fühlte sich an wie Verrat. Ich schluckte und zwang mich dazu, den Blick abzuwenden.

»Du zeichnest wirklich gut«, sagte sie ehrfürchtig. »Du solltest etwas daraus machen. Du könntest Grafiker werden oder Illustrator.«

»Zoë, was willst du hier?«, fragte ich grob.

»Nur ein paar Antworten«, antwortete sie leise. »Ich kenne dich kaum.«

Dafür kennst du Irves umso besser.

»Du kommst aus dem Maghreb, aber du bist Franzose, oder? Und auch Muslim?«

»Kein Muslim«, erwiderte ich knapp. »Und zum Franzosen fehlt mir der Pass.«

»Auf der Brücke hast du mir erzählt, dass dein Vater Franzose war. Dann kannst du den Pass doch beantragen.«

Das wollte ich auch, dachte ich. *Bevor alles anders wurde.*

Sie wartete eine Weile auf eine Antwort, doch als ich hartnäckig schwieg, begann sie wieder zu sprechen: »Gut, dann fange ich eben bei mir an: Mein Vater stammt aus Kanada. Er kam als Austauschschüler hierher. Angeblich hat er indianische Vorfahren – ich glaube nicht, dass es stimmt, aber auf dem Foto, das ich von ihm habe, versucht er, wie ein Indianer auszusehen, und trägt das Haar lang. Meine Mutter und er waren beide erst sechzehn, als sie sich verliebten. Er war längst wieder in Kanada, als ich zur Welt kam. Ich habe ihn noch nie getroffen und weiß auch nicht, was er heute macht. Du hast gesagt, du hast ein paar Jahre bei den Nomaden gelebt? Wie bist du dann nach Paris gekommen?«

Sie hatte zweifellos ein gutes Gespür dafür, wie sie mich zum Reden bringen konnte. Geschichte gegen Geschichte. Meine Großmutter hätte jetzt anerkennend genickt.

»Mein Vater war Ingenieur in Algier«, erwiderte ich widerwillig. »Aber er starb bei einem Unfall. Meine Mutter wollte nicht zu ihrem Stamm zurückgehen, aber sie ließ Ghaezel und mich für ein paar Jahre bei ihren Verwandten, bis sie sich in der Stadt eine Existenz aufgebaut hatte. Sie arbeitete als Dolmetscherin – unter anderem für das Konsulat und für verschiedene Firmen aus dem Ausland. Sie plante immer, mit uns nach Frankreich zu gehen. Ich bin mit europäischen Märchen aufgewachsen – und sie sprach oft mit uns Französisch. Ein Bruder meines Vaters schickte Schulgeld, sodass ich ein paar Jahre auf die internationale Schule in Algier gehen konnte. So lernten wir auch noch Englisch. Ghaezel besuchte die Schule nur ein paar Jahre. Sie heiratete früh. Als meine Mutter vor zwei Jahren krank wurde und starb, ging Ghaezel mit ihrer Familie tatsächlich nach Paris. Thierry wurde schon in Paris geboren. Und ich reiste ihnen dann ein Jahr später nach. Ich wollte dort meinen Schulabschluss machen.«

Am Leuchten in ihren Augen erkannte ich, wie fasziniert sie von dieser Geschichte war. »Aber warum hast du Ghaezel verlassen und all das aufgegeben?«, fragte sie und beugte sich vor, um das Porträt meiner Schwester noch genauer zu betrachten.

»Das geht dich nichts an!«, entfuhr es mir.

Jetzt wirbelte sie zu mir herum. Ihre Augen funkelten. »Es geht mich sehr wohl etwas an! Ich weiß, du hörst es nicht gerne, aber ich bin eine von euch! Warum sollten wir Geheimnisse voreinander haben? Wir müssen zusammenhalten, gerade jetzt, da wir in Gefahr sind.«

»Darüber scheinst du dir ja nicht viele Gedanken zu machen, wenn du mit Irves durch die Clubs ziehst.«

»Irves ist nun mal der Einzige, der mit mir redet und kein Geheimnis um sein Leben macht.« Sie holte so krampfhaft Luft, als wollte sie sich mit aller Gewalt beruhigen. Dann fügte sie etwas freundlicher hinzu: »Ich will doch nur wissen, woran ich bin, und nicht ständig von dir abgewimmelt werden. Wenn es nur irgendein machohafter Beschützerinstinkt war, der dich dazu gebracht hat, mich von der Brücke zu holen, dann sag es mir! Aber hör auf, mich zu behandeln wie ein kleines Mädchen, das gefälligst zu denken und tun hat, was du ihm befiehlst.«

»Ich habe nur gesagt, du sollst dich von der Grenze fernhalten.«

»Nein, du hast einfach für mich entschieden, dass es nicht gut für mich ist. Nur weil du die Grenze fürchtest, muss ich es auch tun. Ich will es aber nicht! Zum ersten Mal in meinem Leben fühlt sich etwas richtig an. Und es ist sogar noch mehr: Es gefällt mir, das zu sein, was ich nun mal bin.«

»Hast du die Nachrichten nicht gesehen?«, brauste ich auf. »Der Mörder ist einer von uns! Wir sind zu so etwas fähig! Das ist die andere Seite.«

»Ich bin aber keine Mörderin. Und du bist auch kein Mörder.«

Beinahe hätte ich gelacht. Es wäre ein kaltes Lachen gewesen. »Du willst also wirklich wissen, warum ich meine Familie verlassen habe?«

Ich musste die Augen schließen. Plötzlich war alles wieder greifbar nah: die dunkle Straße, der Vorort von Paris, Ameisenbauten aus Beton. Schlechte Gegend, aber eine bessere Wohnung konnten Ghaezel und mein Schwager nicht bezahlen. Und dann die drei Typen, die mir auf den Fersen sind ...

»Dann erzähle ich dir mal von meinem ersten Sprung über die Brücke«, sagte ich leise. »Initiationsritus. Ganz ähnlich wie bei dir. Drei von uns jagten mich in meine neue Existenz. Und als ich wieder zu mir kam, saß ich auf dem Dach des Hauses, in dem meine Schwester wohnte. Und einer der drei lag unten und war tot.«

Zoës Augen waren groß. Klare, graue Seen, in denen sich meine Geschichte zu spiegeln schien. Ich schluckte krampfhaft. Meine Kehle war so trocken, dass jedes weitere Wort mühsam war.

»Ja, schau mich an. Der nette Gil, dein Schutzengel, der dich gerettet hat, war für einen anderen der Todesengel. Du denkst, der Schatten sei eine zahme Hauskatze, aber das ist er nicht! Du magst ihn so gut kennen, wie du willst, du kannst ihn nie wirklich einschätzen. Bin ich unschuldig, nur weil mein Schatten mich mitgerissen hat? Nein, Zoë. Ich bin ein Mörder. Und davor wollte ich dich bewahren.«

Ich hatte erwartet, dass sie geschockt sein würde. Dass sie vielleicht sogar einfach gehen würde. Aber sie sah mich nur an. »Erinnerst du dich daran?«, flüsterte sie. »Ich meine – an alles?« Das Mitgefühl in ihrer Stimme gab mir den Rest. Ich musste blinzeln und wegschauen.

»Nicht an jedes Detail, aber für meinen Geschmack immer noch an viel zu viel«, sagte ich heiser. »Daran, dass wir an den Balkonen entlang nach oben kletterten. Daran, dass ich fiel und beinahe selbst draufgegangen wäre. Aus dem zweiten Stock können wir gerade noch so runterspringen, ohne uns zu verletzen, aber aus dem siebten ... Das ist glatter Selbstmord. Die drei wussten es und haben mich trotzdem dazu gebracht, dass ich das Gleichgewicht verlor. Sie gehörten zu den ganz Großen, ich hatte keine Chance gegen sie. Einer zog mir die Krallen so dicht an den Augen vorbei, dass ich ausweichen musste. Ich stürzte ein Stockwerk tiefer, dann konnte ich mich im letzten Moment an einem Balkongeländer abfangen. Aber unten wartete schon der Nächste auf mich. Im Flashback habe ich gesehen, dass ich ausholte. Und wie er stürzte.« Ich blickte sie wieder an, aber in ihren Augen lag kein Abscheu, nur trauriges Erstaunen. »Im Fernsehen haben sie sein Bild gezeigt«, sagte ich heiser. »Er hatte sich beim Sturz das Genick gebrochen. Sein Messer wurde später in der Nähe gefunden, er hatte es beim Sturz verloren. Man sprach von Rachefehden in der Illegalenszene und durchsuchte das ganze Haus, weil man vermutete, dass ihn jemand vom Balkon gestoßen hatte. Er war bei der Polizei bekannt und ... ich kannte ihn auch.« Meine Augen waren so trocken, dass sie brannten. Ich musste mich dazu zwingen zu blinzeln, um wenigstens die schlimmsten Bilder zu vertreiben. »Ich hatte nicht gewusst, wen ich vor mir hatte. Als sie mich zu jagen begannen, habe ich die Gesichter nicht erkannt. Und im Flashback sah ich nur ihre Schatten. Erst als ich wieder zu mir kam und den Mann unten liegen sah, erkannte ich, dass es Khaled war. Ein Kumpel von meinem Schwager, ein Landsmann, der schon ein Jahr früher nach Paris gekommen war. Was er genau machte, wusste kein Mensch, er schlug sich irgendwie durch. Ghaezel vermutete, dass er mit gefälschten Markenuhren handelte, und wollte nicht, dass ihr Mann sich mit Khaled traf. Khaled war ein witziger Kerl, irgendwie mochte ich ihn sogar. Aber nun erkannte ich, dass er schon am Tag meiner Ankunft gewusst hatte, dass ich ein Läufer war. Und dass er einen ganz anderen Charakter hatte, wenn er im Schatten war. So wie ich auch. So wie jeder von uns, Zoë!«

Zoë wusste, sie hätte entsetzt oder zumindest erschrocken sein sollen, aber seltsamerweise gelang es ihr nicht. Im Gegenteil: Ihr kam es vor, als würde sie Gil zum ersten Mal wirklich sehen. In diesem Augenblick fügte sich alles zusammen und ergab endlich ein logisches Bild. Sie verstand seinen Widerwillen, seine Zerrissenheit und seine Angst vor der anderen Seite. Und auch den düsteren Glanz der Schuld, der ihn umgab.

»Ich bin einfach weggegangen«, schloss er. »Ohne meinen Pass in der Tasche, ohne Papiere, ohne einen Abschied. Weil ich mich an den Moment erinnerte, in dem für mich nichts mehr zählte.« Er hob den Blick. Seine Augen schienen zu glühen wie dunkle Flammen. »Verstehst du jetzt?«, sagte er sanft. »Auch dein Schatten kann dich zum Mörder machen. Zur Bestie.«

»Du bist kein Mörder!«, rief Zoë mit einer Bestimmtheit, die sie an sich selbst nicht kannte. »Du hast um dein Leben gekämpft und dich verteidigt. Es war ein Unfall. Und du hast nur einen Teil des Flashbacks gesehen, aus dem du alles andere schließt.«

Er antwortete nicht, aber sie konnte ihm ansehen, dass ihm diese Erklärung nicht genügte – und niemals genügen würde. Im Schein der Glühbirne betrachtete sie jeden Schatten und jede Linie in seinem Gesicht. Sie öffnete schon den Mund, um ihm zu sagen, dass sie in ihm keinen Mörder sehen konnte und ihm vertraute wie niemandem sonst – doch plötzlich kamen ihr alle Worte hohl und unglaubwürdig vor. Der Impuls kam ganz von selbst – ein sanftes Ziehen irgendwo in ihrer Brust, ein Sog, dem sie sich nicht widersetzen wollte. Sie machte einen Schritt auf Gil zu, nahm seine Aura wahr, das aufgeladene Flimmern von Rückzug und Sehnsucht.

Was tust du da?, schoss es ihr durch den Kopf, als sie noch einen weiteren Schritt wagte, obwohl sie Gils Abwehr spürte. Als würde die Luft sich dagegen sträuben und knistern.

Sie konnte die Wärme seines Atems auf ihrem Gesicht spüren. *Was, wenn er mich zurückstößt? Was, wenn wir nicht mehr das empfinden, was Menschen dabei fühlen? Küssen sich Panthera überhaupt? Lieben sie sich?*

Für einen Sekundenbruchteil meldete sich auch ihre vernünftige Stimme: *Was soll das werden? Du hast gerade erst eine gescheiterte Liebe hinter dir.*

Dann hüllten schon alle Facetten von Wüstensand bis zu Sandelholz sie ein wie ein warmer Schleier, Hautduft – ein Bild von Gil, das sie auch in absoluter Dunkelheit vor sich gesehen und gespürt hätte. Und plötzlich war es einfach. Sie überließ sich ihm – so wie auf der Brücke, als sie beschloss, die Strebe loszulassen. Er wich nicht zurück, als sie die Arme um seinen Hals legte. Diesmal hing ihr Leben nicht davon ab. *Aber vielleicht deines, Gil?*

Wie in Trance nahm ich wahr, dass sie die Arme um meinen Hals schlang und mich küsste. Ich hatte mich immer gefragt, wie es sein würde – und ob es sein durfte. Hatten wir Gefühle wie Menschen? Oder galten nur noch die Instinkte? Nun erfuhr ich, dass ich mich in jedem einzelnen Punkt geirrt hatte. Es fühlte sich vollkommen richtig an. Und es überwältigte mich ganz und gar: kühle Lippen, ihr Duft, der mich schwindelig machte. Es war wie ein Eintauchen in eine andere Welt. Tasten und riechen, eine Wahrnehmung, die wie ein Sehen mit allen Sinnen war. Nur kurz blitzte das schrecklichste Bild in meinen Gedanken auf – das, was ich vor Zoë verheimlicht hatte: den Moment, als ich durch das Glas der Balkontür geblickt und unschuldige Menschen als Beute betrachtet hatte. *Was, wenn ich dich so sehen würde, Zoë? Was, wenn ...*

Und trotzdem legte ich die Arme um sie und zog sie an mich. Trotzdem erwiderte ich ihre Küsse nun mit aller Leidenschaft. Ich spürte ihren Körper an meinem, ihren schnellen Herzschlag wie in jener Nacht im Gestänge der Brücke. Ich spürte die Zärtlichkeit eines Menschen für sie und nahm dennoch alle Facetten des Schattens wahr. Und dann hörte ich endgültig auf, darüber nachzudenken – und es gab nur noch Zoë und mich.

»Siehst du«, sagte sie leise, als wir uns nach einer ganzen Weile voneinander lösten. »Wir sind keine Bestien. Denn Bestien verlieben sich nicht.«

Oh doch, Zoë, das tun sie! Doch natürlich sagte ich ihr das nicht. Dieser Augenblick war viel zu kostbar, um zerstört zu werden.

»Und was ist mit Irves?«, gab ich zurück.

Ich wusste, dass ich wie ein eifersüchtiger Idiot klang, aber ich konnte nicht anders. Sie lachte und strich mit ihren Lippen über meinen Mundwinkel. Ihre Worte spürte ich an meinen Lippen – einen Strom von warmen Morsezeichen aus Luft.

»Ich küsse dich und nicht ihn, oder?«, sagte sie.

Ich ließ sie nur widerwillig los, als sie einen Schritt zurücktrat. Sie musterte mich und ich stellte fest, dass ich sie noch nie so lange hatte lächeln sehen.

»Ich mag Irves«, sagte sie. »Das ist alles.«

Mein Handy surrte, ein misstönendes Geräusch, das uns beide in das Zimmer zurückkatapultierte, als würde man mitten im Traum mit einer Ohrfeige geweckt.

Zoës Miene veränderte sich. Das Weiche verschwand. Plötzlich sah sie besorgt aus.

»Geh ran«, forderte sie mich auf. »Vielleicht ist es Irves.«

Am liebsten hätte ich es ausgeschaltet, aber dann riss ich es genervt aus der Tasche. Gizmo.

»Ist Rubios Mail angekommen?«, fragte ich ohne Umschweife. Bei der Erwähnung dieses Namens runzelte Zoë die Stirn.

»Nein«, sagte Gizmo. »Wollte nur sagen, dass ich für heute Schluss mache. Ich lege dir die Bilder ins Postfach. Irves habe ich sie auch geschickt. Und die Aufzeichnungen von den Nachrichten, die du letzte Woche haben wolltest, habe ich dir im MPEG-4-Format geschickt. Hast du Rubio gefunden?«

»War nicht da. Ich gehe morgen zum Lindenplatz.«

»Denkst du, er ist abgehauen?«

Es war wirklich schwierig, in dieser Situation klar zu denken. Mein Herz raste immer noch, meine Gedanken waren ein einziges Chaos. Und dennoch war es einfach, zumindest diese Frage eindeutig zu beantworten.

»Nein, ich glaube nicht, dass er schon abgereist ist. Sein Bett war unberührt, aber seine ganzen Sachen stehen noch im Zimmer – mehr konnte ich durch das Fenster nicht sehen. Und dass die Mail immer noch nicht da ist ... Ehrlich gesagt, ich mache mir Sorgen.«

»Sollen wir nicht doch bei ihm einbrechen?«, fragte Gizmo.

»Panzerglas und Sicherheitstüren«, erwiderte ich.

»Rubio?«, fragte Zoë so laut, dass auch Gizmo es hören musste. »Meint ihr Dr. Gabriel Rubio, der früher mal Psychiater war und im Krankenhaus gearbeitet hat? Der Rubio, der im Rollstuhl sitzt?«

Ich hatte nicht gedacht, dass mich an diesem Abend noch etwas überraschen könnte.

»Ich rufe dich zurück«, sagte ich zu Gizmo und legte auf. Zoë sah mich immer noch fragend an. »Ja, dieser Rubio«, beantwortete ich ihre Frage. »Warum?«

»Er gehört zu uns?«, rief sie. »Warum hast du mir das nicht gesagt? Sein Porträt ist nicht bei den Steckbriefen, die du mir geschickt hast!«

»Das war nicht nötig. Er kann keinem von uns gefährlich werden.«

Zoë lachte und jetzt sah ich wieder das Raubtierhafte in ihren Zügen aufblitzen. Einen Hauch von Ärger. »Siehst du, das meinte ich: Keiner erzählt mir das, was ich wirklich wissen muss. Du machst dir Sorgen um ihn? Denkst du, der Mörder ...«

»Ich weiß es nicht. Gizmo hatte gerade die glorreiche Idee, bei ihm einzubrechen, um zu sehen, wo er abgeblieben ist. Typisch Giz: Hauptsache, er kann die Polizei auf unsere Spur bringen.«

Diesmal hatte ihr Lächeln etwas Spöttisches. Sie legte den Kopf in den Nacken und hatte nun ganz den Ausdruck einer listigen Katze. »Hättest du mich gleich eingeweiht, dann hättet ihr drei euch eine ganze Menge Handygebühren sparen können«, sagte sie. »Denn zufälligerweise«, sie hob vielsagend die linke Augenbraue, »komme ich nämlich problemlos an Dr. Rubios Wohnungsschlüssel.«

Ich musste ziemlich fassungslos aussehen, denn ihre Augen blitzten amüsiert auf, als sie wieder zu mir trat. »Ab jetzt keine Geheimnisse mehr!«, befahl sie.

Sie grinste und zupfte etwas vom Saum meines T-Shirts. Es war die kleine Plastikscheibe, in die ich vor Rubios Haus getreten war. »Oh, eine Kontaktlinse«, sagte Zoë. »Sie ist blau eingefärbt.«

Schlüssel

Es gab auch praktische Seiten an unserem Dasein. Eine davon war die Tatsache, dass ich mir Entschuldigungen sparen konnte. Wir konnten uns an einem Abend an die Gurgel gehen, aber wenn wir uns das nächste Mal trafen, war der Stand wieder bei 0:0. Neuer Tag, neues Spiel. Zumindest bei Irves, Gizmo und mir war es so. Als ich Irves auf dem Rückweg von Zoës Wohnung anrief, hörte er nur schweigend zu, sagte »Okay« und legte auf. Kein Wort über die blutige Nase und auch keines über Zoë. Um Punkt neun Uhr war er im Café am Lindenplatz, ohne seinen Mantel, ganz schlicht in T-Shirt und Cargohose, mit winzigen Augen, und blinzelte im Tageslicht wie ein Maulwurf. Aber wahrscheinlich sah ich ebenso fertig aus. Nachdem ich Zoë nach Hause begleitet hatte (zumindest dagegen hatte sie nichts), hatte ich auf meinem Dach gesessen und zugeschaut, wie die Nacht und die aufgehende Sonne die Spiegelungen auf dem Flusswasser verwandelten. Ich hatte dem Gesang der erwachenden Stadt gelauscht in der Hoffnung, das Chaos in meinem Inneren wenigstens sortieren zu können. Keine Chance. Es war eher schlimmer geworden. Auch jetzt war die Erinnerung an unseren Kuss so ge-

genwärtig, dass ich völlig neben der Spur war. Ich war sicher, Irves musste alle Signale so deutlich empfangen, als würde ich ihm ins Ohr schreien, was zwischen Zoë und mir los war. Aber er blickte nicht einmal auf, als ich mich zu ihm setzte, sondern rührte weiter in seinem Kaffee. Nun, vielleicht war ich doch ganz gut darin, so zu tun, als wäre alles in Ordnung. Als Irves sich endlich mir zuwandte, erkannte ich, dass das linke Jochbein lila schimmerte und die Nase an der Seite angeschwollen war. Ich konnte nicht sagen, dass ich stolz darauf war. Aber ich schämte mich auch kein bisschen dafür.

»Hi, Loverboy«, sagte er mit einem süffisanten Grinsen. So weit zum Thema, dass ich meine Schwingungen vor Irves abschirmen konnte.

Er musterte mich und deutete dann auf meine neue Schramme am Hals und die ramponierten Fingerknöchel. »War Zoë wenigstens beeindruckt?«

»Maul, Casanova!«, fuhr ich ihn an.

Irves lachte. »Ich hatte ja gehofft, dich gestern ein bisschen mehr aus der Reserve locken zu können«, bemerkte er. »Aber du klammerst dich wirklich mit Zähnen und Klauen am alten Gil fest.«

Ich hatte mir vorgenommen, die Sache ruhen zu lassen, aber jetzt konnte ich mich doch nicht zurückhalten. »Warum schleppst du sie durch die Clubs?«, fragte ich. »Was zum Teufel hast du dir dabei gedacht?«

Irves zuckte mit den Schultern und hob die Tasse an die Lippen. Ich konnte kaum mitansehen, dass er tatsächlich einen Schluck von dem Kaffee trank. Prompt verzog er angewidert den Mund und stellte die Tasse so hart ab, dass der Kaffee über den Rand schwappte.

»Immer noch ekelhaft«, meinte er. »Wenn ich daran denke, dass ich mal fast ausschließlich von Kaffee gelebt habe ...«

»Ich habe dich was gefragt, Geistermann!«

Er lächelte nicht mit dem Mund, nur seine Augen wurden schmaler. Ich konnte das dunkle Rot seiner Netzhaut durch die Pupillen sehen – und das Schimmern des Raubkatzenblicks.

»Zoë versteht wirklich etwas von Musik«, sagte er dann. »Und sie gefällt mir.« Seine Augen bekamen den faszinierten Schimmer, den ihm sonst nur ein neues Musikstück entlocken konnte. Unter der Tischplatte ballte ich die Hände zu Fäusten. Die Eifersucht fühlte sich an wie ein Schauer aus scharfkantigen Spänen, die durch meine Brust schnitten. »Sie ist wie ich«, fügte Irves leise hinzu. »Sie braucht keinen, der ihr sagt, wo es langgeht. Und sie kann sehr gut auf sich selbst aufpassen.« Er grinste noch breiter. »Sie ist ziemlich cool. Das Einzige, worüber sie sich beschwert hat, als ich sie vor ein paar Tagen abgeholt habe, war, dass sie schon ihr zweites Paar Schuhe verloren hat, seitdem sie sich verwandelt. Im Gegensatz zu dir trauert sie nur ihren Klamotten hinterher, nicht ihrer früheren Existenz.«

Zwei Paar Schuhe?, dachte ich. Er senkte die Stimme und flüsterte: »Ich glaube, wenn sie will, kann sie ein richtiger Killer sein.«

»Mach keine Witze darüber«, herrschte ich ihn an. »Du willst was von ihr, stimmt's?«

»Klar. Versuchen kann man's ja mal«, erwiderte er. »Aber vermutlich musst du dir keine allzu großen Sorgen machen. Zumindest nicht im Moment. Zurzeit steht sie offenbar mehr auf die geheimnisvollen Weltschmerz-Typen mit der dunklen Vergangenheit. Was ...«, er hob vielsagend die linke Augenbraue, »... ja nicht zwangsläufig so bleiben muss.«

Immerhin spielte er kein falsches Spiel. Die Karten lagen auf dem Tisch. Trotzdem tat es mir leid, ihm gestern nicht noch ein zweites Veilchen verpasst zu haben.

»Mach dir nicht allzu viele Hoffnungen«, erwiderte ich kühl.

»Hoffnung ist was für Weicheier«, erwiderte er und grinste. »Also, wie sieht unser Plan aus?«

Ich blickte auf die Uhr über der Theke. Zehn nach neun und weder Zoë noch Gizmo waren bisher aufgetaucht.

»Zoë bringt die Schlüssel mit, ich gehe rein und schaue mich bei Rubio um. Vielleicht finde ich seine Fotos. Irgendwas hat es mit den Bildern auf sich. Du und Gizmo, ihr haltet draußen die Stellung und warnt mich, wenn einer von der Gemeinschaft aufkreuzt. Zweimal klingeln, dann komme ich runter.«

Irves war schlagartig ernst geworden. »Gut. Dann fehlen jetzt also nur noch fünfzig Prozent unserer Gang.«

Ich nickte und zückte das Handy. Gerade als ich Zoë anrufen wollte, sah ich sie zu meiner Erleichterung schon aus der U-Bahn-Station kommen. In diesem Moment war es mir plötzlich sogar egal, dass Irves mitbekam, was mit mir los war. Wow! Das war eine ganz neue Art von Flashback. Einer in Farbe, ein Feuerwerk aus Euphorie und Sehnsucht, Triumph und Fassungslosigkeit. *Mein Mädchen!* Ich hatte gedacht, ich könnte ganz neutral bleiben und so tun, als wäre gestern Nacht nichts gewesen. Aber jetzt konnte ich nicht anders, als sie einfach nur anzustarren wie ein verliebter Idiot. (Verliebt, hoffnungslos verloren?)

Sie zögerte auf der letzten Treppenstufe, sah sich gehetzt zum Café um und entdeckte mich. Ihr Lächeln entfachte das nächste Feuerwerk in meinem Inneren. Sie winkte mir zu, nach draußen zu kommen, ließ ihren Blick kurz über den Platz schweifen und ging dann schnurstracks auf Rubios Haus zu. Das holte mich mit einem Schlag auf den Boden der Realität zurück. Warum kam sie nicht zu uns? Aber dann erkannte ich, dass sie nicht allein war. Meine Freude darüber, sie zu sehen, verwandelte sich in Bestürzung. Sie hatte einen kleinen Jungen an der Hand und eilte mit ihm über den Platz.

»Was soll das denn?«, fragte Irves mit gerunzelter Stirn.

»Das frage ich mich allerdings auch«, murmelte ich und sprang auf. »Halte die Augen offen!«

Zoë stand schon vor Rubios Tür, als ich zu ihr trat. Bei meinem Anblick huschte wieder dieses Lächeln über ihr Gesicht und für eine Sekunde war die gestrige Nacht ganz nah.

»Das ist mein Bruder Leon«, sagte Zoë leise und deutete auf den Jungen. »Leon, das ist Gil, ein ... ein Freund von mir.«

Ich zwang mich zu einem Lächeln. »Hallo.« Mehr brachte ich nicht heraus.

Leon kniff die Augen zusammen, musterte mich für einen Moment misstrauisch, dann schien er zu akzeptieren, dass ich dazugehörte, und murmelte etwas, was wie ein Hallo klang. Er war ein hübscher Junge. Die Ähnlichkeit mit Thierrys trotzig frechem Blick gab mir fast den Rest. Zoë zog ein rotes Schlüsselmäppchen unter einem Stoffband an ihrem Handgelenk hervor und trat ohne weitere Erklärungen zur Tür. Sie war blass und ich konnte sehen, dass ihre Hände zitterten.

»Warum bringst du deinen Bruder mit?«, flüsterte ich ihr zu. Sie zuckte verlegen mit den Schultern. »Ich habe dir doch erzählt, dass ich Streit mit meiner Mutter hatte. Heute Morgen hat es richtig geknallt. Da ist sie einfach gegangen und hat mich mit Leon sitzen lassen. Ich habe sofort Paula angerufen, aber sie war nicht da. Und ich kann ihn ja schlecht allein in der Wohnung lassen!«

»Nein, da ist es auf jeden Fall besser, ihn zu den Panthera mitzunehmen«, erwiderte ich. Die Stimmung kippte auf der Stelle. Jetzt konnte ich ihre ganze Ratlosigkeit spüren, die Nervosität und Sorge um den kleinen Bruder, und schalt mich für meine sarkastische Bemerkung.

»Jetzt mach du mir nicht auch noch Vorwürfe!«, fuhr Zoë mich an.

Ich leckte mir nervös über die Lippen. Ich fühlte mich alles andere als wohl, hier vor Rubios Tür, gefasst darauf, dass jederzeit *Julian & The Gang* hier aufkreuzen könnten. »Sollen wir ihn dann nicht lieber zu Irves ins Café bringen?«, schlug ich vor.

Besorgt sah sie über die Schulter und schüttelte den Kopf. »Und was, wenn die anderen auftauchen, während wir in der Wohnung sind? Nein, dann ist es hinter der Stahltür und hinter Panzerglas sicherer. Ich lasse dich rein und warte mit dem Kleinen unten bei den Briefkästen.«

»Gizmo ist aber noch nicht da.«

»Dann hat Gizmo eben Pech gehabt«, erwiderte sie unwillig und öffnete die Tür.

Ich musste zugeben, dass ich mich sofort sicherer fühlte, als die schwere Metalltür sich hinter uns schloss. Zoë öffnete rasch den Briefkasten (leer), dann drückte sie mir das Schlüsselmäppchen in die Hand.

»Alle Schlüssel mit rotem Gummirand gehören zur Wohnung«, flüsterte sie.

»Warum flüsterst du?«, sagte Leon laut und rülpste.

»Scht!«, befahl ihm Zoë. »Ich habe es dir doch erklärt. Geheime Mission. Wir sind Geheimpolizisten.«

Leon grinste wie ein Vampir mit Zahnlücke und schlug sich die Hand vor den Mund.

Ich schnappte mir die Schlüssel und sprintete die Treppenstufen hoch. Ich konnte hören, dass das Haus leer war. Kein Widerhall von Schritten oder Stimmen war durch die Wände zu hören. Auch als ich an Rubios Tür hämmerte, rührte sich nichts.

Schließlich schloss ich die Tür auf – drei Sicherheitsschlösser schnappten nacheinander auf. Es hatte etwas Unheimliches, Rubios Reich als Eindringling zu betreten. Ich fühlte mich wie ein Verräter. Ich erwartete, dass er jeden Augenblick mit gezücktem Revolver auf mich zurollen würde, aber die Wohnung roch unbewohnt, als sei sie schon seit Tagen verlassen. Ich nahm nur die Reste eines penetrant süßlichen Duftes wahr, der so gar nicht hierherpasste. Auf Zehenspitzen schlich ich zum Wohnzimmer und stieß die Tür auf. Alles war unberührt.

Das Bett – ein Modell aus Metall, wie es auch im Krankenhaus zum Einsatz kommt – stand direkt am Fenster, das Kopfteil so weit hochgestellt, dass Rubio immer nach draußen sehen konnte. Auch im Nebenzimmer fand ich nichts. Regale, Stapel von Konserven, die sich neben und auf den Schränken türmten. Kein Computer weit und breit. Keine Bilder. Es machte fast den Eindruck, als hätte Rubio gar nicht hier gelebt.

»Zoë!«, rief ich ins Treppenhaus hinunter. »Es ist keiner da. Hat deine Mutter dir erzählt, wann genau Rubio abreisen wollte?«

Ein Zögern unten, dann eine geflüsterte Diskussion. Ein paar Augenblicke später kamen sie schon zu zweit die Treppe hoch.

»Nein, aber er wäre garantiert nicht so überstürzt

gegangen«, sagte Zoë. »Und niemals, ohne ihr Bescheid zu sagen. Außerdem hat er ihr noch nicht einmal das Geld für letzten Monat gegeben.«

»Weißt du, ob er einen Computer in der Wohnung hatte?«

Sie überlegte kurz, dann streckte sie die Hand aus. »Gib mir den Schlüssel. Er hat neulich mal die Wohnung umgeräumt. Meine Mutter hat ihm geholfen. Sie erzählte mir, dass sie den Monitor auf den Dachboden bringen musste.« Sie nahm das Mäppchen und beugte sich dann zu ihrem Bruder herunter. »So, Löwe«, sagte sie. »Jetzt gehen wir noch mal kurz nach oben, dann sind wir schon fertig mit dem Besuch.«

Wenig später wusste ich, warum es in Rubios Wohnung dunkel gewesen war, während er am Computer saß. Sein Arbeitsraum – wenn man den fensterlosen Verschlag so nennen konnte – befand sich zwei Stockwerke höher, direkt unterm Dach. Die unscheinbare, quadratische Tür (gerade breit und hoch genug für einen Rollstuhl) war abgeschlossen. Zoë stieß die Tür ganz auf.

»Geh vor!«, sagte sie leise und legte Leon die Hände auf die Schultern.

Ich wusste, dass etwas nicht stimmte, als ich sah, dass der Rechner lief. Der Bildschirmschoner zog bunte Kreise über den Monitor und tauchte den Raum in ein diffuses Aquariumlicht. Im Raum war es so stickig und heiß, dass mir auf der Stelle der Schweiß ausbrach. Irgendwo in der Ecke roch es nach angeschmortem Kabel. Der Rechner war eine uralte Kiste, schon vergilbt. Neben der klotzigen Tastatur lagen ein paar Ausdrucke und einige handschriftliche Notizen.

»Komm rein!«, rief ich Zoë zu.

»Nichts anfassen!«, schärfte sie Leon noch einmal ein, dann schoben die zwei sich in den Raum. Leons Augen waren groß, in ihnen leuchtete die Faszination eines Jungen, der Räuberhöhlen und Abenteuer liebte.

»Cool!«, sagte er und grinste breit. Unwillkürlich brachte er mich damit zum Lächeln.

Ich beugte mich zum Monitor und tippte die Maus an. Die wabernden Kreise verschwanden, stattdessen sprang mir eine Mail entgegen. Wie in einer Filmsequenz stellte ich mir die Szene vor: Rubio tippt gerade diese Mail, als ich anrufe. Jemand klingelt, Rubio unterbricht das Telefonat und steht auf. Nicht um das Haus zu verlassen. Im Gegenteil.

»Er hat jemanden erwartet«, sagte ich leise. »Und offenbar sollte es nicht lange dauern, sonst hätte er die halb fertige Mail gespeichert und die Programme geschlossen. Oder den Rechner ganz ausgemacht.«

Zoë deutete auf den Bildschirm. »Die Nachricht hier ist für dich.«

Ich überflog die Zeilen.

Das ist meine letzte Botschaft an dich, Gil. Meine Koffer stehen gepackt im Wohnzimmer. Ich verlasse noch heute die Stadt. Zugegeben etwas überstürzt, aber es ist nicht mehr sicher hier – auch nicht für mich. Du wolltest immer wissen, was das Geheimnis unserer Existenz ist. Du leidest daran, doch das Einzige, was es zu leiden gibt, ist, dass wir Wesen einer sterbenden Bestimmung sind. Wir waren stark und mächtig! Wir haben Götter getragen. Wir waren selbst Götter. Wir waren Wächter der Geheimnisse unserer Existenz und die Wächter derer, die ihren Schatten wieder gehen ließen. Die Menschen brauchen unseren Schutz. Diejenigen, die wir lieben – und diejenigen, die zu schützen wir uns entscheiden. Nur dafür haben wir unsere Fähigkeiten. Doch die Zeit der Helden und Götter ist vorbei. Die Aasfresser warten nur darauf, die elenden Reste einstiger Größe zu verschlingen. Und wir haben es nicht besser verdient, zu schlecht haben wir unseren Auftrag erfüllt. Auch du gehörst zur sterbenden Generation, Gil, der Zauderer, Gil, der Heimatlose. Aber in dir ist wenigstens noch ein Funken des alten Lichtes. Du hast ein Gewissen, du willst erkennen und verstehen. Du haderst mit dir. Das ist gut. Denn entscheiden kannst du erst, wenn du den Mut hast zu sehen: Töte den Löwen, Gil. Oder lasse den Schatten in dein Herz. Es ist dasselbe, ausgedrückt nur durch verschiedene Bilder. Dann kannst du werden, was du willst, die Welt und alle Entscheidungen stehen dir offen. Werde ...

Hier hatte er aufgehört zu schreiben. Ich widerstand der Versuchung, dem Monitor einen Tritt zu versetzen. Leon schien den Stimmungsumschwung zu spüren. Er wurde unruhig und zupfte an Zoës Jacke. »Gehen wir wieder runter? Mir ist langweilig«, beschwerte er sich.

Zoë griff ungeduldig nach einem Kopfhörer, der auf dem Tisch lag, stöpselte ihn mit fliegenden Händen in ihr Handy ein und rief irgendein Spiel auf. Leons Gesicht hellte sich sofort auf. »Ich will das Fußballspiel!«, rief er.

»Ja, hier ist es«, sagte Zoë ruhig. »Spiel eine Runde, du weißt ja, wie es geht.«

Der Kleine kletterte auf einen Korbstuhl, der in der Ecke der Kammer stand, und war wenige Sekunden später in seiner eigenen Welt versunken. Selbst durch die Kopfhörer konnte ich das Gedudel der Spielmusik hören.

Zoë wandte sich wieder dem Monitor zu. »Sieh nach, ob es weitere Mails gibt.«

Viel hatte Rubio nicht geschrieben. Einige Mails an mich, ein paar Nachrichten an ehemalige Kollegen und die Telefongesellschaft. Eine Mail an eine Maklerfirma, die seine Wohnung verkaufen sollte. Ich überflog sie nur kurz. »Ihm gehört nicht nur die Wohnung, sondern das ganze Haus«, murmelte ich. »Das erklärt, warum auch die anderen Wohnungen leer stehen.«

Ich klickte die Mails weg und durchsuchte die Festplatte nach Bildern. Aber Rubio gehörte noch zur alten Garde. Keine Digitalfotos. Alles, was ich fand, waren drei Worddateien. »Klassifizierung«, »Geschichte« und »Thesen«. Klang sehr rubianisch. Kurzerhand leitete ich sie einfach an meine Mailadresse weiter – und dazu alles andere, was ich auf der Festplatte fand.

»Er muss also die Fotos mitgenommen haben«, stellte Zoë fest.

»Mitgenommen? Ich glaube nicht, dass er freiwillig gegangen ist. Keiner geht und lässt den Computer an. Ich sehe mich noch einmal in der Wohnung um.«

»Ich komme mit!« Sie beugte sich zu ihrem Bruder und hob einen Kopfhörer an. Ihr Lächeln war warm und berührte mich. Ich schickte in Gedanken Gizmo und Irves mit ihrem hirnrissigen Verdacht gegen Zoë zum Teufel.

»Du bleibst hier, Löwe, klar?«, befahl sie. »Wir schauen unten in der Wohnung kurz etwas nach und kommen dann gleich wieder. Rühr dich nicht von der Stelle.«

Die Zärtlichkeit in ihrer Stimme brachte etwas in mir zum Klingen. Ich glaube, es war genau dieser Augenblick, in dem ich mir endgültig eingestand, was ich für sie empfand. Man kann jemanden für seine Güte lieben oder für seinen Mut. Ich liebte Zoë für ihren Trotz, sogar für ihren Zorn, vor allem aber für diese Verletzlichkeit. Für die Liebe und Behutsamkeit diesem kleinen Jungen gegenüber. Für die Hoffnung, die sie mir dadurch gab.

Leon nickte und spielte weiter, ohne aufzublicken. Wir gingen hinaus und schlossen die Tür zur Dachkammer.

Ganz von selbst fanden sich auf dem Weg nach unten ihre Hände, verflochten sich die Finger. Die Berührung war immer noch fremd, umso fester umschloss Zoë Gils Linke. Sie war kräftig und sehnig und Zoë erinnerte sich mit einer seltsamen Scheu daran, wie Gil sich an den Streben der Brücke hochgezogen hatte: ruhig, überlegt und mit dieser verhaltenen Kraft, die er auch jetzt ausstrahlte. Es war nicht die richtige Zeit dafür, doch hier, im gefährlich stillen Auge des Sturms, konnte sie nicht anders, als ihn verstohlen von der Seite zu mustern. Sie musste blind gewesen sein, als sie sich an der Bushaltestelle mit ihm gestritten hatte. Immer noch strahlte er dieses Dunkle, Bedrohliche aus, aber seit gestern erschien es ihr wie ein düsterer Glanz, der ihm trotz seiner herben Gesichtszüge etwas Leuchtendes und Schönes verlieh. Unwillkürlich musste sie lächeln. *Gil!* Sie konnte es immer noch nicht ganz begreifen. Er bemerkte ihren Blick und sah sie ebenfalls an. Sein Lächeln nahm ihr den Atem. Als hätte sie den stummen Impuls dazu gegeben, blieben sie beide vor der letzten Treppe zum zweiten Stock stehen. Zoë wartete nicht darauf, dass Gil sie an sich zog, sondern trat zu ihm. Sie betrachtete ihn lange – den Schwung des Mundes, die fast bronzefarbene Haut und die dunklen Augen, Katzenaugen mit pulsierenden Pupillen, die dennoch so menschlich waren, dass sie Gils ganze Zärtlichkeit darin sah. Sie dachte nicht länger nach, sondern küsste ihn einfach. Seine Lippen waren so warm, als hätte er Fieber – und die Berührung ließ die Hitze auf sie überspringen, entfachte einen Funkenregen von Empfindungen auf ihrer Haut. Sie schloss die Augen und sog den Duft nach Wüste ein. Es war verrückt, sich so zu vergessen. Oben saß Leon – und draußen lauerte die Gefahr. Irves wartete sicher ungeduldig darauf, dass sie das Haus wieder verließen. Und dennoch gab es für ein paar Sekunden nur noch sie und Gil auf dieser Insel zwischen den Treppen. Ein kleiner, geschützter Raum im Chaos, in dem sie sich geborgen fühlte. Als sie nach dieser Ewigkeit die Augen blinzelnd wieder öffnete, war es, als würde sie aus einem warmen, sanft glühenden See auftauchen, noch schwindelig und benommen von Gils Duft und seinem Kuss.

»Wir ... müssen gehen«, sagte er mit heiserer Stimme. Seine Iris war schwarz, aber heute fürchtete sie sich nicht vor dieser Dunkelheit.

»Ich weiß«, gab sie ebenso leise zurück. Doch ein, zwei Herzschläge lang blieben sie noch eng umschlungen stehen. Dann war es Gil, der als Erster wieder zur Vernunft kam und widerwillig einen Schritt Abstand zwischen sie brachte. Nur ihre Hände ließ er nicht los. Behutsam zog er ihre Rechte hoch und küsste sanft die Handfläche. »Wenn ich nicht aufhöre, dich zu küssen, verliere ich auch noch den letzten klaren Gedanken«, sagte er mit einem verschmitzten Lächeln. Jetzt musste auch Zoë lachen.

Gemeinsam gingen sie die Treppe zu Rubios Wohnung hinunter. Als hätten sie ihre Insel hinter sich gelassen, holte Zoë die Wirklichkeit bei jeder Stufe ein bisschen mehr ein. Ihre Hände fühlten sich klamm an, als sie die Wohnungstür aufstieß. Sie holte tief Luft und zwang sich dazu, sich wieder auf ihre Aufgabe zu konzentrieren. Dann betraten sie Seite an Seite Dr. Rubios verbotenes Reich.

In der Wohnung fand sich nichts. Leere Fotohüllen vom Drogeriemarkt auf dem Schreibtisch, das war die ganze Ausbeute. »Vielleicht in den Schränken«, sagte Zoë und ging in das zweite Zimmer. Im ersten Impuls wollte ich ihr folgen, doch dann riss ich mich zusammen und trat stattdessen zum Bett. Ich beugte mich zum Fensterbrett vor und spähte hinaus. Der Platz war leer, also öffnete ich das Fenster und blickte zum Café. Irves saß mit dem Handy im Anschlag direkt an der Frontscheibe. Er entdeckte mich und zuckte mit den Schultern: *Immer noch kein Gizmo.* Ich nickte, dann trat ich zum Schreibtisch und zog die Schublade auf. Unwichtige Papiere, Notizen, Gebrauchsanweisungen – doch auch, ganz unten, ein Foto. Ausgebleicht und grünlich verfärbt, mindestens zwanzig Jahre alt.

Ich hob das vergilbte Bild ans Licht. Und vergaß für einen Augenblick die Zeit.

Die Gemeinschaft! Barbara. Maurice. Julian und die anderen. Nur Rubio war nicht dabei. Vermutlich hatte er das Foto geschossen. Es gab mir einen Stich, die Gruppe zu sehen. Vielleicht weil alle Mitglieder einfach nur glücklich wirkten. Auf dem Foto waren sie kaum älter als wir. Lachend standen sie vor dem Planetarium. Auf einem Metall-Orbit saß Eve, zierlich, blond, mit strahlenden Augen. Glatze hatte noch Haare und führte sie in Form einer grottenhässlichen Achtzigerjahrefrisur spazieren, Schnauzbart inklusive. Marcus trug eine Bomberjacke und schwenkte eine Bierdose. Ganz am Rand stand ein junger Mann, der stolz eine Polizeimarke in die Höhe hielt, als hätte er sie gerade erst bekommen. Auch er lachte. Das musste Pablo sein. Das Schlimmste und das Beste an dieser Stadt – auf diesem Bild war es versammelt. *Ungeheuer und Helden.* Ich zögerte einen Moment, dann steckte ich das Foto kurzerhand ein und schob die Schublade wieder zu. Als ich zurücktrat, fühlte ich etwas unter meinem Fuß. Auf dem Boden, halb verborgen im hellen Teppich, lag eine winzige, zerbrochene Holzfigur. Es war der Löwenmensch aus der Steinzeit. Vielleicht war er vom Schreibtisch gefallen und jemand war daraufgetreten? Ich ging in die Hocke und spähte unter den Tisch. Es war einiges heruntergefallen: ein Brieföffner, Heftklammern und Kulis. Und mittendrin eine Visitenkarte, die wohl auf dem Tisch gelegen hatte, damit sie für Rubio in Reichweite war. Ich hob sie auf.

»Gil?«

Es war nicht mehr als ein Flüstern, aber da war etwas in Zoës Tonfall, das alle Alarmsirenen schrillen ließ.

Ich steckte die Visitenkarte in meine Hosentasche und rannte los. Im angrenzenden Zimmer war sie nicht, also stürzte ich auf den Flur. »Zoë?« Ich wusste nicht, warum ich flüsterte. Außer uns war schließlich niemand im Haus.

»Hier!« Ihre zitternde Stimme kam vom Ende des Flurs. Er machte eine Biegung, vielleicht zu einer weiteren Treppe oder einem Fenster? Lautlos lief ich dorthin, dem schmalen Streifen Sonnenlicht entgegen, das sich auf dem Linoleum fing. Als ich um die Ecke kam, prallte ich zurück. Zoë stand an die Wand gepresst da, die Hände flach an die Raufasertapete gelegt. Am Ende der Nische befand sich ein schmales, vergittertes Fenster mit einem Sicherheitsschloss, das nur von innen zu öffnen war. Es stand weit offen. Der Schlüssel steckte noch. Und davor ... Rubios Rollstuhl! Leer. Von einem Augenblick zum nächsten war mir übel.

»Ich wollte gerade den Kleinen holen, aber als ich auf den Flur kam, habe ich einen Luftzug gespürt«, flüsterte Zoë. »Aber ich ... ich kann da auf keinen Fall runterschauen.«

Ich ahnte, was ich sehen würde, lange bevor meine Beine mir endlich gehorchten und mich zum Fenster trugen. Das Metall des Fensterrahmens strahlte Kühle ab, als ich mich vorbeugte. Ein Innenhof. Nein, eher ein Schacht. Von außen nicht zu erahnen, wenn man nicht gerade auf dem Dach herumkletterte. Graue, fensterlose Wände umschlossen einen trapezförmigen Platz, kaum zwei Quadratmeter groß.

Und dort unten lag Rubio, die Wange am Stein. Sein rechtes Bein war angewinkelt, so als hätte ein Rettungssanitäter ihn in die Seitenlage gebettet, um Hilfe zu holen. Nur dass ihm niemand geholfen hatte. Und dass da nichts mehr zu retten war.

»Dr. Rubio ... er liegt da unten im Hof, stimmt's?«, fragte Zoë leise.

Ich konnte nur völlig betäubt nicken. Manchmal genügen auch zwei Stockwerke, um einen Panthera zu töten. Das Bild wurde unscharf, verschwamm und löste sich in Farbflecken auf. Erst als ich die Tränen auf meiner Wange fühlte, wurde es wieder klar. »Verdammt, Rubio!«, flüsterte ich. Ich schniefte und wandte den Blick ab. Als ich zurückstolperte, gelähmt vor Entsetzen, spürte ich plötzlich Zoës Arme um mich. Diesmal war sie es, die mich festhielt, und ich schämte mich nicht, mein Gesicht in ihrem Haar zu vergraben. Ihre Hand fand meinen Nacken, kühle Finger strichen tröstend über meine Haut.

»Wir müssen gehen«, flüsterte sie mit erstickter Stimme. »Wir müssen sofort den Kleinen holen und verschwinden. Am besten, wir rufen die Polizei. Er hat sich nicht selbst umgebracht!«

Nein, garantiert nicht. Meine Gedanken rasten, ich versuchte mir vorzustellen, wie Rubio seinen gelähmten Körper über das so viel höher gelegene Fensterbrett zog. Es gelang mir nicht. Wir zuckten beide zusammen, als mein Handy sich meldete. Zweimal Vibrationsalarm. Dann Stille. Im selben Augenblick fiel mir auf, dass es auf dem Flur mit einem Mal schattig geworden war.

»Oh nein!«, stieß Zoë hervor. Und dann sah ich es auch: Eine Silhouette auf dem Dach verdeckte die Sonne. Die Jongleurin! Sie spähte hinunter in den Schacht. Dann schweifte ihr Blick direkt zu uns herüber.

»Zurück!«, schrie ich und stieß Zoë in den Flur. Dann hechtete ich am Rollstuhl vorbei zum Fenster. Ich war einen Sekundenbruchteil zu langsam. Als ich es mit der Schulter zudrücken wollte, prallte schon jemand von außen gegen das vergitterte Glas. Ich wusste, wer es war, noch bevor ich Taubenblut roch. Der Schlag schleuderte mich in den Flur. Während ich noch im Schlittern reagierte und mit einer Drehung wieder auf die Beine kam, sah ich, dass die Jongleurin und Julian schon durchs Fenster gesprungen waren. Julians Augen schienen gelb zu glühen.

Ich versetzte Zoë einen Stoß, dann liefen wir schon zurück in die Wohnung.

Auch diesmal hatten wir mit dem Zuschlagen der Tür kein Glück – und ich verfluchte mich dafür, das Fenster offen gelassen zu haben. Denn auf dem Fensterbrett über dem Bett hockte Glatze. Wir saßen in der Falle.

Mochte Zoë davon halten, was sie wollte, ich riss sie zur Seite und stellte mich beim Schreibtisch schützend vor sie. *Vielleicht schafft sie es zur Tür, wenn ich die drei ablenke?*, fuhr es mir durch den Kopf. Und: *Wo zum Teufel bleibt Irves?*

»Was wollt ihr?«, schrie ich.

»Tribunal!«, knurrte Glatze und lächelte grimmig.

»Mörder!«, fauchte Julian uns an.

Wir?, dachte ich fassungslos.

»Wir haben ihn gefunden, er war schon tot, als wir kamen!«, rief ich.

Glatze sprang aufs Bett.

»Thomas!«, zischte die Jongleurin und er verharrte mitten im Sprung.

Sie ist also der Boss. Ich konnte Zoës schnellen Atem an meinem Nacken fühlen, Signale von Angst, die sich wie elektrisch aufgeladene Wellen an meiner Haut brachen.

»Warum sollen wir dir glauben?«, fragte die Jongleurin mit einer Stimme wie Eis. »Was ist mit den anderen? Maurice? Barb?«

Ich brauchte eine Sekunde, um zu verstehen, was hier vor sich ging. In diesem Moment kehrte sich alles um und ich begriff, dass ich die ganze Zeit auf der falschen Spur gewesen war. Die Gemeinschaft war ebenso auf Mörderjagd wie wir. Nun, zumindest diese drei. Nur Eve fehlte.

»Wir haben niemanden umgebracht«, gab ich zurück. »Wir versuchen selbst rauszufinden, wer ...«

»Ach, wirklich?«, sagte die Jongleurin. »Julian!«

Julian zerrte etwas aus seiner Jackentasche und warf es in die Mitte des Raumes. Ein ramponierter Turnschuh. *»Die Hölle ist leer, und alle Teufel sind hier!«*, zitierte er. Anklagend deutete er auf den Turnschuh und dann auf Zoë und fügte hinzu: »Maurice!«

»Das ... das ist mein Schuh«, flüsterte Zoë fassungslos und trat neben mich. »Ich bin vor Maurice weggelaufen, aber ich habe ihn doch nicht ... ich ...«

Dann wurde sie plötzlich so weiß im Gesicht, dass sie wie Irves' Schwester wirkte. *Zwei Paar Schuhe.* Mir wurde auf der Stelle kalt, als ich begriff, was das bedeutete: Es war nicht das erste Mal gewesen, dass sie sich in den Schatten geflüchtet hatte! Wenn Gedanken auf einer Ebene schwingen konnten, sahen wir in diesem Moment genau dasselbe Bild. Zoë im Blackout, wie sie Maurice tötet. Und später auf Barb trifft. Zoë auf der Flucht. Zoë, wie sie über die Brücke läuft. *Gizmo hatte Recht!* Ich dachte, meine Beine würden jeden Augenblick nachgeben. So musste es sich anfühlen, wenn man von innen her erfror. *Sie kann ein richtiger Killer sein*, echoten Irves' Worte in meinem Kopf. Das konnte nicht sein. Es durfte nicht wahr sein. Es ...

»Claire?«, fragte Glatze alias Thomas die Jongleurin. Grimmig nickte sie.

Und während eine Welle von Adrenalin mich endgültig überschwemmte und ich unaufhaltsam in den Blackout driftete, dachte ich nur eines: *Sie dürfen Zoë nicht töten.*

»Zoë, lauf!« Selbst Gils Stimme klang wie ein Ruf aus weiter Ferne. Wie im Schock sah sie zu, wie der Mann namens Thomas vom Bett heruntersprang und mit krallenartig gekrümmten Fingern auf Gil zusprang.

Gil veränderte sich innerhalb eines Wimpernschlags. Sein Gesicht wurde ausdruckslos, dann fletschte er die Zähne und stürzte sich auf Claire. Seine Bewegungen wurden so schnell, dass Zoë ihnen kaum folgen konnte. Dann sah sie nur noch, wie Julian auf sie zuschnellte, aber der Schock war zu groß. Sie konnte sich nicht wehren. Wie betäubt stand sie da, meilenweit von ihrem Schatten entfernt. *Ich war es nicht, ich kann es nicht sein,* dachte sie. Doch gleichzeitig erinnerte sie sich an einen Kampf mit Maurice. Und das Gesicht von Barb, an die Maschen des Zaunes am Sportplatz gepresst. *Eine Stunde. Mir fehlt eine Stunde!*

Ein Schlag warf sie gegen die Wand. Und während sie den Aufprall spürte, war sie plötzlich ganz woanders.

Flashback.

Sie glitt in eine andere Zeit, an einen anderen Ort. Es war Nacht und sie kletterte auf der Feuerleiter unglaublich geschickt nach oben. Ohne Angst, aber mit klopfendem Herzen. Sie sah ihre Menschenhände, aber gleichzeitig auch etwas anderes: Fell? Die Fingerkuppen und Handflächen fühlten sich so an, als wären sie dick und gepolstert. Das Fell an ihrem Rücken war gesträubt. Und als sie einen Blick in die Tiefe warf (ohne Schwindel, ganz selbstverständlich), sah sie Augen am Fuß der Feuertreppe aufleuchten. Hunde? Aber warum hatten sie dann schlitzförmige Pupillen? Jedenfalls kletterten sie nicht. Ruhig zog sie sich weiter nach oben. Fünfter Stock, sechster. Ein Fenster – und das Aroma von feuchter, warmer Kinderhaut. Sie musste sich strecken und sich auf der Fensterbank abstützen, um ins Zimmer sehen zu können. Ein Teil ihres Bewusstseins wusste noch, dass es ihr eigenes Bett war, auf das sie nun blickte, und der kleine Junge darin ihr Bruder. In der schwarzen Bettwäsche wirkte er wie eine kleine, verletzliche Blüte. Er öffnete schlaftrunken die Augen, sah sie mit großem Erstaunen an und wimmerte im Halbschlaf.

Und das Schlimme: In diesem Moment sah sie nicht Leon, sie sah ein kleines Tier, das leicht zu erbeuten wäre.

Der Flashback schleuderte sie in die Wirklichkeit zurück.

Er hatte eine Sekunde gedauert, denn sie rutschte immer noch an der Wand entlang zu Boden, benommen, gekrümmt, Julians Raubtiergeruch in der Nase.

Ich war der Räuber, den Leon gesehen hat! Gil hat Recht, wir sind Bestien. Ich hätte meinem Bruder etwas antun können! Habe ich Maurice getötet? Und all die anderen?

Beinahe in Trance verfolgte sie, wie Gil neben Claire auf dem Boden aufkam und auch Thomas in Schach hielt. Zoë erkannte ihn nicht wieder. Es war, als hätte sich alles Düstere in einer Gestalt verdichtet, die nun wirbelnd und mit gefletschten Zähnen kämpfte. Als Julian Zoë zu packen versuchte, erwachten endlich auch ihre Instinkte. Sie kam auf die Beine, riss die Schublade aus dem Schreibtisch und schlug sie ihm mit aller Kraft gegen die Hüfte. Nägel schrammten über ihre Schulter und reflexartig biss sie nach Julians Handgelenk. Diesmal spürte sie, wie ihr die Wirklichkeit entglitt. *Bitte lass mich keinen töten*, dachte sie. *Diesmal nicht.* Dann kam der freie Fall in die Schwärze. Als sie nach dem Blackout wieder zu sich kam, stand sie keuchend und mit brennender Wange mitten im Raum, ein Büschel von Julians Haaren in der Hand, atemlos und mit pochenden Muskeln. Aus dem Augenwinkel nahm sie wahr, wie Irves in den Raum stürzte. Er musste über das Fenster im Flur ins Haus gekommen sein. Die Tür zum Flur stand offen. Zoë hatte im selben Moment eine Vision von Leon, den das Gepolter aufschreckte. Leon, der die Treppen herunterkam und den Bestien direkt in die Fänge lief.

In einem Herzschlag verschmolzen hundert Gedanken zu einem flackernden Strom. *Leon ist in Gefahr! Sie dürfen ihn nicht finden! Ich muss weg von dem Kleinen! Sie wollen mich. Sie werden mir folgen.*

Julian krachte unter Irves' Schlag mit dem Rücken gegen die Tür und warf sie wieder zu. Schon war Claire zur Stelle. Ihre Zähne schnappten knapp an Irves' Nacken vorbei, doch er war schneller und tauchte unter ihrem Angriff weg.

Das Fenster! Zoë fuhr herum. Wie auf der Trainingsbahn schrumpfte alles auf diesen einen Weg zusammen, der vor ihr lag. Sie spürte kaum, wie ihr die Tränen über die Wangen rannen, als sie alle Kraft zusammennahm. Mit aller Gewalt verdrängte sie den Gedanken an Rubio und versuchte nur Irves vor sich zu sehen, wie er vom Balkon sprang und unverletzt aufkam. *Ich bin ein Panthera, ich kann es!*, redete sie sich ein. *Alle Katzen sind schwindelfrei.* Angst versengte jeden Millimeter ihres Körpers, aber sie nahm Anlauf, sprang auf das Bett und stieß sich ab. Ihre Sohle schrappte schmerzhaft über den Fensterrahmen. Dann war sie draußen. Der Wind riss an ihrem Haar. Und obwohl sie die Augen zukniff, erfasste sie Schwindel.

Kaltes Glühen in ihrer Brust. Lavastrudel im Zwerchfell. Das Gefühl, als müsste sie wie ein Komet in ihrer eigenen Angst verglühen. Fallen. Die absolute Gewissheit, gleich zu sterben.

Und dann geschah etwas völlig anderes: Die Zeit hielt an und Zoë schwebte. Die Grenze war keine Grenze mehr, eher ein Nebel, in den sie nun eintauchte. Er verdichtete sich und wirbelte – und formte sich zu einem Körper. Graue Augen, ein helles, wie in Milch getauchtes Maul, eine schwarze Tränenzeichnung auf dem grauen Katzengesicht. Seltsamerweise war es nicht erschreckend, als die Katze auf sie zusprang – elegant, in Zeitlupe, als wollte sie Zoë Gelegenheit geben, sie ausgiebig zu bewundern. Tränen sammelten sich in Zoës Mundwinkel, als sie lächelte. Und während sie in den anderen Körper, diesen Katzenkörper, hineinglitt, entblätterten sich wie in einem gleißenden Strom alle Erinnerungen, fehlende Bilder aus dem farblosen Land hinter der Grenze: Maurice, der sie mitten in der Nacht verfolgte, sein Atem, den sie schon spürte. Und dann die Katze, diese große, graue Raubkatze, die ihr zu Hilfe kam. Nein, Zoë hatte sie sogar selbst gerufen, daran erinnerte sie sich nun ganz genau. Sie war ein Teil von ihr – ihr Schatten! Zoë schlüpfte in die fremde und plötzlich so vertraute Gestalt und kämpfte mit allen Sinnen und Fähigkeiten der Raubkatze. Auch Maurice war nicht mehr der Mann mit der Halbglatze. Sie sah einen riesigen Tiger mit eisblauen Augen. Gewaltige Pranken, die nach ihr schlugen und denen sie nur knapp entkam. Auf einmal waren viele schnappende Mäuler um sie herum, Hundekörper, zwei – oder vier? –, die aus dem Nichts aufgetaucht waren und Maurice bedrängten. Zoë war davongelaufen, ohne sich umzublicken, das Fauchen von Maurice in den Ohren. Sie war bis zu ihrem Haus gelaufen und auf der Feuerleiter nach oben geklettert. Aufgepeitscht vom Adrenalin hatte sie ihren Bruder betrachtet. Es war nur ein kurzer Moment des völligen Instinkts – doch dann fühlte sie ein reflexartiges Zurückschrecken, wie einen Schauer, der sie in ihrer Katzengestalt zur Besinnung brachte. *Das ist keine Beute! Weiterklettern.*

Selbst jetzt, mitten in diesem seltsamen Traum, war sie unendlich erleichtert: *Ich hätte ihm niemals etwas angetan!*

Eine weitere Erinnerung blühte auf: die drei Gestalten, die sie vom Alten Schlachthof fortjagten – bis es plötzlich nur noch zwei waren. Autoscheinwerfer und ein Gesicht an einem Fenster. Dann ihre Flucht durch die Hinterhöfe und Gassen wie in Zeitraffer. Der Augenblick auf der Brücke, als der Wrestler sie fast erreicht hatte und dann zurückfiel, das Knurren in ihrem Nacken, nach dem sie sich nicht umsah. Ein seltsam keuchendes, schrilles Geräusch, fast wie ein Lachen. Sie kletterte auf die Brückenkonstruktion und sah unten nur aus dem Augenwinkel den Wrestler fallen, hörte das Aufschlagen auf dem Wasser und sah die Blutwolke, die sich im Strudel des untergehenden Körpers im Wasser ausbreitete.

Dann spürte sie, dass sie selbst ebenfalls fiel, und öffnete die Augen. Die Zeit begann wieder zu rasen, der Boden flog heran. Reflexartig streckte sie die Arme und Beine aus. Ein Schlag, ein Abfedern. Dann taumelte sie zur Seite, verwundert und immer noch umhüllt von dieser grauen Schattengestalt. Neben ihr kam ein anderes Raubtier auf dem Boden auf. Schwarzes Fell, in dem sich dennoch eine Fleckenzeichnung zeigte. Ein schwarzer Leopard – ein Panther –, der zum Fenster hinauffauchte. Fingerlange Fangzähne glänzten auf. Zoë blinzelte. Alles war wie verzerrt. Sie spürte kaum, wie sie auf die Knie fiel. Ihr wurde übel, alles drehte sich und sie hatte die bizarre Vorstellung, dass das Blut plötzlich in verkehrter Richtung durch ihre Adern floss. Dann nahm sie alles nur noch bruchstückhaft wahr: Fauchen und menschliche Stimmen. An der U-Bahn-Station flüchteten zwei Teenager kreischend in den Schacht. Dann waren schon die anderen Panthera da, sprangen einfach auf den Platz. Krallen glänzten in der Sonne auf. Direkt vor Zoë ... ein ... Schneeleopard? Sein weißgraues Fell mit der nur wenig dunkleren Zeichnung aus getupften Ringen gleißte in der Sonne. Der Panther wirkte neben ihm wie ein Negativ. Gemeinsam schnellten sie los – gegen drei andere Katzen. Sandgelb vermischte sich mit Schwarz, Orange mit Weißgrau, mitten auf dem gepflasterten Platz. Als Zoë blinzelte, immer noch gefangen in diesem seltsamen Zustand, da flackerten die Bilder der Katzen und wurden zu Doppelbildern. Sie sah das Bild, das die anderen

Menschen wahrnehmen: Irves und Gil, die gegen die drei anderen kämpften. Aber gleichzeitig sah sie mit Panthera-Augen auch ihre Schatten, schwarz und weiß, synchron mit ihnen und doch in ihren Proportionen und Bewegungen so verschieden, dass sie wie separate Wesen wirkten. Bevor das Bild in die Seitenlage kippte und Zoë spürte, wie ihre Wange über den Steinboden rieb (Wann war sie gefallen?), hörte sie ein Rumpeln und das Schaben von Bremsscheiben, so nah, als würde das Auto neben ihrem Kopf zum Stehen kommen.

Als ich aus dem Blackout auftauchte, kauerte ich, zum nächsten Sprung bereit, auf dem Lindenplatz. Tausend Prellungen brannten auf meinem Körper und Blut rann mir in den Mund. Thomas hatte ich offenbar so gut wie erledigt. Er krümmte sich auf dem Boden, und Claire und Julian zögerten, erneut anzugreifen. *Wir sind stärker als sie!*, fuhr es mir durch den Kopf. Blitzartig versuchte ich die letzte Minute (?) zu rekonstruieren. Wir waren aus dem Fenster gesprungen. Das war gut, es gab mir Spielraum im Kampf. Und Zoë? Wo war Zoë? Der Schreck katapultierte mich um ein Haar zurück in den Schatten. Dann entdeckte ich sie – wie Julian zusammengekrümmt auf dem Boden. *Ist sie verletzt?* Aber ich sah kein Blut, nur einige Schrammen und Prellungen. Julian hatte versucht, ihr die Krallen über Schläfe und Jochbein zu ziehen, aber da waren nur rote Striemen.

»Verschwindet!«, brüllte Irves den dreien zu. Jetzt erst

sah ich ihn. Er war Zoë und mir also doch noch zu Hilfe gekommen und stand an meiner Seite, Blut sickerte aus einer Bisswunde an seiner Schulter.

Claire fauchte ihn an und wollte eben wieder zum Sprung ansetzen, als wie aus dem Nichts Gizmos Transporter auftauchte. Er bockte hoch, als Gizmo einfach über den Bürgersteig fuhr und mitten auf dem Platz scharf bremste. Claire sprang zurück und Thomas und Julian, der gerade wieder schwankend auf die Beine kam, zögerten ebenfalls. Jetzt hatten wir zumindest Gleichstand: drei gegen drei (Zoë, die sich jetzt erst wieder regte, nicht mitgerechnet). Und wenn Irves und ich schon zu zweit so gut mit den anderen fertig wurden, würden sie es sich überlegen.

Im Café verriegelte die Bedienung gerade in fieberhafter Hast die Tür und ließ vor lauter Hektik ihr Handy fallen, während sie eine Nummer eintippte. (Polizei? Garantiert Polizei!) Ich erkannte ihre schreckgeweiteten Augen hinter der spiegelnden Scheibe und konnte mir nur zu gut vorstellen, wie das Ganze aus ihrer Sicht wirkte: eine wüste Massenschlägerei auf dem Lindenplatz.

»Macht schon, rein!«, rief Gizmo aus dem Autofenster.

»Hol Zoë!«, befahl Irves. Das musste er mir nicht zweimal sagen. Längst war ich auf dem Weg zu ihr, während Irves zwischen ihr und der Gemeinschaft die Stellung hielt. Zoë stöhnte und regte sich, als ich sie in die Arme nahm, hochhob und mit ihr zum Auto hastete. Ich hätte heulen können, so fragil und verletzlich fühlte sich ihr Körper in meinen Armen an. *Hoffentlich geht es ihr gut*, betete ich in Gedanken. *Bitte, lass sie nicht verletzt sein!* Noch während ich sie behutsam auf die Ladefläche bettete, durchfuhr es mich siedend heiß. *Ich hatte den Kleinen vergessen. Verdammt, er sitzt noch oben!*

»Leon!«, flüsterte Zoë entsetzt, als hätte sie meine Gedanken gelesen.

»Keine Sorge, ich hole ihn!«, beruhigte ich sie. Kurzerhand zog ich das Schlüsselmäppchen unter dem straffen Frotteeband an ihrem Handgelenk hervor. Der Boden federte, als Irves mit einem Satz im Wagen landete und die Tür hinter sich zuzog. Dann warf uns der Ruck vom Anfahren und die halsbrecherische Wende gegen einige Kisten. Besorgt sah ich zu Zoë, aber sie stützte sich auf die Hände und richtete sich wieder auf. Mir fiel ein Stein vom Herzen: Sie war also nicht verletzt!

»Fahr um den Block, ich muss noch mal in die Wohnung«, zischte ich Gizmo zu und sprang auf.

»Spinnst du? In ein paar Sekunden taucht die Polizei hier auf.«

»Fahr zur Wohnung! Da ist noch ein Kind drin!«, fuhr ihn Irves an. Aus dem Seitenfenster sah ich, dass Claire und die anderen verschwunden waren. Nur ein Grüppchen von Leuten spähte noch durch die Gitter der U-Bahn-Station fassungslos zu uns herüber. Die Beschleunigung drückte mich jäh zur Seite. Keine fünfzehn Sekunden später legte Gizmo hinter dem Haus eine Vollbremsung hin. Wie durch ein Wunder fand ich auf

Anhieb den richtigen Schlüssel und stürmte die Treppen hoch. Ich versuchte, mich nicht zu fragen, was passieren würde, wenn die Gemeinschaft wieder über das Dach in die Wohnung geklettert war und schon auf mich wartete. Und ich versuchte, nicht daran zu denken, dass Rubio dort unten lag. Dennoch schnürte es mir wieder die Kehle zu, als ich den Flur sah. Und dann fiel mir siedend heiß ein, dass die Polizei garantiert die Wohnung aufbrechen würde. Schließlich hatten genug Leute beobachtet, dass wir aus dem Fenster gesprungen waren. Ich fluchte und stürzte ins Wohnzimmer, schnappte mir Zoës Schuh, packte ein zerrissenes Hemd (von Julian) und wischte damit hastig über den Griff der zerbrochenen Schublade und die Griffe des Fensters. Nicht dass es in diesem Raum noch etwas gebracht hätte, Spuren zu beseitigen.

Leon blickte erschrocken auf, als ich in den kleinen Raum stürzte. Er quiekte vor Schreck, doch bevor er sich wehren konnte, hatte ich ihn schon gepackt und raste mit ihm die Treppen hinunter. Der Kopfhörer war ihm halb von den Ohren gerutscht und die nervtötende Diddelmusik dröhnte in meinem Schädel. Als ich mit ihm zur Tür hinaus war und zum Auto sprintete, hatte Leon sich vom Schreck erholt und begann zu brüllen und in meinen Armen zu zappeln und zu treten.

»Beeil dich!«, rief Irves mir schon entgegen.

»Leon!«, rief Zoë und streckte die Arme nach ihm aus. Der Kleine hörte schlagartig auf zu schreien und flüchtete sich zu ihr. Gizmo gab Gas.

Leon brach in Tränen aus und Zoë hielt ihn fest und wiegte ihn. Ich warf den Turnschuh auf den Boden und kauerte mich in die Ecke des Wagens. Ich betrachtete Zoë, während sie ihren Bruder tröstete. Erst jetzt fiel mir auf, wie blass sie war. Aber sie schien keine Schmerzen zu haben. »Alles gut, Löwe«, flüsterte sie ihm ins Ohr. Und ich dachte nur, wie verrückt es war, dass sie ausgerechnet den Kleinsten und Verletzlichsten in dieser Runde »Löwe« nannte. *Passt der Schuh, Aschenputtel?*, dachte ich niedergeschlagen. *Bist du ein Killer?*

Ich hätte heulen können. Doch während ich sie anstarrte und mir vorzustellen versuchte, wie sie Maurice anfiel, lernte ich etwas: Mich selbst betrachtete ich als Mörder und Bestie. Ich war überzeugt, keine Zuneigung zu verdienen und keine Gnade. Doch ich konnte Zoë nicht verachten. Ich konnte sie nicht einmal als Bestie sehen. Ich suchte Entschuldigungen für sie, die ich mir selbst nie zugestanden hätte. Ich wollte ihr sagen, dass ich sie immer noch liebte, dass ich verstand, wie sie sich fühlen musste, und dass sie nichts dafür konnte, weil ihr Schatten der Schuldige war. Doch alles, was mir einfiel, war der Satz: »Alles in Ordnung?«

Sie nickte, aber sie vermied es, mich anzusehen. Irgendetwas war anders an ihr – eine Frequenz, ein tonloser Klang, sie hatte etwas Unscharfes an sich, als wäre sie ein ganzes Stück von mir abgerückt und ich würde sie aus weiter Ferne betrachten. *Vielleicht fühlt sie sich schuldig*, dachte ich. Ich wusste nur zu gut, wie ich mich gefühlt hatte und immer noch fühlte.

Irves' Augen schienen im Halbdunkel des Wageninneren zu gleißen wie zwei weiße Sonnen. »Was ist da drin passiert?«, stieß er hervor. »Rubio ist tot! Ich habe gesehen, wie Claire aufs Dach geklettert ist, und bin ihr hinterher. Und dann sah ich ihn unten liegen.«

»Die drei waren es nicht«, antwortete ich. Und als er mich nur anstarrte, fügte ich genervt hinzu: »Und wir auch nicht, verdammt! Jemand war gestern Nacht bei ihm!«

Irves überlegte kurz, dann schien er beschlossen zu haben, dass er mir glaubte. Nervös fuhr er sich durchs Haar und starrte aus dem Fenster. »Das hätte eben auch verdammt schiefgehen können!«, zischte er. »Warum hast du so lange gebraucht, Giz?«

»Hey, ich bin seit zwei Stunden unterwegs«, knurrte Gizmo. »Lieferung in der Weststadt. Es gab einen Stau. Ich konnte ja nicht ahnen, dass ihr ohne mich loslegt.«

»Ich will nach Hause!«, kreischte Leon so schrill, dass wir alle drei zusammenzuckten.

»Fahr uns heim«, bat Zoë leise.

»Vergiss es«, erwiderte Gizmo unwillig.

»Er hat Recht«, sagte ich. »Sie sind hinter dir her und sie wissen, wo du wohnst. Wir fahren zu Gizmo.«

»Bleibt uns wohl kaum etwas anderes übrig«, sagte Gizmo. »Jeder Idiot, der euch gesehen hat, hat sich mein Kennzeichen notiert. Da ist es keine schlechte Idee, das Auto eine Weile in der Garage zu versenken.«

Er legte sich mit mindestens achtzig Sachen in eine

scharfe Kurve und gab dann richtig Gas. Wenn jemand wütend Auto fahren konnte, dann Gizmo.

Wir sprachen kein Wort, nur Leon wiederholte wie eine wild gewordene Gebetsmühle immer wieder, dass er nach Hause wolle. Ich konnte sehen, wie sehr das Zoë zu schaffen machte. Ich hielt mir die Ohren zu und versuchte logisch nachzudenken.

Die Gemeinschaft hatte Rubio nicht umgebracht. Aber wer dann? Eve? Ich stellte mir vor, wie die zierliche Eve Rubio überwältigte. Irgendwie passte es nicht. Gar nichts passte zusammen. Selbst wenn Zoë die Schuldige war – dann gab es immer noch jemanden, der Rubio auf dem Gewissen hatte.

Leon bekam aus heiterem Himmel seinen nächsten Tobsuchtsanfall.

»Bring ihn zum Schweigen oder ich setz ihn an die Luft!«, knurrte Gizmo genervt.

»Lass ihn in Ruhe!«, rief Zoë. Die Stimmung im Wagen war kurz vor dem Explodieren. Und sie wurde nicht besser, als wir Gizmos Viertel erreichten.

Ich dachte, es könnte gar nicht schlimmer kommen. Aber ich hatte mich gründlich geirrt. Als wir mit einer Vollbremsung und quietschenden Reifen vor den Garagen in seinem Hinterhof hielten, wehte Rauch am Autofenster vorbei. Er quoll aus dem Lüftungsgitter, das zum Keller führte.

»Was zum Teufel ...«, zischte Gizmo. Er haute den Leerlauf rein und sprang bei laufendem Motor aus dem Wagen. Irves und ich folgten ihm.

Es sah nicht gut aus.

Der eklige Gestank nach brennendem Gummi und Styropor brannte in meinen Augen und versengte mir schon vier Schritte vor der Kellertreppe fast das Gehirn. Unten angekommen, konnte ich kaum mehr atmen. Gizmos Tür war angelehnt, offenbar war das Schloss aufgebrochen worden. Als Gizmo gegen die Tür trat und sie aufstieß, quollen uns schwarze Wolken entgegen. Wir sprangen zurück. Alles, was ich erhaschen konnte, war ein Blick in den Kellerraum. Na ja, den ehemaligen Kellerraum. »Scheiße!«, schrie Gizmo. »Das schwelt schon länger! Schaut euch die Kacke nur an! Meine ganzen Daten!« Seine Stimme überschlug sich. Noch nie hatte ich Gizmo fassungslos gesehen. Er riss sich die Brille von der Nase und schleuderte sie gegen die Wand, wo die Gläser mit einem Klirren zerbrachen. Ich versuchte zu rekonstruieren, was hier passiert war. Schwierig war es nicht. Der Geruch von Brandbeschleuniger war überall. Soweit ich durch die Tür erkennen konnte, waren die Wände ölig und rußgeschwärzt. Und sämtliche Monitore, die Kabel, schwelende Styroporverpackungen und angekokelte Handys lagen auf einem hübsch angerichteten Scheiterhaufen mitten im Zimmer. Das Einzige, was seltsamerweise noch einigermaßen unversehrt aussah, war das Sofa.

»Sie waren also auch hier«, stellte Irves fest. »Offenbar klappern sie uns der Reihe nach ab.« Die Ruhe in seiner Stimme überraschte mich. Und als er neben die Tür deutete, blieb mir der Mund offen stehen. Die vier

Zeichen der Gemeinschaft. Inklusive der violetten Zahl von Eve. Ich dachte an meine Dachwohnung. Und als gäbe es nichts Wichtigeres, bangte ich um meine Bilder.

»Wir müssen untertauchen«, entschied ich. »Die Zeichen sagen eindeutig, dass sie uns aus unseren Revieren vertreiben wollen.«

Irves nickte nur und trat zu Gizmo, der immer noch in das Chaos starrte.

»Gib mir die Autoschlüssel«, sagte er. »Wir fahren zu mir.«

»Sie wissen bestimmt, wo du wohnst«, erwiderte ich.

Irves warf mir nur einen kühlen Seitenblick zu. »Wisst ihr es?«, fragte er lakonisch. Er drehte sich um und ging zum Wagen zurück. Ich war wie vor den Kopf geschlagen. Er hatte Recht! Ich kannte ihn schon seit Monaten, aber ich hatte keine Ahnung, wo er sich aufhielt, wenn er nicht durch die Clubs streifte. Einmal hatte ich ihn gefragt und er hatte nur geantwortet: »Mal hier, mal da. Wo es sich anbietet.«

Gizmo fluchte, ich konnte die Wellen seiner Wut spüren. Doch dann ließ er seine Höhle zurück und folgte Irves zum Auto.

Leon hatte sich ein bisschen beruhigt und starrte mich aus verquollenen Augen vorwurfsvoll und immer noch verschreckt an, während Irves den Wagen in dem engen Hinterhof wendete.

»Ich nehme Leon auf keinen Fall mit«, sagte Zoë.

»Das hättest du dir früher überlegen sollen«, gab Irves zurück.

Zoë bekam den harten Blick, den ich so gut an ihr kannte. »Ich werde ihn nicht noch einmal in Gefahr bringen«, schnauzte sie Irves an.

»Aber du kannst ihn jetzt nicht heimbringen«, widersprach ich leise. »Was, wenn sie schon dort sind?«

Sie nickte grimmig, mit Tränen in den Augen, und reckte trotzig das Kinn vor. »Ich weiß. Dann müssen wir ihn eben an einen Ort bringen, an dem er sicher ist.«

Immer noch umgab sie das Gefühl der Unwirklichkeit. Sie versuchte den Blick der anderen zu meiden, noch immer verstörte sie das Doppelbild mit dem Schatten. Sie sah sie noch immer: geschmeidige Raubkatzen, die sich in stummer Pantomime anfauchten und die Zähne zeigten, während die Menschen, zu denen sie gehörten, sich stritten. *Hoffentlich geht es vorbei*, betete sie und drückte Leon an sich. Irves fuhr weniger halsbrecherisch als Gizmo, er nahm Seitenstraßen und versuchte, nicht aufzufallen. Die Fahrt in das ruhige Wohngebiet war wie eine Reise in eine andere Welt – eine Welt der Vergangenheit, in der alles seinen Platz gehabt hatte und die Probleme im Grunde nur Ahnungen richtiger Schwierigkeiten gewesen waren.

»Das da vorne ist es«, sagte sie und Irves hielt vor dem beige gestrichenen Haus mit den dunkelbraunen Läden. Sobald Gil die Schiebetür aufgemacht hatte, kletterte Leon aus dem Wagen und rannte zur Tür voraus, offenbar unendlich froh, flüchten zu können. Zoë krampfte es das Herz zusammen, als sie sah, wie er Sturm klingelte. *Bitte sei da!*, flehte sie in Gedanken, während sie aus dem Auto stieg. Mit weichen Knien ging sie zur Haustür. Und immer noch spürte sie die Bewegungen des grauen Raubtiers in ihren eigenen Schritten. Sie versuchte nach der Grenze zu tasten, aber erstaunlicherweise war da nichts mehr. *Später!*, befahl sie sich. *Du kannst später darüber nachdenken!*

In diesem Moment wurde die Tür aufgerissen. Ellen hatte offenbar keine gute Nacht hinter sich. Ihre Augen waren rot und verschwollen, als hätte sie geweint, und ihr Haar war zerzaust. Sie trug den Bademantel, in dem sie am Wochenende frühstückte, und darunter das T-Shirt, das Zoë ihr einmal geschenkt hatte. Prinzessin Mononoke, die auf der weißen Wölfin ritt, war darauf abgebildet. *Japanisches Durga-Girl*, dachte Zoë müde. *Zur Abwechslung mal ohne Tiger.*

»Elli!«, sagte Leon mit kläglicher Stimme.

Eben hatte Ellen noch sauer über die Störung gewirkt, jetzt aber riss sie die Augen auf. »Lenni-Löwchen!«, rief sie erstaunt. »Was machst du denn hier?« Dann hob sie den Blick, entdeckte Zoë und erstarrte. Es war wirklich wie in einer anderen Welt. Eine Zeitreise durch viele Wochen. Zoë kam es so vor, als würden Bilder und Gedanken zwischen ihnen wirbeln und sich zu einer Wolke vermischen. *Ellen hat Liebeskummer*, dachte sie. *Sie vermisst David wirklich.* Und gleichzeitig wurde sie sich dessen bewusst, dass Ellen ihre geschundene Wange sah, ihre am Knie zerrissene, verschmutzte Hose. Das letzte Restchen Feindseligkeit zwischen ihnen verglühte und löste sich auf.

»Hallo«, sagte Zoë. Sie klang nicht viel besser als Leon. Und Ellen trat einfach auf sie zu und umarmte sie. Zoë schloss die Augen und klammerte sich an ihre Freundin. Für einige Sekunden war alles gut.

»Du hast Ärger«, stellte Ellen leise fest.

Zoë nickte heftig und machte sich vorsichtig aus der Umarmung los.

»Was ist passiert?«

»Ich kann es dir nicht erklären. Aber ich brauche deine Hilfe, ich muss Leon bei dir lassen. Meine Mutter kommt erst in ein paar Stunden von einer Fortbildung zurück. Bitte pass so lange auf ihn auf. Und ruf sie bitte an. Sag ihr ... sag ihr, ich bin unterwegs, ich ... musste ganz dringend weg. Aber ich melde mich bei ihr, sie soll sich keine Sorgen machen. Und ... ich glaube, in unsere Wohnung ist jemand eingebrochen. Im Telefonbuch findest du die Nummer von unserem Hausmeister.«

»Boran?«

Zoë nickte. »Er soll nachschauen, ob bei uns eingebrochen wurde – und notfalls die Polizei rufen.«

Ellen war blass geworden und musterte sie besorgt. Zoë konnte ihr ansehen, wie viele Fragen ihr auf der Zunge lagen, aber ihre Freundin kannte sie viel zu gut, um sie jetzt zu bedrängen. Leon sagte irgendetwas und drückte sich an Zoë, doch keine von ihnen beiden hörte auf den Jungen.

»Ellen? Wer ist das an der Tür?«, kam die Stimme von Frau Gerber aus der Tiefe des Hauses.

»Gleich, Mama!«, rief Ellen unwillig über die Schulter zurück und zog die Tür hinter sich heran. Dann schenkte sie Zoë ein ernstes Lächeln und nickte. »Okay«, flüsterte sie und streckte die Arme nach Leon aus. »Komm zu mir!«

Leon fing sofort wieder an zu heulen, als er begriff, dass Zoë nicht bleiben würde.

»Danke!« Zoë formte das Wort fast unhörbar mit den Lippen, dann drehte sie sich um und ging zum Wagen, bevor ihr Bruder sehen konnte, dass sie kurz davor war zu heulen.

Zoom

Zoë hielt wieder die Augen geschlossen und kauerte sich neben einer Kiste zusammen. Tränen quollen unter den geschlossenen Lidern hervor. Es tat mir weh, sie so zu sehen. Ich dachte noch einen Augenblick daran, dass sie Maurice und die anderen auf dem Gewissen hatte, und zögerte. Doch dann schickte ich meine Vernunft zum Teufel, rückte an sie heran und legte den Arm um sie. Dass ich das konnte, erstaunte mich am meisten von allem. Aber es schien mit einem Mal richtig zu sein: Egal, was gewesen war – hier und jetzt war sie Zoë. Sie schmiegte sich an mich, während Irves Gas gab.

Er bog in die Clubmeile ein und fuhr in eine Seitenstraße, die ich noch nicht kannte. Dort parkte er den Lieferwagen im Sichtschutz eines Schuttcontainers in einem Hinterhof. »Geht zwischen den Häusern durch zum nächsten Innenhof«, befahl er. Ratlos befolgten wir die Anweisung. Vom Innenhof aus führte er uns zu einem Lieferanteneingang, neben dem eine ganze Reihe von Mülltonnen stand. Zertretene Kippen deuteten darauf hin, dass hier öfter Leute Pause machten, um zu rauchen. Vermutlich war das der Hintereingang eines Clubs oder eines Restaurants. Ich konnte mir nur keinen Reim darauf machen, von welchem. Irves sprang mit einem geschmeidigen Satz an der Wand hoch, hangelte sich zwei Meter weiter hinauf und griff in eine Nische. Als er auf den Boden sprang, hatte er einen Schlüssel in der Hand.

»Kommt mit«, sagte er, während er auf eine schmale, unscheinbare Seitentür zuging, die fast gänzlich versteckt war. Als wir hindurchtraten und sich der Geruch von Putzmittel, feuchtem Steinboden, Goldlack und abgestandenen Thekendämpfen in meiner Nase fing, wurde mir endlich klar, wo wir uns befanden.

»Du lebst in der *Buddha Lounge*?«, fragte ich fassungslos.

»Ganz bestimmt nicht«, antwortete Irves trocken und deutete an die Decke. »Ein paar Stockwerke weiter oben.«

Wir staunten nicht schlecht, als er uns durch einen Gang an Lager- und Kühlräumen vorbeiführte und dann zu einem schmalen Fahrstuhl lotste, der sich mit einem Surren in Bewegung setzte. So schäbig er von außen wirkte – die Spiegel innen waren geputzt. In der Kabine standen wir eng zusammengedrängt und konnten unsere zerschrammten, bleichen Gesichter, die bloßen Schultern und Arme in den Spiegeln betrachten. Es war viel zu nah. Die aggressive Spannung zwischen uns wurde mit jedem Stockwerk dichter, als würde unsere Haut sich allein durch die erzwungene Nähe statisch aufladen. Ich atmete tief durch, um mich zu beruhigen, und bemerkte, dass Gizmo die Hände so fest zu Fäusten geballt hatte, dass die Knöchel weiß hervortraten. Zoë starrte nur zu Boden. Wieder umhüllte sie dieser fremde Hauch. »Wirklich alles okay?«, flüsterte ich ihr zu. Sie schluckte krampfhaft und nickte etwas zu heftig. Endlich ruckelte es und die Türen öffneten sich. Und dann wurde mir klar, dass ich nichts, rein gar nichts über Irves wusste.

Der Fahrstuhl war einer von der Sorte, die direkt in eine Wohnung führt. Davon hatte ich gehört, aber noch nie einen gesehen. Auf Zehenspitzen traten wir auf poliertes Parkett. Sogar Gizmo vergaß für einen Moment den Verlust seiner Höhle und stieß einen leisen Pfiff aus. »Mann, hast du dafür einen umgebracht?«, sagte er anerkennend. »Das ist ja ein richtiges Loft!«

Ich weiß nicht, was ich mir gedacht hatte. Vielleicht hatte ich mir vorgestellt, dass Irves wie »Mr Thomas O'Malley the Alley Cat« von den Aristocats auf den Dächern schlief und in Bäumen hockte, wenn ihm nichts Besseres einfiel. Nun, das hier war so ziemlich das Gegenteil von allem, was ich für möglich gehalten hätte. Gut, damit war auch die Frage beantwortet, wohin Irves am Tag verschwand. Die *Buddha Lounge* war stets seine letzte Station – klar, er verließ sie nicht, sondern fuhr einfach mit dem Fahrstuhl in sein anonymes Ruherevier.

Die Wohnung war riesig – ein langer, mehrfach unterteilter Raum, der entfernt an eine Fabrikhalle erinnerte. Das Tageslicht fiel nur sehr gedämpft durch graue Jalousien. Das Parkett war dunkel und roch nach

Orangenöl und Firnis, die Möbel waren dagegen weiß und teuer. Sehr teuer. Eine weiße Ledercouch und mehrere Sessel in der Ecke vor dem Fenster bildeten die Sitzgruppe, der eckige Klotz von Couchtisch war aus Marmor. In einer solchen Wohnung hätte ich Gemälde erwartet, aber die Wände waren kaum anders als in meiner Wohnung. Nur dass hier Notizen und ausgerissene Fetzen von Berichten über Musikgruppen und CD-Cover mit Tesafilm an die Wand geheftet waren. Raumteiler unterbrachen das Loft in regelmäßigen Abständen und markierten die einzelnen Funktionsbereiche: Küche, Sitzecke, Arbeitstisch und ... Studio? Eine lange Reihe von Bildschirmen erinnerte an Gizmos Keller. Nur dass hier auch noch ein riesiges Pult mit Schiebereglern sowie zwei Keyboards standen.

»Hier machst du also deine Musik!«, rief Zoë aus. »Also sind *alle* Stücke auf dem iPod von dir, nicht wahr? Du hast allein weitergemacht, nachdem du *Ghost* verlassen hattest.« Sie deutete auf die Instrumente. »Synthesizer.«

»Tja«, sagte Irves trocken, »so sieht's aus. Jetzt friert hier bloß nicht fest.«

»Hast du die Wohnung als Studio gemietet?«, wollte Gizmo wissen.

Irves biss sich auf die Lippe und zögerte. Dann seufzte er, als würde er resignieren. »Nein. Die Bude gehört mir. Und wenn ihr es ganz genau wissen wollt: ein Teil der *Buddha Lounge* ebenfalls. Ich habe mich eingekauft und bin stiller Teilhaber.«

Wir mussten alle drei ziemlich belämmert dreingeschaut haben, denn er konnte sich ein Grinsen nicht verkneifen.

»Keine große Sache!«, meinte er. »Meine Eltern haben die Wohnung vor Jahren gekauft, als es so aussah, als würde der nächste Botschafterjob sie hierherführen. Damals war das Haus noch eine gute Adresse und die *Lounge* ein Nobelrestaurant. Na ja, dann sind wir doch in London gelandet und das Loft stand fast zehn Jahre ungenutzt herum. Und als mein Vater und ich uns in die Haare geraten sind, dachte ich, ich lasse mir Schlag achtzehn mein Erbe in Form dieser Wohnung vorab auszahlen und verschwinde.«

Seit ich Rubios Mail gelesen hatte, grübelte ich darüber nach, wie Irves zu seinem Schatten gekommen war. Jetzt fielen mir Rubios Worte ein: *»Es geschieht immer in einer Lebensphase, wenn nichts fest gefügt ist, wenn Zweifel und Neuorientierung anstehen, wenn der Druck zu groß wird. Und manchmal auch, wenn die Kluft zwischen dem, was dein Herz will, und dem, was du dich zu tun und zu sein zwingst, zu groß ist.«*

»Dein Vater wollte also nicht, dass du Musik machst?«, fragte ich.

Die Schwingung zwischen Irves und mir veränderte sich kaum merkbar und strafte so seinen betont coolen Tonfall Lügen.

»Er hasste sie«, sagte er leichthin. »Er ist zwar ein Diplomat, aber im Grunde ein autoritärer Psychopath. Er hat mich zwei Jahre lang in ein ›Internat‹ gesteckt, das eher eine militärische Kaderschmiede war. Die sollten mir alles austreiben, was meinem Vater an mir nicht passte. Ein paar Narben habe ich heute noch davon. Netter Versuch. Mit dem Ergebnis, dass ich ihn am Ende noch mehr hasste als er meine Musik.« Er hob die Schultern und umfasste mit einer Geste alles, was wir sahen. »Tja, ich fand, dafür sollte er zahlen. Damit sind wir quitt – und ich habe etwas, was besser als eine Band ist.« Er setzte wieder sein altes cooles Irves-Lächeln auf. »Die Musik in der *Lounge* stammt zum größten Teil von hier.« Er tippte auf den Synthesizer und schlug einen Akkord an. Ein elektronischer Dreiklang, so leise gestellt, dass er für unsere Ohren angenehm war, füllte das Loft.

Gizmo schritt durch den Raum und ließ sich ohne Rücksicht auf seine Schürfwunden auf die weiße Ledercouch fallen. »Du verfluchter Heuchler!«, rief er. »Das reiche Erbensöhnchen. Du hast das perfekte Lager hier und sagst keinen Ton.«

»Ja, weil ich nicht wollte, dass Typen wie du auf meiner Couch rumlungern«, gab Irves zurück. Und fügte hinzu: »Auf jeden Fall sind wir hier erst einmal sicher.«

Er ging zu der Küchenzeile und riss den Kühlschrank auf. Stapel von säuberlich abgepacktem Fleisch, Flaschen und Getränkedosen mit einer asiatischen Aufschrift türmten sich darin. Irves holte einige davon heraus und brachte sie zum Couchtisch. »Los, kommt schon!«, sagte er in die Richtung von Zoë und mir. Als hätte seine Aufforderung die Spannung aus der Luft genommen, war ich plötzlich nur noch müde und traurig. Ich warf Zoës Schlüsselmäppchen auf den Couchtisch und setzte mich. Zoë nahm den Sessel, der meinem gegenüberstand. Auf dem weißen Leder sah sie aus wie Schneewittchen in einem Bett aus Schnee. Es gab mir wieder einen Stich, wenn ich mir vorstellte, was sich hinter dieser zarten Gestalt wohl verbergen mochte. Ein Tiger?

»Bedient euch«, sagte Irves und nahm sich eine Getränkedose. Als er sie öffnete, strömte ein salziger Duft heraus, und ich begriff, dass es Fischsuppe war. Ich hatte nicht gewusst, dass es so etwas in Dosen gab. Aber was wusste ich überhaupt?

»Keinen Hunger«, murmelte Zoë.

»Jetzt noch mal zum Mitschreiben von Anfang an«, sagte Irves an mich gewandt. »Was war in Rubios Wohnung los?«

Tribunal, schoss es mir durch den Kopf. *Erzähl ihnen nichts von Zoës Schuh.* Fieberhaft suchte ich nach einer Version der Geschichte, die sich auf Rubio beschränkte, als Zoë plötzlich antwortete.

»Rubio war schon tot, als wir in die Wohnung kamen. Wir wissen nicht, wer es war. Aber Thomas, Claire und Julian denken, ich habe es getan«, sagte sie leise.

Nein, Zoë! Aber sie fuhr unbeirrt fort: »Sie wissen, dass ich schon mal einen Blackout hatte – ein paar Tage, bevor ich Julian und den anderen zwei beim *Club Cinema* in die Arme gelaufen bin, hat Maurice mich angegriffen. Und danach ... war er tot.«

Irves' Hand, die gerade an der Dose herumnestelte, erstarrte. Gizmos Augen wurden schmal. »Also doch«, sagte er gefährlich ruhig in meine Richtung. »Ich hatte Recht.«

Bisher war Zoë den Blicken ausgewichen, jetzt aber hob sie den Kopf und sah Gizmo in die Augen. Ein Schatten huschte über ihr Gesicht, sie blinzelte, als würde es sie Überwindung kosten, ihn anzusehen. Und dann hob sie das Kinn und sagte ganz ruhig: »Ich war es aber nicht.«

»Woher willst du das wissen?«, fragte Irves.

»Ich weiß es«, antwortete sie. »Weil ich mich daran erinnere.«

»Flashback?«, fragte ich. Vielleicht gab es eine Erklärung. Irgendeine ... andere.

Sie nickte vage. »Ja, so in etwa. Ich erinnere mich, dass ich mich verwandelt habe. Und dass Maurice mich angegriffen hat. Doch da war noch etwas anderes. Ich dachte, es wäre der Kampfhundmischling des Kioskbesitzers. Aber das war ein Irrtum. Als ich Maurice entkam, wurde er hinter mir angegriffen. Ich habe nur einen kurzen Blick über die Schulter geworfen und sah, dass es niemand von uns war. Es waren mehrere. Und sie wirkten eher wie ... Hunde. Ziemlich bullig, mit großen Köpfen. Als sie mit Maurice fertig waren, hätten sie mich beinahe eingeholt. Sie waren unten am Fuß der Feuertreppe. Ich konnte auf sie runterschauen – aber zum Glück war ich schon im fünften Stock. Und sie sind mir nicht hinterhergeklettert.«

Die Stille, die auf ihre Worte folgte, war laut wie Donner. Zoë nahm das Schlüsselmäppchen vom Tisch und ließ es nervös von einer Hand in die andere gleiten.

»Hunde?«, fragte Gizmo. »Heißt das, wir sind in einem Horrorfilm und werden von Werwölfen angegriffen?«

Zoë zuckte mit den Schultern. »Ich habe sie nur ganz kurz gesehen. Aber sie waren auch beim *Cinema.* Ein Auto ist dort an mir vorbeigefahren. Als die Scheinwerfer aufleuchteten, habe ich für einen Moment einen gesehen. Er hatte braune Augen – und als ihn das Scheinwerferlicht traf, zogen sich die Pupillen zu Schlitzen zusammen. Wie bei Katzen.«

Irves und ich wechselten einen ratlosen Blick. *Hunde mit Schlitzpupillen?*

Jetzt passte gar nichts mehr zusammen.

»Ziemlich langer Flashback«, bemerkte Gizmo. »Vielleicht solltest du die Finger vom Speed lassen.«

»Halt die Klappe und hör ihr einfach zu!«, fuhr Irves ihn an. »Was noch?«, fragte er dann Zoë. »Erinnerst du dich noch an etwas anderes?«

Zoë schluckte und schloss die Augen. »An ein paar Leute«, flüsterte sie. »Sie tauchten an einer Straßenecke auf. Sie sahen zu mir herüber, aber ich war schon im Schatten und flüchtete weiter. Zwei ... Frauen.«

»Eve und Claire?«, fragte ich leise.

Heftig schüttelte sie den Kopf. »Sie sahen nicht aus wie Obdachlose. Und sie trugen Sonnenbrillen, obwohl es Nacht war. Mehr konnte ich nicht erkennen. Und als ich die nächste Straße erreichte, waren nur noch die zwei Männer hinter mir her: Julian und der Wrestler. Der Typ mit dem Uni-Button war plötzlich weg. Ich glaube, die Hunde haben ihn abgepasst und in eine Seitenstraße getrieben.«

Ich war wie elektrisiert. Doch in meine Erleichterung darüber, dass Zoë keine Mörderin war, mischte sich Wut auf Rubio. Er musste etwas gewusst haben!

Und das Ausmaß dessen, was er uns möglicherweise verschwiegen hatte, war ungeheuerlich.

»Gut, mal angenommen, es ist tatsächlich keiner von uns gewesen«, sagte ich. »Und auch keiner von der Gemeinschaft. Das würde bedeuten ...«

»... dass es vielleicht jemand ganz anderes war«, führte Irves meinen Gedankengang weiter. »Jemand, den wir nicht kennen. Beziehungsweise mehrere, wenn Zoë richtig gesehen hat.«

Ich nickte. »Rubio fürchtete sich. Als ich ihn fragte, wovor, sagte er: vor solchen wie dir. Vielleicht meinte er damit nur: Neulinge wie mich. Er hat sie sofort erkannt, schließlich konnte er ihre Schatten sehen – genauso wie Barb! Vermutlich hat er deshalb aus dem Fenster fotografiert. Die Fotos waren nichts anderes als Steckbriefe.«

Jetzt hatte auch Gizmos Miene den Ausdruck von Unglauben und Spott verloren. Nachdenklich kaute er auf seiner Lippe herum und nickte nach einer Pause. »Eindringlinge also«, sagte er. »Das würde tatsächlich einen Sinn ergeben. Und wenn sie im Rudel jagen wie

Hunde, dann könnten sie Maurice ohne Weiteres zur Strecke gebracht haben. Selbst ein Tiger kann kleineren Raubtieren unterliegen, wenn ihn eine ganze Gruppe angreift.«

Ich fröstelte. Zoë hatte die Augen geschlossen, als würde sie immer noch nach Erinnerungsbildern suchen.

»Offenbar nehmen sie sich fein säuberlich einen nach dem anderen vor«, sagte ich leise. »Als Erstes haben sie Barb beseitigt, bevor sie alle anderen warnen konnte. Und Rubio musste deswegen auch daran glauben.«

Gizmo sprang auf. »Welcher Rechner ist am Netz?«

Irves folgte ihm zu den Geräten. Gleich darauf erklang der Startsound des Macs.

»Sie tauchen auf, morden und verschwinden«, sagte ich mehr zu mir selbst. »Mit den ersten Morden haben sie uns alle aufgescheucht. Vielleicht hatte das sogar System: Während wir fieberhaft in den eigenen Reihen nach dem Schuldigen suchen und uns gegenseitig bekämpfen, können sie unbemerkt einem nach dem anderen von uns auflauern und ihn einzeln ausschalten, bevor wir uns ihrer Anwesenheit in der Stadt überhaupt bewusst werden.«

»Weltherrschaft«, murmelte Irves. »Zumindest scheinen sie niemand anders in der Stadt zu dulden. Und sie beseitigen immer hübsch ihre Spuren. Deshalb haben sie die Fotos mitgenommen, nachdem sie Rubio brutal aus dem Fenster gestoßen hatten. Vielleicht sollte es diesmal wie Selbstmord aussehen.«

»Vielleicht auch nicht. Vielleicht wollten sie noch

wiederkommen, um den Leichnam zu beseitigen. Sie haben nicht einmal gründlich genug nach Rubios Computer gesucht.« Ich presste meine Handballen gegen die Augen. Wirbelnde Bilder vermischten sich und drifteten wieder auseinander. »Nur eines passt nicht dazu«, sagte ich. »Rubio hat sie in seine Wohnung gelassen. Warum? Hat er gemeinsame Sache mit ihnen gemacht?«

»Vielleicht hat er nur jemand anders erwartet«, sagte Zoë.

»Aber Rubio hätte niemanden einfach so ins Haus gelassen. Bis auf ...«

Deine Mutter, hatte ich sagen wollen. Aber das ergab wieder keinen Sinn.

»Er wollte doch das Haus verkaufen«, gab Zoë zu bedenken. »Meine Mutter sagte, er habe einen Makler beauftragt. Und cin Makler muss sich ja schließlich das Gebäude ansehen.«

Endlich zeichnete sich in all dem Chaos der Hauch einer Struktur ab. Natürlich: In seinem Postfach war die E-Mail eines Immobilienbüros gewesen. Ich stand auf und ging zu Irves und Gizmo. Gizmo gab gerade die beiden Begriffe »Hund« und »Schlitzpupillen« in eine Suchmaschine ein. Seine Finger flogen über die Tasten. 556 Treffer. Es sah nicht gut aus. Schon die ersten dreißig verwiesen nur auf irgendeinen Rollenspielkram mit erfundenen Kreaturen oder verwendeten die Begriffe ohne Zusammenhang. Ich spürte, wie Zoë neben mich trat, hörte ihr Atmen hinter meiner Schulter. Ihre Hand fand zu meiner: kalte Finger, die sich verstohlen um meine flochten. Ich erwiderte den Händedruck, doch ich konnte meine Augen nicht vom Bildschirm lösen. Begriffe rasten über den Bildschirm, während Gizmo ungeduldig scrollte und weiterklickte.

»Da!«, rief ich. »Stopp! Zurück!«

Als er zu langsam reagierte, ließ ich Zoës Hand los, schnappte mir die Maus und suchte die Seite einfach selbst. Ich konnte fast fühlen, wie sich Gizmos Nackenfell sträubte, als ich so in seine Zone eindrang, aber er machte mir Platz und ich setzte mich vor den Monitor. Ich fand den Link zu einem Online-Naturlexikon wieder und klickte auf »Im Cache«. Dann starrten wir gefühlte fünfzig Ewigkeiten auf den Bildschirm.

Hyänen ähneln äußerlich den Hunden, dennoch gehören sie nicht zur Familie der Hunde. Sie haben nur aufgrund ähnlicher Bedingungen eine konvergente Entwicklung durchgemacht. Tatsächlich gehören sie zu den Katzenartigen. Ihre Augen haben senkrechte Schlitzpupillen. Sie haben eine Gesamtlänge von bis zu zwei Metern und wiegen um die achtzig Kilogramm.
Einordnung: Hyänen (Hyaenidae)
Ordnung: Raubtiere (Carnivora)
Überfamilie: Katzenartige (Feloidea)

»Stimmt«, flüsterte Zoë. »Jetzt, wo ich es lese ... Die Tiere am Fuß der Feuerleiter sahen tatsächlich aus wie Hyänen!«

»Die Biester sind Katzenartige?«, presste Gizmo zwischen zusammengebissenen Zähnen hervor. »Ich fasse es nicht! Und diese verdammten Aasfresser wollen sich unsere Stadt unter den Nagel reißen?«

Ich zuckte zusammen. Mit einem Mal kam ich mir nur noch wie das ahnungslose und leicht zu blendende Opfer eines Magiers vor. Ich hätte es wissen müssen – Rubio hatte es mir sogar noch ganz offen gesagt. *»Die Aasfresser warten nur darauf, die elenden Reste einstiger Größe zu verschlingen. Und wir haben es nicht besser verdient, zu schlecht haben wir unseren Auftrag erfüllt.«* Seine Worte hallten wie ein hämisches Echo in meinem Kopf wider. Mein Zorn auf ihn wallte so weiß glühend und schmerzhaft in mir auf, dass ich mit aller Kraft die Zähne zusammenbiss. *Du hast es tatsächlich gewusst, alter Mann! Und du hast es einfach so geschehen lassen. Mehr noch: Du hast deine Gemeinschaft kaltblütig ausgeliefert, weil du der Meinung warst, sie hätte es verdient!* Wenn er nicht schon tot gewesen wäre – in diesem Moment hätte ich ihn mit größtem Vergnügen aus dem Fenster gestoßen.

»Sie sind aber keine reinen Aasfresser«, sagte Zoë. »Lies weiter!«

Die landläufige Meinung, dass sie Aasfresser seien, trifft nur bedingt zu. Der Anteil der selbst erlegten Beute liegt bei fünfundachtzig Prozent. Tüpfelhyänen zum Beispiel können ihre Beute mit einer Geschwindigkeit von über sechzig Kilometer pro

Stunde hetzen. Sie leben in großen Rudeln, die von einem dominanten Weibchen angeführt werden. Zusammen bewohnt das Rudel ein Revier, dessen Zentrum der Bau ist. Obwohl sie sich sehr aggressiv verhalten, zeigt das Rudel ein hoch soziales Verhalten, wenn es darum geht, einzelne Rudelmitglieder zu verteidigen.

Irves stieß einen leisen Pfiff aus. »Und wir sind blind und taub dafür gewesen!«

Die Atmosphäre in der Wohnung hatte sich schlagartig verändert. Wenn ich sie hätte beschreiben müssen, wäre mir am ehesten die Farbe »Stahlgrau« eingefallen. Blank, schmucklos, hart wie ein Boden, auf dem man schmerzhaft landet. Und wir waren eben sehr schmerzhaft aufgekommen. Es war kein Spiel mehr – und wir alle wussten es.

»Eins nach dem anderen«, sagte ich, weil irgendjemand etwas sagen musste. »Wir gehen die Mails durch und jede Datei, die wir von Rubio haben. Und dann sehen wir uns die Nachrichten an, die Gizmo aufgenommen hat. Irgendwo werden wir Hinweise finden.«

Als keiner antwortete, speicherte ich die Seite mit Lesezeichen ab und rief meinen Provider auf. In fieberhafter Hast loggte ich mich ein. Spannung zitterte in der Luft, als wir darauf warteten, wann endlich der Posteingang angezeigt wurde. Endlich erschienen die Mails, die ich von Rubios Rechner aus an mich weitergeleitet hatte. Und auch Gizmos Nachrichten blinkten auf.

»Was ist das?«, flüsterte Zoë und tippte mit dem Fingernagel auf den Monitor – genau an die Stelle, an der sich Gizmos Nachricht mit meinen angehängten Handyfotos befand. »Betreff: Killer-Zoë auf der Brücke«.

Ich verzog das Gesicht. In Augenblicken wie diesen war Gizmos Humor einfach nur zum Kotzen.

»Nichts Wichtiges«, sagte ich. »Nur ein Schnappschuss. Eigentlich hatte ich den Wrestler fotografiert, um zu sehen, ob ich seinen Schatten auf dem Bild sehen kann.«

»Ich will es sehen.«

Ich seufzte, suchte das Foto und klickte die Datei auf. Bisher hatte ich es nur in Handydisplay-Größe gesehen. Jetzt aber, als es fast den halben Monitor einnahm, wirkte es wie ein Flashback.

»Wie ich gesagt habe«, raunte Gizmo neben mir. »Es waren nur Zoë und Marcus auf der Brücke. Bist du wirklich sicher, dass es die Hyänen waren? Oder siehst du da irgendwo ein Rudel?«

»Was willst du damit sagen?«, zischte Zoë ihm zu. »Ich habe euch schon mal gesagt, ich war es nicht. Als ihn jemand getötet und ins Wasser geworfen hat, war ich längst auf die Brücke geklettert. Ich konnte von oben sehen, wie er ins Wasser fiel – aber ich war mindestens zehn Meter von ihm entfernt!«

Verdutzt blickte ich zu ihr hoch. Sie erinnerte sich auch daran?

Sie deutete meinen zweifelnden Blick wohl falsch, denn sie kniff die Lippen zusammen und rückte ein wenig von mir ab. »Es muss noch jemand auf der Brücke gewesen sein!«, sagte sie mit Nachdruck.

Dann muss er sich sehr gut vor mir versteckt haben, dachte ich. Für einen Augenblick flatterte tatsächlich wieder der Zweifel in mir hoch.

»Hört auf damit, das bringt uns nicht weiter«, mischte sich Irves ein. »Druck lieber Rubios Dokumente aus.«

Zoë beugte sich wieder ein Stück über meine Schulter. In ihren Augen spiegelte sich das Licht des Monitors. Ihr Haar fiel nach vorne und streifte meine Wange. Die Berührung ließ mich erschauern.

»Vergrößere es!«, flüsterte sie mir zu.

Ich klickte auf die Lupe. »Noch mehr!«

Irves schnaubte genervt, aber er unterbrach uns nicht.

»Da!«, sagte sie und deutete auf eine Ecke des Bildes. »Da ist etwas!«

Je mehr ich zoomte, desto pixeliger wurden die Verstrebungen der Brücke. Aber dann erkannte ich, was sie meinte.

»Da ... sitzt jemand!«, stellte Gizmo fest.

»Kauern« wäre das bessere Wort gewesen. Es stimmte! Jemand klammerte sich etwa in der Mitte an die Streben der Brücke. Sprungbereit, als würde er nur darauf warten, dass die Beute unter ihm vorbeirennt. Ich erahnte nackte Beine, schlank und grazil. Kopf und Oberkörper waren verdeckt, aber ich war trotzdem ziemlich sicher, dass es eine Frau war.

»Da! Seht ihr?«, sagte Zoë triumphierend. »Jemand

hat Marcus aufgelauert. Und ich ... war es nicht!« Ich konnte die Erleichterung in ihren Worten spüren. Warme Wellen, die mich überspülten.

»Wahnsinn«, murmelte Gizmo. »Das war ein Überraschungsangriff. Der Angreifer muss Marcus in den Nacken gesprungen sein. Dann ein schneller Schnitt mit dem Messer durch die Kehle ...«

»... und ein paar Sekunden später wurde er sterbend über das Geländer gestoßen«, ergänzte ich. »Wahrscheinlich kletterte der Mörder dann ebenfalls auf die Außenseite und versteckte sich, als ich vorbeirannte. Wirklich professionell.«

»Haben wir weitere Bilder?«, wollte Irves wissen. »Von Rubio?«

Ich schüttelte den Kopf. »Er hat keine Digi-Fotos gemacht. Hier sind nur seine letzten Mails.«

Während ich noch sprach, klickte ich eine nach der anderen durch. Bei der Mail des Immobilienbüros verharrte ich und überflog die Zeilen.

»Sehr geehrter Herr Dr. Rubio, vielen Dank für Ihr Interesse an unserem Angebot. Gerne schicken wir Ihnen Informationen zu weiteren Leistungen unserer Firma ...«

Geschäftskorrespondenz mit einem leuchtend blauen Logo, welches wie in einem Briefkopf eingefügt war. *Artemis Immobilien.* Der Name kam mir bekannt vor. Aber ich brauchte ein paar Sekunden, bis ich den Zusammenhang fand. Die Geschäftsführerin hatte einmal im Fernsehen ein Interview gegeben. Ich hatte sie wiedererkannt, weil ich sie vorher bereits einmal gesehen hatte. Es war die Frau, die mir am Tag nach meinem Zusammenstoß mit Maurice begegnet war: braunes Haar, Kostüm und eine Sonnenbrille. *Sonnenbrille.* Ich hörte kaum, was Irves sagte, irgendeine Ahnung, ein Gedanke, den ich noch nicht fassen konnte, drehte und wendete sich und entwischte mir wieder. *Unmöglich*, dachte ich. *Sie kann nicht zu ihnen gehören. Ich habe sie im Fernsehen ohne Brille gesehen. Sie hatte ganz normale Augen.*

»Das Logo der Firma kenne ich«, sagte Zoë. »Ich habe gestern Nachmittag bei Rubio etwas eingeworfen – und in der Straße habe ich eine Frau angerempelt. Ihre Unterlagen sind ihr aus der Hand auf den Boden gefallen. Und dieses Logo war auf den Papieren.«

»Dann war eben eine Maklerin bei ihm«, meinte Irves. »Na und?«

Ich griff in meine Hosentasche und zog das Visitenkärtchen hervor, das unter Rubios Tisch gefallen war. Dasselbe blaue Logo leuchtete mir entgegen. Es stand nur der Name darauf, keine Telefonnummer, keine Adresse. Rubio hatte lediglich eine Notiz darauf gemacht: »Fr, 22.30 Uhr.«

»Juna Talbot«, murmelte ich. »So heißt die Geschäftsführerin der Firma.«

»Gil?«, fragte Zoë. »Alles in Ordnung?«

Nein, nichts ist in Ordnung, dachte ich niedergeschlagen. Plötzlich konnte ich Irves und Gizmo nicht mehr in meiner Nähe ertragen. Und sogar von Zoë brauchte ich Abstand. Ich sprang auf und ging zum Fenster. Mit einem Ruck riss ich die Jalousien hoch. Die Sonne schien mir ins Gesicht. Hinter dem Fenster erstreckte sich ein Stück Flachdach, vielleicht vier Meter, bevor der Abgrund kam. Dahinter leuchtete die Stadt verheißungsvoll in der Märzsonne. Wolkenbilder fingen sich in den verspiegelten Fassaden einiger Hochhäuser. *Es sollte mir nichts ausmachen*, dachte ich. *Ich bin ein Nomade. Ich kann jederzeit gehen und mein Zelt woanders aufschlagen.* Aber in irgendeinem Winkel meines Herzens wusste ich, dass das längst nicht mehr stimmte. Denn irgendwann war »die Stadt« zu »meiner Stadt« geworden. Und die Vorstellung, dass jemand mich daraus vertreiben wollte, war unerträglich.

Ich holte Luft und versuchte, meine chaotischen Gedanken wenigstens ansatzweise zu ordnen. Ich erinnerte mich an das glatte braune Haar der Frau. An ihre hohen Schuhe und die Sonnenbrille, die sich gut dafür eignen würde, den Schatten in ihren Augen zu verbergen. Doch warum hatte ich trotz alldem nicht wahrgenommen, was sie in Wirklichkeit war? Der stechende Parfümgeruch fiel mir ein. Und die Tatsache, dass sie in einem Winkel gestanden hatte, in dem der Wind für sie günstig war.

»Vielleicht müssen sie sich gar nicht für jemand anders ausgeben«, sagte ich langsam. »Vielleicht haben sie tatsächlich eine menschliche Existenz.« Ich drehte mich um. »Es ist leichter, in der Masse der Menschen mitzuschwimmen, statt sich wie Julian als bunter Hund von allen anderen abzuheben. Und wenn du Makler bist, kommst du auch in einer neuen Stadt schnell an leer stehende Wohnungen und Gebäude. Ideal für einen Eindringling. Du bleibst flexibel und kannst dich verbergen. Du kannst dich einnisten, dir ein Netz von Schlupfwinkeln schaffen und in aller Ruhe dein Vorgehen planen. Wahrscheinlich haben sie eine Weile gebraucht, um herauszufinden, wer welches Revier hat und wer überhaupt zu uns gehört.«

»Und warum erkennen wir sie nicht?«, fragte Irves. »Wenn ich einen von uns sehe, dann nehme ich ihn wahr. Ich muss ihm nur in die Augen schauen.«

Es war dieser Moment, als es bei mir endgültig Klick machte. *Zoë und die Frau. Der Zusammenstoß vor Rubios Tür.*

Beinahe hätte ich gelacht.

»Tarnung«, sagte ich. »Sie sind menschlicher als alle normalen Leute. Perfekt gekleidet, sie tragen Stöckelschuhe, um den Raubtiergang zu kaschieren. Tonnenweise Parfüm, um uns einzunebeln. Sonnenbrillen gegen den Schatten. Glatt und perfekt. Und wenn sie keine Sonnenbrillen tragen, dann haben sie gefärbte Kontaktlinsen.«

An Zoë gewandt fügte ich hinzu: »Die blaue Kontaktlinse! Sie muss ihr herausgefallen sein, als du sie umgerannt hast. Und ich habe sie gefunden.«

Zoë blieb der Mund offen stehen. Jetzt sah zur Abwechslung sie aus wie das Opfer eines Magiers. *Abrakadabra, und blau und harmlos ist das Katzenauge!*

Gizmo stieß zischend die Luft aus und schüttelte fassungslos den Kopf.

»Klasse«, knurrte er. »Dann müssen wir die Killer also nur noch aus der Menge herauspicken: Jede Frau im Kostüm mit Brille oder mit blauen Augen ist verdächtig. Und was, wenn es Dutzende sind? Oder noch mehr? Eine Hyänen-Invasion? Ein Riesenrudel?«

»Wenig wahrscheinlich«, erwiderte ich. »Wir waren vierzehn in der Stadt. Offenbar sind sie nicht in der Überzahl, sonst hätten sie nicht einen nach dem anderen absondern müssen, um mit ihm fertig zu werden. Ich schätze, es sind weniger.«

»Mindestens vier«, sagte Zoë und fröstelte sichtlich beim Gedanken daran. »So viele habe ich am Fuß der Treppe gesehen.«

Gizmo schwang auf dem Stuhl herum und begann wieder auf den Tasten herumzuhämmern. Im nächsten Augenblick erklang schon die Stimme des Reporters, der über Barbs Tod berichtete. Ich ging zurück zur Gruppe und verfolgte die gespeicherten Nachrichten, die Gizmo eine nach der anderen abspielte. Es schien bereits Jahre her zu sein, dass ich beim Sportplatz gestanden hatte. Ein bewölkter Tag, die regennassen Tartanbahnen. Und am Rand die Menschenmenge.

»Zoë?«, fragte Gizmo. »Erkennst du jemanden?«

Zoë kniff die Augen zusammen und deutete auf zwei Frauen in der Menge. Eine davon hatte rotes Haar. Vermutlich war das diejenige, die ich im Weggehen für Barb gehalten hatte.

»Die zwei standen an der Bushaltestelle – in der Nacht vom St. Patrick's Day«, sagte sie.

»Was nichts bedeuten muss«, gab Irves zu bedenken.

»Dann machen wir es anders«, sagte Gizmo.

Er rief wieder eine Suchmaschine auf und gab »Juna Talbot« ein. Einige Notizen erschienen – und der Bericht, den ich neulich auch im Fernsehen gesehen hatte. Da war sie: das perfekte, scharf geschnittene Gesicht und die glatte Frisur. Hochglanzoptik und diese unglaublich blauen Augen, die bei genauer Betrachtung tatsächlich nicht echt sein konnten. *»Wir planen ein ganz neues Konzept der Vernetzung zwischen städtischen und privaten Trägern«*, erklärte sie mit einer dunklen, klaren Stimme ihrem Interviewpartner. »Die Finanzierung trägt zu neunundvierzig Prozent die Stadt. Etwa die Hälfte der Fläche aller Räumlichkeiten wird für ein Kulturprojekt genutzt. Der ehemalige *Club Cinema* soll das neue Jugendhaus werden. Im ersten Stock ist genug Raum für betreute Wohnprojekte. Auch Ladenzeilen sind angedacht. Wir suchen dafür gerade noch Investoren.«

»Wie lange, schätzen Sie, wird die Sanierung wohl dauern?«

Juna Talbot zeigte ein kühles Lächeln. »Wir rechnen damit, dass die Arbeiten bis Ende 2012 abgeschlossen sind.«

»*Club Cinema*«, sagte Zoë. »Den Alten Schlachthof haben sie also offenbar aufgekauft.«

Gizmo nickte und suchte weiter. »Eine Homepage haben sie jedenfalls«, sagte er. Doch unter »www.immobilien-artemis.com« erschien nur ein blaues Haussymbol und die Aufschrift: »Hier entsteht eine neue Internetpräsenz«.

Neu in der Stadt, dachte ich. Keine Adresse, keine Kontakttelefonnummer.

Gizmo fluchte und rief eine Registrierungsseite auf.

»Was machst du da?«, wollte Zoë wissen.

»Die Adresse des Betreibers muss hinterlegt sein«, antwortete Gizmo. »Und auf dieser Seite kann man abrufen, welche Homepage welchen Betreiber hat. Hier, siehst du?«

Triumphierend deutete er auf eine Adresse:

Juna Talbot
Alte Marktstr. 14

»Das ist die Straße, in der sich der *Club Cinema* befindet«, stellte Zoë fest.

»Das wäre zu einfach«, sagte ich. »Ich denke, das ist nur eine Briefkastenadresse.«

»Und wenn schon, es ist immerhin ein Ansatzpunkt«, sagte Gizmo düster. »Wir kennen Junas Gesicht und ihre Funktion. Ich finde sie, darauf kannst du Gift nehmen! Und wenn es sein muss, räuchere ich sie aus und jage ihren ganzen Laden in die Luft!«

»Langsam, Giz«, sagte Irves. »Keiner geht hier irgendwohin, bevor wir einen Plan haben.«

»Und keiner startet hier einen Alleingang!«, setzte ich hinzu. »Zuerst müssen wir die anderen warnen.«

Gizmo und Irves sahen mich an, als hätte ich vorgeschlagen, dass wir uns die Handgelenke aufritzen und mit Julian Blutsbruderschaft schließen sollten.

»Sie warnen?«, rief Gizmo. »Hast du sie noch alle? Die verdammten Bastarde haben meinen Keller niedergebrannt! Von mir aus soll Juna sie zur Strecke bringen und bis auf die Knochen abnagen.«

»Toller Plan, Giz! Und jetzt denke mal logisch weiter: Je weniger von uns noch übrig sind, desto eher werden sie wirklich in der Überzahl sein. Wir brauchen jeden als Verstärkung, den wir bekommen können.«

»Gil hat Recht«, sagte Zoë. »Und ihr könnt mir glauben, dass mir die Vorstellung, Julian und den anderen zu nahe zu kommen, auch nicht gefällt, aber es stimmt. Wir wissen nicht, wie viele es sind, also müssen wir uns Verbündete suchen.«

»Verbündete!« Gizmo spuckte das Wort verächtlich aus. »Verrecken sollen sie!«

Aggression schwang in der Luft, aber ich dachte nicht daran, auch nur einen Schritt zu weichen.

»Hör endlich auf damit!«, sagte ich scharf. »Genau aus diesem Grund waren die Hyänen bisher so erfolgreich«, sagte ich. »Weil wir uns gegenseitig an die Kehlen gehen. Aber das können wir uns jetzt nicht mehr leisten. Und außerdem hat keiner von ihnen den Tod verdient, auch wenn Rubio anderer Meinung war.«

»Gutmensch Gil«, sagte Irves spöttisch. »Also gut. Was willst du jetzt machen: hingehen und die weiße Fahne schwenken?«

Gizmo verdrehte genervt die Augen. Zoë spielte immer noch nervös mit dem Schlüsselmäppchen herum. Inzwischen machte mich das Gezappel wahnsinnig. Ich warf ihr einen Seitenblick zu. Sie fing meine Schwingung sofort auf und hielt inne, dann verstand sie und wollte das Mäppchen hastig einstecken. Plötzlich stutzte sie und hielt es hoch. Jetzt sah ich es auch: Aus dem kleinen Fach ragte ein winziges Eckchen Papier. Zoë zupfte daran und zog zwei grellbunt bedruckte Scheine hervor. Sie blickte mich halb erschrocken, halb überrascht an. »Das hatte ich ja völlig übersehen!«, rief sie und hielt die Scheine hoch. »Sie haben gar nicht alle Bilder von Rubio! Das sind Abholscheine für die letzten zwei Filme, die meine Mutter zum Entwickeln in der Drogerie abgegeben hat!«

Der Anblick von Irves' Sitzecke erinnerte im Moment sehr an Gizmos Raum, in dem wir vor wenigen Tagen schon einmal fieberhaft nach Informationen gesucht hatten: Ausdrucke überall, die Zoë, Irves und ich Blatt für Blatt durchforsteten. Hundertdreißig Seiten insgesamt. Rubio hatte eine ganze Menge wirrer Thesen verfasst, aber bisher fand sich noch nichts über die Hyänen. Dafür umso mehr über die Panthera.

Klassifizierung

Bis zur Vollendung der Kontrollebene durchläuft der Panthera (der als Schatten nicht zu den Großkatzen gehören muss) mehrere Stadien der Entwicklung.

Stadium 1 (Entscheidung)
Initiation. Den Schatten akzeptieren und einladen.
Stadium 2, Variante A (Halbleben)
Die Vorteile des Schattens nutzen, ohne mit ihm zu verschmelzen. Parallele Zwillingsexistenz mit dem Schatten. In dieser Phase wird der Ich-Anteil der Katze gerne verleugnet, bestenfalls geduldet. Dennoch werden die Sinne genutzt (Claire, Eve etc.). Blackouts häufig – ähnlich wie der Wechsel zwischen mehreren Persönlichkeiten bei Menschen mit multipler Persönlichkeit. Dem Katzenmenschen ist es dennoch größtenteils möglich, als Mensch zu leben, allerdings wird dies zunehmend schwieriger. Reviere sind nicht zwangsläufig nötig.
Stadium 2, Variante B (Schlafwandlerstadium)
Nutzung des Schattens ohne Verschmelzung. Parallele Existenz von Mensch und Schatten, bis der Schatten mehr und mehr die Kontrolle übernimmt und schließlich den Menschen beherrscht. Folge: Der Schatten wird zur Hauptexistenz. Menschliche Eigenschaften verkümmern bis zur völligen Auslöschung. Der Blackout wird die normale Daseinsform. Haupttriebe sind Jagd und Nahrungsbeschaffung. Ausgeprägtes, instinkthaftes Revierverhalten (Julian, Maurice).
Stadium 3 (Erwachen)
»Töten des Löwen« (Herkules). Symbol für Konfrontation und Überwindung der vorherigen Stadien. Der Schatten verschmilzt mit dem

menschlichen Ich, ohne dieses zu zerstören, die Zwiegespaltenheit weicht einer neuen Lebensform.

Stadium 4 (Seher)

Unmittelbar auf Phase 3 folgend. Erkenntnis: Erweiterung der Sinneswahrnehmungen. Die Möglichkeit, die Schatten der anderen und den eigenen Schatten zu sehen. (Allerdings nur von Angesicht zu Angesicht. Nicht auf Fotos oder in anderen Bildmedien.) In diesem Stadium erlangen wir Entscheidungsfreiheit. Die Jagd ist unsere Natur. Aber wir können entscheiden, was und für wen wir jagen. Und was unsere Beute ist. Ob sie ideell (Weisheit) oder konkret (Geld) ist. Es ist möglich, die Instinkte auf Gutes umzulenken. Phase 4 muss bewusst und aktiv aufrechterhalten werden.

Rückfall und Abspaltung (jederzeit möglich)

Regression und versuchter Rückzug in Phase 2a. Ergebnis siehe 2b.

Halbleben. Das Wort traf mich. Raupe mit nur einem Flügel. In diesem Moment hasste ich Rubio aus vollem Herzen: zum einen für diese Verurteilung; zum anderen, weil ich erschrocken war, wie gut ich mich darin erkannte. Und dann gab es noch die Anweisung: »Konfrontation und Überwindung«. Im nächsten Kapitel erläuterte er die Stadien anhand von Beispielen.

Herkules

Machte den Schatten zu einem Teil seiner selbst.

(Symbol: Löwenfell, das er als Schutz trug und das ihn unverwundbar machte.) Parallele:

Adam und Eva

Eine jüdische Legende erzählt, dass sie nach dem Sündenfall einen Lendenschurz aus Leopardenfell erhielten, nachdem sie vom Baum der Erkenntnis gegessen, d. h. sehend geworden waren! Das Fell ist das Symbol dafür.

Nimrod

Der Jäger bekam laut derselben Legende diese Stücke des Leopardenfells. Er nutzte sie, um bei Gefahr wilde Tiere zu Hilfe zu rufen, deshalb hieß er auch »Leopardenzähmer«. »Nimr« lässt sich mit »Der Gefleckte« übersetzen.
Auch er war ein Panthera in Phase 4. Setzte seine Sinne zum Schutz der Menschen ein.

»Ich hab was!«, sagte Zoë atemlos. »Hier, in der Datei mit den Thesen. Auf den ersten Seiten ist nur philosophisches Zeug über die Aufgaben eines Panthera. Aber hier hinten hat er noch einige Zeilen eingefügt. Er muss schnell geschrieben haben, so viele Tippfehler sind da drin.«

»Lies schon!«, forderte Irves sie auf.

»*Thesen*«, begann sie. »*Panthera entwickeln sich ständig weiter. Neue Arten. Parallele zu Darwins Evolutionstheorie. Sie passen sich innerhalb einer Generation an die Erfordernisse ihrer jeweiligen Umgebung an. Neuerscheinung: Expansion und Wanderbewegung in andere Städte.*

Rudelverhalten gepaart mit menschlichem Eroberungsdrang. Erscheinen wie eine Mutation aus Phase 2a und 2b.«

Sie hob den Kopf. »Was bedeutet das denn?«

»Eine Klassifizierung, die Rubio für die Panthera erfunden hat«, erwiderte ich ungeduldig. »Erkläre ich dir später. Lies weiter!«

Sie nickte und fuhr fort: »*Parallelexistenz mit dem Schatten. Dabei jedoch bewusste Nutzung der Instinkte, die Vorrang haben vor den menschlichen Impulsen. Fehlen einer Tötungshemmung! Revierverhalten wie bei 2b. Dennoch keine Verwahrlosung und kein Schlafwandlerstadium. Dafür intelligente und zugleich instinkthafte Nutzung von Tarnungen, die bis hin zur Ausbildung von Imitation geht. Verhalten wie bei menschlichen Psychopathen: Es fehlt jedes Mitgefühl, alleiniges Ziel ist die Sicherung und Erweiterung des Reviers und die Kontrolle über die Umgebung. Vermutlich falsche und wechselnde Identitäten. Bevor sie die Stadt in Besitz nehmen, schicken sie Kundschafter, die das Terrain sondieren. Dann folgt das Rudel. Es übernimmt die Reviersäuberung. Vermutlich gehen sie Revier für Revier vor und erweitern so allmählich ihren Machtbereich.*« Zoë schluckte und fuhr mit schwächerer Stimme fort: »*Klammer auf: Sie töteten Maurice, Barbara. Klammer zu.*«

Reviersäuberung. Inbesitznahme. Mir wurde so kalt, dass mir ein Schauer über den Rücken lief. Auch im Raum schien es schlagartig kühler geworden zu sein.

»Er hat sie offenbar sehr genau beobachtet«, stellte Irves fest. »Und wenn auch nur die Hälfte dieser Thesen stimmt, wäre Ausräuchern keine schlechte Wahl.«

»*Die neue Art*«, schloss Zoë. »Das hat er in Großbuchstaben getippt: *Die, die nach uns kommen. Besser angepasst. Niedergang der Werte. Wir sind die tote Generation. Unsere Zeit ist vorbei. Einzige Möglichkeit: Räumung des Reviers noch vor der Entdeckung.*«

Bei diesen letzten Sätzen schlug Zoës Stimmung merklich um. Ihr Ton wurde hart und wütend, und sobald sie die letzten Worte vorgelesen hatte, knüllte sie das Papier zusammen und pfefferte es in die Ecke.

»Inbesitznahme!«, fauchte sie. »Ich werde ganz sicher nicht ›vor der Entdeckung das Revier räumen‹!«

Mit diesen Worten sprang sie auf und ging zum Fenster. Mit einem wütenden Schwung riss sie es auf und kletterte auf den Teil des Dachs, der wie eine Terrasse wirkte. Sie stemmte die Fäuste in die Hüften und atmete mit dem Rücken zu uns tief durch, als müsste sie sich beherrschen, nicht zu schreien. Bis in die Wohnung hinein spürte ich die zornigen, verzweifelten Impulse, die von ihr ausgingen.

»Siehst du? Killer!«, bemerkte Irves und grinste. »Wie ich es dir gesagt habe.« Dann wurde er schlagartig ernst. Prüfend sah er mich an. »Und was ist mit dir? Kämpfen oder weichen?« Bedeutungsvoll hob er die Brauen. Ich wusste, was er sagen würde, noch bevor er fortfuhr. »Wenn wir kämpfen«, sagte er leise, »heißt das, dass vielleicht auch jemand dabei umkommt.«

Mir war klar, dass er damit nicht nur meinte, dass vielleicht einer von uns daran glauben musste. Ich brauchte eine Weile, bis ich antworten konnte. So viele

Bilder erschienen vor mir. Ghaezel und die Hochebenen. Die Heimat der Vergangenheit. Aber in meiner Gegenwart gab es nun die Stadt. Meine Stadt! Die Stadt, in der wir alle lebten – Zoë und Irves und all die anderen, über die ich mich nicht länger erheben konnte und wollte. Zumindest das hatte Rubio mir beigebracht: Ich konnte dem Schatten nicht entfliehen. Ich war keinen Deut besser als die anderen.

»Das wird sich zeigen«, sagte ich heiser. »Auf jeden Fall haben wir allein keine Chance. Je mehr wir sind, desto größer ist die Chance, dass wir in der Überzahl sind und mit ihnen fertig werden.«

Irves betrachtete mich nachdenklich. Die weiße Ledercouch hinter ihm, die Wand, die Papiere – er sah aus wie ein Fantasywesen in seinem natürlichen Lebensraum.

»Gizmo sieht das mit der Gemeinschaft sicher anders«, meinte er.

»Dann wirst du ihn eben überzeugen!«, sagte ich heftig. »Auf dich hört er mehr als auf mich.«

Er lächelte unergründlich und ich wandte den Blick ab und sah zu Zoë. Der Wind zerrte an ihrem Haar. Und jetzt bemerkte ich auch, dass etwas nicht stimmte: Sie stand ganz am äußersten Rand der Dachterrasse und starrte in die Tiefe!

Sie zuckte nicht einmal zusammen, als ich ein paar Sekunden später von hinten an sie herantrat und die Arme um sie legte, sondern lehnte sich an mich, als wäre es für sie das Selbstverständlichste auf der Welt, hier so nah am Abgrund zu stehen.

»Was machst du hier?«, flüsterte ich ihr zu. »Hast du keine Angst, dass dir schwindelig wird?«

»Katzen sind schwindelfrei«, antwortete sie leise.

»Nicht du«, antwortete ich.

Der Wind wehte mir eine ihrer schwarzen Strähnen ins Gesicht. Ein feines Netz aus verworrenem Haar, das alle Facetten von Zoë mit sich trug. Bei dem Gedanken, dass die Hyänen ihr etwas antun könnten, krampfte sich mir das Herz zusammen. Wenn ich bisher noch gezögert hatte, hatte ich jetzt eine sehr präzise Antwort: kämpfen. Bis aufs Blut, wenn es sein musste.

Sie blickte in die Ferne. Ich konnte nur ihren Wangenbogen sehen.

»Schau mal, da drüben, der weiße Klotz – das ist das Krankenhaus«, sagte sie. »Da wurde ich geboren und meine Mutter arbeitet dort. Und ich werde nicht zulassen, dass diese Bestien hierbleiben. Und noch viel weniger, dass sie irgendeinen von uns vertreiben – oder Schlimmeres.«

»Das werden wir alle nicht zulassen«, antwortete ich.

»Warum haben sie mich verschont?«, fragte sie nachdenklich. »Ich saß mitten in Maurice' Revier.«

»Vielleicht warst du einfach schneller als sie. Hyänen klettern bei der Jagd nicht. Schon gar nicht auf Feuerleitern. Wenn sie ihren menschlichen Anteil während der Jagd ausgeschaltet hatten ...«

»Der Mörder auf der Brücke konnte klettern«, wandte sie ein. »Also sind es schon fünf. Mindestens. Und vielleicht ist einer davon gar keine Hyäne.«

Sie drehte sich um und blickte mir in die Augen. Ich war überrascht, dass sie lächelte. Ein wenig Nervosität zeichnete sich darin ab. So als würde sie mich zum ersten Mal betrachten. »Alles ist anders«, sagte sie so leise, als würde sie mir ein Geheimnis erzählen. »Während ich aus dem Fenster und direkt in meinen Schatten gesprungen bin, ist etwas passiert. Ich dachte nur an Leon und daran, dass ich ihm etwas antun könnte – ich oder die anderen. Und während ich fiel, hat sich alles verändert. Ich kann dich sehen, Gil. Die Grenze ist nicht mehr da.«

Diese Worte und die Art, wie sie mich ansah, beunruhigten mich mehr, als ich zugeben wollte. »Was meinst du damit?«, fragte ich.

Wieder dieses seltsam entrückte, ungläubige Lächeln. »Ich sehe eure Schatten. Wenn du den Kopf wendest, wenn du dich bewegst, dann sehe ich dich – und gleichzeitig ist da ein schwarzer Leopard.«

Das war wirklich ein Schock. Meine Kehle war mit einem Mal ausgedörrt. Zoë, eine Seherin? Wie konnte das sein? Dazu kam noch der zweite Schock: Tausendmal hatte ich mich gefragt, welcher Schatten zu mir gehörte. Nun trat er zu mir wie ein ungebetener Gast. Ein schwarzer Leopard also, ein Panther.

»Vielleicht geht es ja vorbei«, sagte Zoë. Ich spürte, dass sie auf eine Antwort wartete. Ich hatte sie von der Brücke gerettet und sie beschützt; ich sollte derjenige sein, der wusste, was nun zu tun war. Aber ich war ratloser denn je.

»Manche von uns werden zu Sehern«, sagte ich zögernd. »Rubio hat es beschrieben. Vielleicht hat es etwas damit zu tun, dass du trotz deiner Höhenangst gesprungen bist.«

Zoë sah mich zweifelnd an und ich empfand plötzlich etwas völlig Verrücktes. Eine Art Eifersucht und gleichzeitig Panik, dass Zoë mir entgleiten könnte. Dass ich zurückblieb auf Stufe 2a. Mühsam riss ich mich zusammen und zog sie an mich.

»Es ist wie eine Art Traum. Ich laufe wie auf Watte. Die Höhenangst ist weg. Ich sehe Irves an und da ist auch ein Schneeleopard, viel heller als der, den ich mal im Zoo gesehen habe. Und Gizmo – er ist ein Jaguar.«

Dann sind wir tatsächlich gleich stark, dachte ich. *Nur deshalb funktioniert die Bruderschaft.* Aus irgendeinem Grund empfand ich eine Scheu davor, sie zu fragen, ob sie auch ihren eigenen Schatten kannte. Ich dachte, sie würde es mir verraten, aber sie schwieg eine lange Zeit, ganz in meiner Umarmung versunken. Und ich hielt sie fest und versuchte mir jede Sekunde davon einzuprägen, als wäre jetzt schon sicher, dass ich sie verlieren würde.

»Vielleicht ist es ja nützlich. Vielleicht sehe ich auch die Hyänen«, sagte Zoë nach einer Weile. »Ob ich sie finden kann, was meinst du?«

»Erst einmal muss ich die Gemeinschaft finden«, sagte ich heiser.

»Hey, Romeo und Julia!« Irves' ungehaltener Ton riss uns aus der Umarmung. Wir fuhren auseinander und blickten zum Fenster. Irves stand dort. Er sah nicht so aus, als würde ihm das, was er sah, gefallen. »Giz ist zurück«, knurrte er und wandte sich ab.

Es waren zweiundsiebzig Fotos, auf Hochglanzpapier entwickelt, mit den dazugehörigen Negativen in einem Extrafach. Schon auf den ersten Blick sahen wir, dass Rubio ein sehr gutes Zoom-Objektiv gehabt hatte. Die Vergrößerungen waren zwar körnig, aber die Gesichter dennoch bestechend deutlich zu erkennen. Es waren insgesamt drei Frauen, die er ins Visier genommen hatte. Es überraschte mich kaum, dass allein auf sechzehn Fotos die Businessfrau zu sehen war, die ich vom Café-Computer vertrieben hatte. Kein schöner Gedanke, dass ich ihr so nahe gekommen war.

»Das ist die Frau, die ich angerempelt habe«, sagte Zoë und tippte mit dem Zeigefinger auf ein Bild, auf dem die Frau vor einer unberührten Tasse im Café saß und eine Zeitung las. Allmählich konnte ich mir zusammenreimen, wie Rubio seinen Henkern begegnet war.

»Sie haben ihn bestimmt mit Werbematerial eingedeckt und ihm ein Angebot gemacht«, sagte ich. »Er dachte, er hätte wirklich nur eine Immobilienfirma kontaktiert. Im Fernsehen hat er möglicherweise Juna Talbot gesehen – und natürlich nicht erkannt, was sie war. Und falls er mit einem der Mitarbeiter telefoniert hat: An der Stimme lässt sich der Schatten ja nicht erkennen.«

Irves nickte. »Und dann hat er die Tür aufgemacht, um den Makler zur Besichtigung zu empfangen, und merkte zu spät, wen er da ins Haus gelassen hatte.«

»Armer Dr. Rubio«, sagte Zoë bedauernd. »Meine Mutter mochte ihn. Er war immer fair zu ihr.«

Und unfair und grausam gegen seinesgleichen, setzte ich in Gedanken hinzu. Und dennoch konnte ich nicht anders, als ebenfalls Mitleid für ihn zu empfinden. Er war ein grausamer, alter Mann gewesen, der sich zu unserem Richter aufgeschwungen hatte. Die Vorstellung jedoch, was er gefühlt haben mochte, als er selbst den Henkern gegenüberstand, machte mich einfach nur fertig.

»Und da haben wir auch die zwei aus den Nachrichten«, sagte Gizmo und deutete auf die Rothaarige und die zweite Frau. Auf dem Bild gingen sie am Rand des Platzes vorbei, den Blick schon auf die nächste Straße gerichtet. Ich versuchte mir die Hyänenschatten vorzustellen, die ihnen folgten, aber es war wirklich schwierig, solche Raubtiere zwei damenhaften Frauen zuzuordnen, die mühelos als Upperclass-Ladys durchgegangen wären. Gizmo hob das nächste Bild ab und ich erstarrte. Rubio hatte auch mich fotografiert. Ich stand am Gatter zur U-Bahn-Treppe. Mit grimmigem Gesichtsausdruck hielt ich ihm das Schild entgegen:

Dr. G. Rubio, ein Mörder?
Und ich weiß, wen Barb töten wollte.

Doch nicht ich war im Zentrum des Bildes, sondern die Rothaarige mit Sonnenbrille, die etwa zehn Meter hinter mir stand und zu mir (oder zu Rubios Haus) hinübersah. Jetzt wurde mir einiges klar: Rubios Anruf und die Tatsache, dass er mich so schnell wie möglich von der Straße weggeholt hatte. Hätte sie das Schild gesehen, dann hätte sie sofort gewusst, dass ein Seher sie entdeckt hatte. Und sie hätte ebenfalls angenommen, dass Barb mich eingeweiht hatte. Mir wurde abwechselnd heiß und kalt bei dem Gedanken an die Gefahr, in der ich geschwebt hatte, ohne es zu wissen. *Knapp davongekommen.* Der nächste Gedanke war nicht sehr viel angenehmer: Hatte ich Rubio vielleicht tatsächlich an sie verraten? Einfach, indem ich ihre Aufmerksamkeit auf mich gelenkt hatte?

In diesem Moment legte Gizmo das letzte Foto auf das Parkett. Nach der Sortierung musste es das Bild sein, das Rubio ganz am Anfang des Films geschossen hatte.

»Bingo«, sagte Irves.

Nein, ich habe ihn nicht verraten, dachte ich. Ich hätte erleichtert sein sollen, aber das, was ich dort sah, machte mich einfach nur traurig.

»Ich hoffe, du hast einen Scanner«, sagte ich zu Irves.

Herkules

Manchmal war Gizmos kriminelle Energie auch sehr nützlich. Für den Fall, dass die Polizei nach seinem Kennzeichen Ausschau hielt, hatte er einem anderen Lieferwagen das Kennzeichen entwendet und es an seinem Wagen befestigt. Ich fragte trotzdem lieber nicht, wie er sich bei einer Kontrolle herausreden wollte. Die Stimmung war ohnehin am Gefrierpunkt angelangt, als wir die Kommunikationspunkte mit den Markierungszeichen der Gemeinschaft abklapperten. Es hatte etwas von einer Fahrt mit explosivem Material, bei der jede Erschütterung den Knall auslösen konnte. Gizmos Missbilligungswellen hüllten mich ein wie ein Mückenschwarm, der sich nicht abschütteln ließ. Und jedes Mal, wenn er so harsch anfuhr und bremste, als wäre er bei einer Stuntshow, war es, als würde er mir noch einmal ins Ohr brüllen, was er von der ganzen Aktion hielt. Keiner sagte ein Wort und ich versuchte mich darauf zu konzentrieren, ob ich irgendwo auf der Straße einen von der Gemeinschaft entdeckte. Zoë hatte die Augen zusammengekniffen und scannte ebenfalls die Straße. Bei jeder Frau im Businessdress warf Irves ihr einen fragenden Blick zu, doch Zoë schüttelte jedes Mal den Kopf.

Als das Kunstmuseum in Sicht kam, sprach ich Gizmo wieder an. »Halte da vorne an der Ecke, da ist ein Parkplatz frei.«

Gizmo trat erst aufs Gas und stieß in die Lücke, dann warf uns die Vollbremsung wieder gegeneinander. Ich fluchte und stieg mit Zoë zusammen aus dem Auto. Wie die meisten Markierungen befanden sich auch diese in der Nähe einer U-Bahn-Station. Haltestelle Kunstmuseum. Lange her, seit ich das letzte Mal hier gewesen war. Ich sah mich wachsam um, dann lief ich zu der Mauer, an der die Zeichen prangten, und holte das Klebeband und eine Kopie mit Barbs Foto aus meiner Jacke. Darunter waren einige Zeilen, die ich als Erklärung und Aufforderung getippt hatte. Ich faltete den Zettel, klebte ihn neben die Zeichen der Gemeinschaft und kritzelte mit Edding meinen *tag* darauf. Der Geruch nach frischer Farbe überlagerte das Klebstoff-Plastikaroma des Bands, und als ich meine Hand von der Wand nahm, sah ich, dass feuchter lila Sprühlack an meinem Ärmel klebte.

»Das ist ganz frisch«, sagte ich zu Zoë. »Eve muss eben erst hier gewesen sein. Ich sehe kurz in der U-Bahn nach.«

Zoë sah nicht besonders begeistert aus, aber sie nickte. »Ich komme mit«, sagte sie in einem Tonfall, der keinen Widerspruch duldete. Ich gab Irves und Gizmo ein Handzeichen und deutete auf die Treppe, dann waren wir schon unterwegs nach unten.

Heute fand ich es beruhigend, dass der Bahnsteig voll war. Sie würden wohl kaum den Fehler machen, uns vor aller Augen anzugreifen – und schon gar nicht im Visier der Überwachungskameras am Bahnsteig. (Im Gegensatz zu uns hatten sie immerhin einen Ruf zu verlieren.)

Schulter an Schulter, mit dem Rücken zur Wand, stellten Zoë und ich uns bei den Fahrplänen auf und hielten Ausschau. Die meisten Leute waren hier lediglich auf der Durchgangsstation. Eine Gruppe von Museumsbesuchern war an den roten Papierbändern um die Handgelenke zu erkennen. Nur wenige Leute setzten mit ihrer Kleidung Farbtupfer in den matschigen Einheitsbrei aus grau-braun-grünen Fleeceklamotten und verwaschenen, ausgebeulten Jeans. Als ich ein Aufblitzen von zartem Fliederviolett in der Menge sah, sprang ich kurzerhand auf eine Sitzbank und verschaffte mir einen besseren Überblick. Am liebsten hätte ich einen Triumphschrei ausgestoßen. Dort war tatsächlich Eve! Aus der Tasche ihres Blazers ragte die Spraydose. Sie stand halb von mir abgewandt und betrachtete gedankenverloren die Gleise, als würde sie ebenfalls auf die nächste Bahn warten. Und vermutlich tat sie genau das.

Ich warf einen Blick auf die Anzeige. Nächste Bahn in zwei Minuten.

»Warte hier«, sagte ich zu Zoë. »Es ist besser, wenn wir nicht gleich zu zweit auf sie losstürzen.«

Hastig holte ich die Kopien hervor, suchte mir einen Weg durch die Menge und pirschte mich bis auf wenige Meter an Eve heran. Es wäre seltsam gewesen, wenn sie mich nicht erspürt hätte. Bevor ich den Mund aufmachen konnte, fuhr sie herum und starrte mich mit funkelnden Augen an. Zum ersten Mal fragte ich mich, ob es bei den Panthera ein universales Zeichen gab, das »Waffenstillstand« bedeutete. Mir fiel keines ein, also hob ich die Hände und versuchte ein harmloses Gesicht zu machen.

»Eve, ich will nur reden!«, rief ich ihr zu.

Ihre Augen wurden schmal und sie kniff misstrauisch die Lippen zusammen, aber immerhin verharrte sie.

»Ich weiß, Claire und Julian sind anderer Meinung, aber wir haben den Kodex nicht gebrochen«, fuhr ich fort. »Wir wissen, wer es war! Eine andere Art, Eve! Eindringlinge in der Stadt! Ihr seid auch in Gefahr. Wir müssen gemeinsam ...«

»Scheiß Rollenspieler«, pöbelte mich ein nach Bier riechender Kerl mit *Blues-Brothers*-T-Shirt und langen Haaren an. »Eindringlinge in der Stadt«, äffte er mich nach und rülpste abfällig. »Geh und spiel woanders, Kleiner! Das hier ist die richtige Welt!«

Seine Lederjackenkumpel grinsten und stellten sich mir demonstrativ in den Weg.

»Haut ab!«, fauchte ich. Über die Schulter von Bierfahne sah ich, wie Eve bei meinen Worten zusammenzuckte – und floh. *Mist.*

»Warte!«, brüllte ich. Verdammt, sie war dabei, mir wieder zu entwischen! Zwei der Kerle wichen erschrocken zurück, als ich einfach auf sie losstürzte, nur Bierfahne machte tatsächlich den Versuch, mich zu Fall zu bringen. Nun, Kameras hin oder her – ich musste durch! Als er den Boden küsste, hinkte sein Gehirn noch so weit hinterher, dass er sich nicht einmal reflexartig mit den Händen abfing. Ich sprang über ihn hinweg und lief.

Eve blickte gehetzt über die Schulter und reagierte so schnell, dass sie mich wirklich überrumpelte. Aus dem Lauf stieß sie sich an der Bahnsteigkante ab und sprang mitten auf die Gleise! Leute schrien auf, überall verblüffte und entsetzte Gesichter. Blitzschnell überquerte sie die Gleise. Ich konnte verhindern, dass ich vor Zorn über die Grenze rutschte, aber ich dachte nicht daran, sie abhauen zu lassen.

Hinter mir hörte ich Zoës Ruf: »Gil, nein!«

Doch ich war schon losgeschnellt, das Bremskreischen der einfahrenden Bahn ein heißer Stachel in meinen Ohren. Das Adrenalin katapultierte mich ebenfalls ins Gleisbett, ein, zwei Sprünge, dann hatte ich es überquert, während der Sog der einfahrenden Bahn direkt hinter mir schon an meiner Jacke zerrte. Entsetzte Rufe hallten in meinen Ohren, während ich über die Stromschiene auf den gegenüberliegenden Bahnsteig sprang. In der nächsten Sekunde fegte ich schon Eve hinterher den Bahnsteig entlang. Teufel, war die schnell! *Gepard?*, schoss es mir durch den Kopf.

Was die Geschwindigkeit anging, hatte ich gegen sie keine Chance. Aber sie lief auf das blinde Ende der Station zu – dann hatte sie nur noch die Wahl, wieder auf die Gleise zu springen oder stehen zu bleiben und sich zu mir umzudrehen.

Ich war so auf sie fixiert, dass ich das heranrollende Dröhnen aus der Gegenrichtung erst wahrnahm, als es mich beinahe umwarf. Ein Zug raste an mir vorbei. Vermutlich eine Betriebsfahrt, denn die Bahn passierte die Station in voller Fahrt. Eve reagierte ohne einen einzigen Wimpernschlag des Zögerns. Ein Sprung auf die Anhängerkupplung in den schmalen Spalt zwischen zwei Wagen und sie hatte ihr Taxi in den Tunnel.

Ich stieß einen Schrei aus, stopfte mir die Kopien blitzschnell unter die Jacke – rannte und sprang ebenfalls. Ich erwischte den Triebwagen am hinteren Ende und krallte mich mit allen Fingern an den Einsteighilfen für den Fahrer und in der Vertiefung des kleinen Klappfensters an der Seite fest. Schlechte Idee. Aus dem Augenwinkel sah ich den Tunnelrand heransausen. Es war ein alter Tunnel, der gebaut worden war, als die Bahnen deutlich schmaler waren. Das neue Bahnmodell hatte an den Seiten kaum Spielraum. Man musste kein Mathegenie sein, um sich auszurechnen, dass ich gleich zwischen Bahn und Tunnel pulverisiert werden würde. Es war eines der wenigen Male, in denen ich den Schatten bereitwillig nach mir greifen ließ. Als ich wieder aus dem Blackout erwachte, waren höchstens fünf Sekunden vergangen. Es war dunkel und ich kauerte auf allen vieren auf dem Dach der Bahn, die durch den Tunnel raste.

»Eve!« Nichts rührte sich, also begann ich zu klettern, während der Fahrtwind an meinen Haaren riss und mir durch die Unterdruckwirbel die Luft aus der Lunge saugen wollte. Keuchend kam ich beim Ende des Triebwagens an und spähte hinunter zur Anhängerkupplung. Im diffusen Licht der Innenbeleuchtung, das durch die Fenster auf die Tunnelwände fiel, erkannte ich Eves verblüffte Miene. Ich suchte mit den Füßen Halt, löste meine linke Hand und riss den Kopienstapel hervor. Im Wind zappelte er in meiner Faust wie ein wild flatternder Vogel aus Papier. »Es sind solche wie wir! Mit dem Schatten von Hyänen!«, stieß ich hervor. »Sie unterwandern unsere Reviere und töten einen nach dem anderen. Schau dir das Bild an, das ist der Beweis – Barb war euer zweiter Seher, sie hat es gewusst! Du musst Julian und die anderen überzeugen und mit uns ...«

Ein Ruck warf mich zur Seite, als die Bahn durch eine unregelmäßige Gleisstelle tanzte. Wenn ich mich nicht instinktiv mit beiden Händen festgehalten hätte, hätte ich das Gleichgewicht verloren. Die Papiere befreiten sich und wurden im Fahrtwind nach hinten gezogen – in den Tunnel, den wir eben hinter uns ließen. Jähe Helligkeit ließ mich blinzeln. Und als ich wieder hinsah, war Eve verschwunden. Im verwaschenen Streifen des vorübergleitenden Bahnsteigs sah ich nur noch einen fliederfarbenen Blazer. Abgesprungen. Mal wieder. Ob sie mir überhaupt zugehört hatte?

Ich konnte mich nur ducken und festhalten, während ich in den nächsten Tunnel tauchte. Am nächsten Bahnsteig sprang auch ich ab. Zum Glück war er so gut wie leer. Unter der Anzeige diskutierte nur eine kleine Gruppe von Leuten miteinander herum. Keiner merkte, wie ich vom Waggon sprang. Meine Muskeln zitterten von der Belastung und meine Hände waren mit rußigem Fett beschmiert. Unter meiner Jacke knisterte es. Eine der Kopien von Rubios Foto war übrig geblieben. Ich holte das Blatt hervor und betrachtete es nachdenklich. Auch diesmal gab es mir einen Stich, es zu betrachten. Barbara Villier, die wie eine Verurteilte unter Rubios Fenster stand, ihr Blick anklagend und völlig klar. In den Händen hielt sie ihr Todesurteil, das sie selbst auf das rechteckige Stück Pappe geschrieben hatte: *»Wir müssen die Hyänen töten!«*

Es dauerte fünf endlose Minuten, bis endlich die nächste Bahn zum Kunstmuseum zurückfuhr. Diesmal hatte ich keine Lust auf ein Rodeo und stieg ganz gesittet in einen Waggon ein. Zoë erwartete mich schon am Bahnsteig. Blass, nervös und ungeduldig. Doch als sie mich sah, huschte ein erleichtertes Lächeln über ihr Gesicht.

»Nichts passiert«, beruhigte ich sie. »Aber Eve ist mir wieder entwischt. Ich kann nur hoffen, dass sie wenigstens die Hälfte von dem verstanden hat, was ich ihr erzählt habe.«

Ihr Lächeln verschwand und mit einem Mal wirkte sie nur noch müde und gequält. »Was machen wir, wenn sie uns nicht helfen?«, fragte sie leise. Ich konnte ihre Verunsicherung und ihre Furcht spüren und fragte mich, wie es für sie sein musste – aus einem so behüteten Leben von einem Tag zum anderen in den Dschungel geworfen zu werden. Auf Leben und Tod, mitten in die

Nahrungskette und die Territorialkämpfe. Und wie wirkte ich auf sie – der Panther, die Bestie?

»Hey«, sagte ich sanft und lächelte ihr zu. »Sieh mich nicht so an. Ich bin's, Gil! Das schaffen wir schon.«

Ich zog sie an mich und sie erwiderte meine Umarmung.

»Irves wartet«, murmelte sie, während ich ihr über das Haar strich. Es kostete mich einige Überwindung, sie loszulassen, ganz gelang es mir nicht. Hand in Hand gingen wir zur Treppe. Irves stand am oberen Rand der Stufen und hielt bereits Ausschau nach uns. Er sah ziemlich sauer und genervt aus.

»Na endlich!«, blaffte er uns an. »Ich dachte schon, sie hätten euch hier unten abgepasst. Gizmo ist oben schon kurz vor dem Durchdrehen.«

Wie ertappt ließen wir unsere Hände los und folgten ihm im Laufschritt. Es hatte zu regnen begonnen. Wasser suchte sich in Bächen seinen Weg in den U-Bahn-Schacht. Wir hetzten die Treppen hoch und standen gleich darauf vor einer Pfütze, auf der kleine Wasserspitzen tanzten. Genau über dieser Pfütze hatte Gizmos Wagen gestanden. Hatte.

Irves stöhnte auf und hob die geballten Fäuste, als wollte er auf das nächstbeste Autodach einprügeln. »Na klasse!«, knurrte er. »Das hat gerade noch gefehlt. Ich hätte nicht aussteigen dürfen.«

Reflexartig griff ich zu meinem Handy. Fehlanzeige. Vermutlich hatte es irgendwo im U-Bahn-Schacht sein anonymes Grab gefunden. »Zoë, gib mir dein Handy!«, rief ich. Ich nahm es ihr aus der Hand und drückte Gizmos Taste. Ich hätte nicht erwartet, dass er überhaupt ranging, aber er meldete sich ruhig, schien fast emotionslos.

»Na?«, fragte er gelangweilt. »Kaffeekränzchen mit der Gemeinschaft endlich beendet?«

»Was soll das werden?«, schnauzte ich ihn an. »Du lässt uns einfach so hier sitzen?«

Die Hintergrundgeräusche des Lieferwagens waren nicht gerade beruhigend. Der Motor dröhnte, vermutlich stand er mit dem Bleifuß auf dem Gas.

»Ich habe nur keine Lust mehr auf Zeitverschwendung«, erwiderte er trocken. »Ich regle das auf meine Weise.«

Für einen surrealen Augenblick sah ich eine Filmszene vor mir: Gizmo mit Cowboyhut, wie er ganz allein gegen die Banditen zu Felde zog.

»Bist du jetzt völlig bescheuert?«, schrie ich. Irves machte eine warnende Geste, die besagte, dass ich mich beruhigen sollte.

»Das solltest du dich selbst mal fragen, Gil«, erwiderte Gizmo mit dieser gespenstischen, kalten Ruhe, die unheimlich war. »Wenn du glaubst, dass Julian und die anderen dir helfen, dann träumst du.«

»Das lass meine Sorge sein! Wir haben nur eine Chance, wenn wir zusammenhalten.«

Irves und Zoë blickten mich angespannt an.

Gizmo lachte. »Hör zu, Gil«, meinte er dann in diesem herablassenden Tonfall, den ich hasste. »Wenn mir jemand an den Karren fährt, dann sorge ich dafür, dass er damit aufhört. Jeder für sich, so einfach ist das. Ich habe nichts gegen Netzwerke oder gegenseitige Gefallen. Aber ich habe was gegen Gemeinschaften. Wenn du es genau wissen willst: Das letzte Mal, als ich mich auf eine sogenannte Gemeinschaft verlassen habe, war ich der Idiot. Sobald die Polizei da war, zählte nichts mehr. Meine Kumpel von der Gang konnten abhauen – weil sie mich sitzen ließen. Wenn ich nicht genau in diesem Augenblick über die Grenze gegangen wäre, wäre ich abgeknallt worden.«

Ich atmete durch und zwang mich dazu, ruhiger zu werden. Das war also Gizmos Moment gewesen. Sein Ruf nach dem Schatten. Kein Wunder, dass er ausrastete, wenn er die Kontrolle zu verlieren drohte.

»Okay«, sagte ich. »Verstehe. Aber das war damals, Gizmo. Das hier ist etwas anderes. Auf uns konntest du dich immer verlassen. Du weißt nicht einmal, wie viele es sind. Sie haben Maurice fertiggemacht!«

»Klar, weil er nicht auf Zack war und nicht mit ihnen rechnete.«

»Sie werden dich töten, du Idiot!«, rief ich.

Wieder das trockene Lachen, das nichts Gutes verhieß. »Wollen wir wetten?«

Mit diesen Worten legte er auf. Natürlich rief ich noch mal an, aber offenbar hatte er das Handy ausgeschaltet. Das Selbstmordkommando hatte sich verabschiedet. Unwillkürlich sah ich den Schacht vor mir. Nur dass diesmal Gizmo statt Rubio unten lag.

»Er will es allein durchziehen, stimmt's?«, sagte Irves. »Dachte ich mir schon fast.«

»Ach ja? Und warum hast du ihn dann nicht davon abgehalten?«

»Weil er kein dressierter Hund ist, der auf Befehle hört!«, fauchte er zurück. »Keiner von uns ist das!«

»Wollt ihr euch jetzt auch noch die Köpfe einschlagen oder beeilen wir uns, damit wir ihn noch abpassen können?«, mischte sich Zoë ein. »Er fährt ganz sicher zur Alten Marktstraße. Wir sollten zumindest nachsehen.« Als wir sie beide etwas verwundert ansahen, setzte sie hinzu, als müsste sie mich überzeugen: »Wir können ihn den Hyänen nicht ins Messer laufen lassen. Wir sind zu dritt. Und außerdem können wir klettern.«

Zoë bereute ihren Vorschlag bereits, als sie als einzige Fahrgäste aus dem Bus stiegen, der sie an der Haltestelle in der Nähe des Alten Schlachthofs absetzte. Gemeinsam blieben sie stehen und blickten zum Ende der Straße. *Sei kein Feigling*, ermahnte sie sich streng. *Das lenkt dich nur ab.* Aber sie musste sich eingestehen, dass es eine Sache war, mutige Pläne zu schmieden, und eine ganz andere, den Dschungel wirklich zu betreten.

»Wenn wir einfach bis zum Schlachthof spazieren, können wir uns auch gleich eine Zielscheibe auf die Stirn malen«, murmelte Irves.

Gil nickte und suchte mit den Blicken die lang gezogene Häuserzeile ab, als wäre er ein Sportler, der die beste Route finden will. »Nummer vierundzwanzig, das Haus dort drüben«, sagte er schließlich und begann im selben Atemzug damit, die Schuhe auszuziehen. »Wenn wir auf die Garage klettern und über die Fassade hochgehen, können wir über die Dächer laufen. Vielleicht kommen wir sogar bis zum Schlachthof.«

Zoës Herz machte einen Satz, als sie an die Höhe dachte, aber als sie beobachtete, wie Irves und sein weißgrauer Schatten elegant nach oben kletterten, war sie plötzlich nur noch fasziniert. Sie streifte ebenfalls ihre Schuhe und die Jacke ab und versteckte sie hinter einem leeren Blumenkasten. Kühler Regen benetzte ihre Haut und ließ sie frösteln. Gil wartete bereits, die Doppelgestalt: der Junge, der ihr ermutigend und zugleich besorgt zulächelte – und an seiner Seite der Panther, der voller Ungeduld darauf wartete, klettern zu dürfen. Trotz ihrer Anspannung musste sie auf einmal lächeln.

»Bereit?«, fragte er sanft. Sie konnte sehen, wie der Schattenpanther jeden Muskel anspannte. Doch Gil blieb ruhig und vollkommen auf sie konzentriert, als gäbe es auch jetzt auf der ganzen Welt nichts Wichtigeres als sein Mädchen. *Und das bin ich*, dachte Zoë. *Das bin ich wirklich.*

»Keine Angst«, sagte er leise, obwohl die Sorge um sie in seinem Tonfall nur zu deutlich mitschwang.

»Ich habe keine«, erwiderte sie. »Ich weiß ja, du lässt mich nicht fallen, was auch passiert.« Mit einem Mal war sie völlig ruhig. »Geh vor!«, sagte sie. »Ich folge dir.«

Gil zögerte noch einen Moment, doch dann sah er sich nach seinem Schatten um, als würde er instinktiv spüren, wo er sich befand. Zoë beobachtete, wie Gil und sein Schatten sich annäherten und beinahe verschmolzen. Die Doppelgestalt erklomm die Garagenwand und wartete auf Zoë.

Sie biss die Zähne zusammen, nahm Anlauf – und sprang. Auch jetzt war sie verblüfft, wie einfach es war. Kein Finger schmerzte, als sie sich in Fugen und Ritzen krallte, und ihr Körper schien nur noch halb so schwer zu sein. *Oder bin ich nur stärker?*, dachte sie. Nie hätte sie zu träumen gewagt, eines Tages ohne Angst klettern zu können, jetzt aber war es wie Atmen – selbstverständlich und einfach ... ein angeborener Bewegungsablauf. Konzentriert sprang sie über einen breiten Spalt zwischen Garage und Hauswand, spürte das Spiel ihrer Muskeln, während sie sich hochzog, und erklomm schließlich mühelos das Dach. Unter ihren bloßen Füßen spürte sie die nassen Schindeln und genoss das erstaunlich berauschende Gefühl der Höhe. Gil lächelte ihr zu und für einen Moment vergaß sie die Bedrohung. In diesem Moment der geschenkten Wärme wusste sie, wofür sie ihn besonders liebte: für seine Umsicht, seine Sorge und für die Behutsamkeit, die er so gut hinter seinem jähzornigen und düsteren Wesen zu verbergen wusste.

Es war tatsächlich möglich, sich von Häuserzeile zu

Häuserzeile zu hangeln. Ein ganzes Stück Weges brachten sie auf dem Flachdach eines angrenzenden Lagergebäudes hinter sich. Als der Alte Schlachthof dann in Sicht kam, duckten sie sich unwillkürlich und schlichen schweigend weiter. Die weiß gestrichene Gebäudeseite wirkte im Regen hellgrau und stumpf. Zoë erinnerte sich daran, wie oft sie im Sommer im Freilichtkino bewegte Bilder auf dieser Wand betrachtet hatte: leidenschaftliche Küsse auf dem körnigen Gemäuer, Tanzszenen, Komödien ... *Und heute: Horrorfilm.*

Selbst von hier oben konnte man sehen, dass die Tür zum *Club Cinema* immer noch versiegelt und verschlossen war.

»Wenn Gizmo da wäre, hätte er die Tür längst aufgebrochen«, sagte Gil leise.

»Beim Hintereingang geht es zu den Parkplätzen«, flüsterte Zoë.

Irves schnaubte. »Er wird kaum den Lieferwagen dort abstellen und fröhlich durch die Tür spazieren.«

»Es sei denn, er hat das Auto vorher mit Sprengstoff gefüllt«, antwortete Gil. Zoë dachte mit einem mulmigen Gefühl, dass Gils Worte ganz sicher nicht als Scherz gemeint waren.

»Auf der anderen Seite gibt es auch einen Eingang«, sagte sie leise.

Irves ging ein paar Schritte zurück und nahm ohne Vorwarnung Anlauf. Zoë schnappte erschrocken nach Luft, dann konnte sie nur noch staunend beobachten, wie er tief in die Knie ging, sich kraftvoll abfederte und über die Kluft der Straße auf das niedriger gelegene Flachdach des Alten Schlachthofs zusegelte. Regen rann über seine weiße Haut und die verschorfte Bisswunde – und gleichzeitig sah Zoë schimmerndes Fell und den geschmeidigen Raubkatzenkörper, der mühelos die Distanz von fast fünf Metern überbrückte. Lautlos landete er auf der anderen Seite und ging ein Stück weiter, ohne sich umzusehen.

»Du musst nicht springen. Wir können auch einen anderen Weg nehmen«, sagte Gil neben ihr.

Vielleicht hätte sie erleichtert genickt, wenn Irves sich nicht in genau dieser Sekunde umgedreht hätte. In seinem Blick lagen Spott und Triumph. *Na, traust du dich?* Und Zoë nahm die Herausforderung an.

»Geht schon«, sagte sie zu Gil, ging ein paar Schritte zurück und nahm Anlauf. Es war wie auf der Tartanbahn, nur viel sicherer und müheloser – und schneller. Ein Teil von ihr staunte über die Selbstverständlichkeit, mit der ihr Schatten sie führte und sie einfach über den Abgrund trug, unter ihr nur noch der freie Raum und flimmernd in ihrem Zwerchfell ein Glücksgefühl. Sie landete atemlos und sprang sofort wieder hoch. Dann wirbelte sie herum und strahlte Gil über die Straße hinweg an. Auch er setzte zum Sprung an und landete fast lautlos neben ihr.

Auf dem mit Kies ausgelegten kleinen Parkplatz befanden sich nur die ausgeschlachteten Wracks von zwei Autos. Von Gizmos Lieferwagen keine Spur.

Als hätten sie mit der Landung auf dem Schlachthof

einen Pakt geschlossen, verständigten sie sich nur noch flüsternd und mit Blicken. Irves zeigte mit einem Rucken des Kinns nach unten zum zweiten Eingang, wo der Briefkasten hing.

»Ich gehe runter«, flüsterte Zoë. Gil verzog das Gesicht, aber sie kam seinem Protest zuvor. »Ich bin die Seherin«, wisperte sie ihm zu.

»Wir gehen zusammen«, erwiderte er ebenso leise. »Irves hält hier oben die Stellung und behält die Straße im Blick.«

Irves nickte und postierte sich am Dachrand.

Abwärts klettern war viel schwieriger. Zoë balancierte und tastete sich vorsichtig an den Fenstern entlang. Im Schlachthof war es dunkel und leer. Eine Staubschicht lag auf dem Boden, den schon lange niemand mehr betreten hatte. Sie erahnte abgedeckte Möbel und farbverschmierte Tische. Im Sommer hausten Künstler aus anderen Städten im Schlachthof, um ein paar Monate im »Künstlercamp« zu arbeiten, doch nun war alles verwaist. Zoë hangelte sich die letzten Meter an der Dachrinne entlang nach unten und kam vorsichtig auf dem Kies auf. Auch der zweite Eingang war von außen mit einem Vorhängeschloss gesichert. Es roch nach Verlassenheit. Am Briefkasten war Juna Talbots Visitenkarte aufgeklebt. Luftfeuchtigkeit hatte sie wellig werden lassen. Der Briefkasten quoll über.

»Eine Briefkastenadresse«, raunte ihr Gil zu. »Wie wir schon vermutet hatten. Die haben sich ihren Unterschlupf irgendwo anders gesucht.«

Zoë machte einige Schritte über den Parkplatz und sah sich um. Der Regen hatte aufgehört, kein Lüftchen regte sich. Doch als sie sich nun mit allen Sinnen auf die Düfte der Umgebung konzentrierte (nasser Kies, alter Mörtel, abgeplatzter Lack), filterte sie ein zartes Aroma heraus, nur wenige Moleküle in der Luft. Parfüm?

»Ich glaube, sie waren hier«, sagte sie. »Es ist nicht lange her. Warum haben sie den Briefkasten nicht geleert?«

Gil zuckte mit den Schultern und verschränkte die Arme. Zoë ließ den Blick über die nächsten Häuserzeilen wandern und versuchte die Bilder zu vereinen. Heute war es Tag, damals in ihrem Gedächtnis war es Nacht gewesen. Sie erinnerte sich daran, am Autowrack vorbeigerannt zu sein. Also hatte sie den Schlachthof halb umrundet. Und auf dem Weg ... die Frauengesichter. Sie schloss die Augen und ging die Bilder ab wie in einem Museum. Gesichter. Scheinwerfer, Pupillen, die sich zu Schlitzen zusammenzogen. Und etwas im Hintergrund. Eine helle Fläche. Ein Schild! Jetzt erinnerte sie sich. In ihrem Traum von David hatte sie es noch einmal gesehen. Es war wie die Konzentration auf einen einzigen Punkt, auf das wirklich Wichtige, das alles andere zur Bedeutungslosigkeit verdammte. *Jagdfieber.*

Sie öffnete die Augen und sah auf der anderen Straßenseite ein längliches, von einer Hofeinfahrt durchbrochenes Gebäude. Es war verlassen und abgeschlossen. Und über der Tür hing noch das alte und verschmutzte Schild, an dem Zoë schon tausendmal nach dem Sommerkino achtlos vorbeigelaufen war: »Bücher Roth«.

»Gil«, sagte sie leise. »Ich schaue nur mal zum alten Antiquariat. Behalte die Straße im Auge.« Sie konnte ihm ansehen, dass er zögerte, aber nach einem Blick auf das verlassene Haus nickte er unwillig.

»Beeil dich!«, zischte er ihr zu. Lautlos huschte sie über die Straße, geborgen in ihrem Katzenschatten, und spähte durch das Fenster im Erdgeschoss.

Ein leerer Raum mit altmodischen Tapeten an den Wänden. Und dennoch – da war etwas in der Luft ...

Sie linste in die Toreinfahrt und erinnerte sich daran, dass sie mit Ellen in diesem Antiquariat gewesen war, als es noch geöffnet hatte. Im Hinterhof hatte es immer einen Bücherflohmarkt gegeben.

»Zoë!«, zischte Gil zu ihr herüber. Doch sie winkte ab. *Keine Gefahr*, bedeutete sie ihm. *Ich bin gleich zurück!*

Dann ging sie dicht an der Mauer entlang und betrat den Hof. Er war riesig und asymmetrisch. Mehrere Häuserwände begrenzten ihn. Unkraut wucherte in den Ritzen zwischen Hauswand und Boden aus dem Kies. Eine Tür auf der anderen Seite des Hofs war nur angelehnt. Zoë lauschte und witterte noch einmal, dann beschloss sie, dass sie einen Blick wagen konnte, und schlich an der Wand entlang, bis sie das Fenster neben der Tür erreicht hatte. Als sie durch das Fenster sah, erstarrte sie. Mit einem Mal spürte sie die Kälte und fröstelte.

Hier also!

In dem Raum stand ein Tisch. Und darauf lagen ein Handy und ein Stapel mit Unterlagen. Selbst von hier konnte sie das blaue Logo im Briefkopf erkennen. Am liebsten hätte sie einen Triumphschrei ausgestoßen, aber sie zwang sich zur Ruhe. Behutsam setzte sie einen Fuß auf die Treppenstufe, stieß die Tür ein Stückchen weiter auf und schnupperte. Kein Zweifel. Ein Hauch von Parfüm. Jetzt erinnerte sie sich auch daran, dass sie mit Ellen auf der untersten Ladenebene gewesen war und darüber gestaunt hatte, dass der riesige Lagerkeller sich endlos weit in das Gebäude hineinzuerstrecken schien. *Hyänen leben in Höhlen*, dachte sie. *In ihrem Rudelverband. Sie sind ja vorwiegend nachtaktiv. Schlafen sie jetzt?*

Vorsichtig setzte sie einen Fuß auf die alten Fliesen und machte einen Schritt in das Zimmer – gerade so weit, dass sie in den angrenzenden Raum sehen konnte. Tageslicht fiel auf den Boden. Eine Terrassentür führte auf ein weiteres Parkgrundstück – und draußen erahnte Zoë das Blitzen von Metallicfarbe. Dort parkte ein Auto! *Gizmo?* Nein, sein Lieferwagen war weiß. Ihr Herz machte einen schmerzhaften Satz, als ihr einfiel, woher sie diesen Geländewagen kannte. Im selben Moment hörte sie draußen ein Rascheln. Zoë wollte sich hastig zurückziehen – doch im selben Moment hörte sie hinter sich Atem. Reflexartig sprang sie zur Seite. Ein holziges Parfüm nebelte sie ein und betäubte alle anderen Wahrnehmungen. *Fehler!*, schrie es in ihrem Kopf. Sie hatte sich so auf die Hintertür konzentriert, dass sie vergessen hatte, darauf zu achten, was hinter ihr war. Sie wirbelte herum, auf einen Kampf gefasst. Doch dann erstarrte sie. Manchmal wurden alle Albträume auf einmal wahr.

Die Panthera-Reflexe wollten sie reagieren lassen, doch sie konnte nur auf die Hyäne starren, die vor der gerade zufallenden Tür stand. Aber der Schatten war nicht das Schockierendste. Viel schlimmer war der Anblick der menschlichen Gestalt, zu der das Raubtier gehörte.

»Sieh an, Zoë«, sagte die Frau in ihrer kühlen, freundlichen Art, während die Hyäne misstrauisch in ihre Richtung witterte.

Sie kann nicht wissen, dass ich ihren Schatten sehe!, fuhr es Zoë durch den Kopf. *Erzähl was! Irgendwas!*

»Hallo Frau Thalis«, sagte sie schwach. »Das ist ja eine Überraschung.«

»Allerdings«, sagte die Lehrerin trocken und verschränkte die Arme. Sie trug einen Trainingsanzug und ihr Schweißband, und sie war barfuß.

»Was suchst du hier?«, fragte sie. Es klang nicht einmal unfreundlich. Viel eher interessiert.

Zoë schluckte. »Ich ... meine Mutter arbeitet für Dr. Rubio. Er hat ihr einige Unterlagen gegeben – für eine Immobilienfirma. Und ich ... ich sollte sie beim Alten Schlachthof einwerfen. Aber komischerweise hat die Firma hier nur ihren Briefkasten.« Klang sie völlig überdreht?

Frau Thalis zog den linken Mundwinkel zu einem spöttischen Lächeln hoch. »Hören wir auf, Theater zu spielen, Zoë«, sagte sie sanft. »Du bist ein kluges Mädchen – und du weißt, wen du vor dir hast, nicht wahr? Und du weißt längst, was gespielt wird. Sonst hättest du uns kaum gefunden.« Sie lächelte beinahe zufrieden. »Die, die wirklich zu uns gehören wollen, finden uns immer. Oder hat Rubio es dir verraten, bevor wir ihn zum Schweigen gebracht haben?«

Zoë schluckte und schüttelte den Kopf. Enttäuschung und ihre Wut auf sich selbst brannten in ihren Adern. *Wie konnte ich ihr direkt in die Arme laufen?*

»Warum?«, fragte sie leise. »Warum tötet ihr?«

»Das ist die einfachste Art, an Reviere zu kommen«, erwiderte Frau Thalis trocken. »Es erspart uns die Mühe, später das Erworbene ständig verteidigen zu müssen.« Ihr Lächeln wurde um eine Spur wärmer. »Du machst dir Sorgen, nicht wahr? Das musst du nicht. Du warst nie in Gefahr. Wir wählen sorgfältig aus. Wir beseitigen nur den Müll. Die Edelsteine heben wir auf.« Sie lächelte fein. »Du passt gut zu uns, Zoë. Du hast den Biss und den Willen.«

Zoës Gedanken überschlugen sich. Schaudernd dachte sie an das Gespräch in der Schule. Vor allem ein Satz bekam plötzlich eine ganz neue, schreckliche Bedeutung: *Wenn David dich stört, sorge ich dafür, dass ihr euch nicht mehr über den Weg lauft.*

»Deshalb also die Marathongruppe«, sagte sie leise. »Das war ein Test. Damit finden Sie heraus, welche Schüler zu den Panthera gehören. Und deshalb legen

Sie solchen Wert auf Teamarbeit. *Es geht immer um das Team.*«

»Und ein Rudel ist mehr als die Summe seiner Mitglieder«, ergänzte Frau Thalis. »Ganz recht. Und du wärst nicht hier, wenn du dich nicht dafür entschieden hättest. Wir sind ein System. Ein mächtiges, gut funktionierendes System, in dem jeder seinen Platz findet, der bereit ist, zum Wohl des Rudels beizutragen. Jeder hat seine eigene Aufgabe. Ich bin die Vorhut, die Späherin gewesen. Und jede der anderen hat ebenfalls ihre Funktion.«

Zoë schluckte. *Zeit gewinnen! Stelle Fragen!* »Gehören alle Mädchen der Marathongruppe dazu?«, fragte sie heiser.

Die Hyäne fixierte sie und Zoë bemühte sich mit aller Kraft, sie zu ignorieren. Doch der Blick in Frau Thalis' Raubtieraugen, deren Iris diesmal nicht mehr mit Kontaktlinsen getarnt waren, war nicht weniger verstörend.

»Natürlich nicht«, sagte Frau Thalis mit einer Spur von Kühle. »Warum? Ist das wichtig?« *Sie spürt es*, dachte Zoë. *Sie muss spüren, dass ich Angst habe.*

»Was ist mit der Polizei?«, fragte sie weiter. »Was, wenn euch jemand auf die Spur kommt?«

»Das können sie nicht«, erwiderte Frau Thalis. »Für die Beseitigung haben wir Leute, nach deren DNA-Rastern die Polizei nicht gezielt fahnden kann, weil sie offiziell gar nicht existieren. Man kann feststellen, dass es immer derselbe Mörder war, aber man wird ihn niemals finden. Denn die einzigen ›Existenzen‹ des Rudels haben eine weiße Weste. Kein Mensch wird ihren Fingerabdruck jemals an einem Tatort finden. Einfaches Prinzip.«

Draußen schlug ein Kofferraumdeckel mit einem satten Schnappen zu. Zoë zuckte zusammen. *Die anderen! Sie kommen ins Haus!* Jetzt begann ihr Herz noch mehr zu rasen. *Ich muss hier raus! Sofort!*, dachte sie. Und: *Bitte lass ihnen Gil nicht in die Fänge laufen*. Fieberhaft versuchte sie abzuschätzen, wie groß ihre Chance war, zur Tür zu kommen, doch dann fiel ihr Blick auf die Treppe. *Klettern*.

Die angelehnte Terrassentür klappte, Einkaufstüten raschelten, Schritte näherten sich. Frau Thalis' Schatten wandte den Kopf mit den kräftigen Kiefern zur Seite und richtete seine Aufmerksamkeit für einen Moment auf die Geräusche. Zoë reagierte blitzartig. In der nächsten Sekunde war sie schon mitten auf der Treppe. Ein empörter Laut hinter ihr, ein Ruf, dann war Frau Thalis ihr schon auf den Fersen. Zoë biss die Zähne zusammen und ließ sich ganz und gar in den Schatten fallen. Staub wirbelte auf den Dielen auf, als sie über einen Flur stürzte, die schabenden und klackenden Krallen der Hyänenpfoten viel zu dicht hinter sich. Drei Türen, doch nur unter einer spürte sie einen Luftzug. Sie stürzte in ein leer geräumtes Zimmer, in dem nur einige klobige, kaputte Stühle standen, und erfasste mit einem Blick ihre einzige Fluchtmöglichkeit: ein zugiges Altbaufenster. Und dahinter, einige Meter entfernt, die erst leicht begrünten Äste einer Birke, die als einziger Baum den Innenhof schmückte. Ein Spreißel fuhr ihr in die Handfläche, als sie im Rennen einen Stuhl vom Boden hochriss, doch sie empfand den Schmerz nicht. Sie nutzte den Schwung des Laufens, holte aus und schleuderte den Stuhl mit voller Wucht gegen das geschlossene Fenster. Das grelle Splittern spürte sie wie Dolchstiche im Ohr. Doch sie holte alles aus ihren Muskeln heraus und hechtete mit einem Riesensatz durch das zertrümmerte Fenster. Scherben streiften ihr Schienbein, dann flog sie dem Baum entgegen. Der Aufprall war hart und drückte ihr alle Luft aus der Lunge. Die Sonne blendete sie für einige Sekunden. Ihre Schultergelenke schmerzten vom plötzlichen Ruck und der Himmel wirbelte über ihr, als die Baumkrone ins Schaukeln geriet.

Sie erkannte Frau Thalis am Fenster, ihr wutverzerrtes Gesicht und daneben das zähnefletschende Maul der Hyäne. Nur ganz kurz verspürte Zoë das Aufblitzen eines irrwitzigen, rasenden Triumphes. *Sie kann mir nicht folgen!*

»Schade«, sagte Frau Thalis mit kalter Verachtung. »Das war's dann wohl mit uns.« Sie holte nicht einmal Luft, sondern bellte im selben Atemzug scharf in den Hof hinunter: »Carla!«

Es dauerte zu lange. Ich verfluchte mich dafür, dass ich Zoë hatte gehen lassen, und gleichzeitig war ich wütend auf sie. Nach einer Ewigkeit von drei Minuten hatte ich genug. Ein letztes Mal blickte ich auf die Straße, gab Irves auf dem Dach des Schlachthofs ein Zeichen und machte mich dann auf den Weg zum Hofdurchgang. Ich horchte auf, als ich eine Autotür zufallen hörte. *Gizmo?* Nein, die Türen seines Wagens klangen dumpfer und schnappten nicht so weich ein. Beunruhigt begann ich zu rennen. Keinen Moment zu früh. Noch nie hatte mich ein Geräusch so tief ins Herz getroffen wie das Splittern von Glas, das mich mit einem Mal überrollte. Tausend Bilder von Zoë flatterten an meinem Auge vorbei – tausend schreckliche Szenarien, was ihr passiert sein könnte. »Carla!«, ein schneidender Ruf – dann Zoës Schrei auf der anderen Seite des Hauses. Meine Hände fanden von selbst ihren Weg, der Schatten brachte mich aufs Dach des Hauses (zwei Stockwerke) und trieb mich auf die andere Seite.

Erst glaubte ich, einen Blitz zu sehen, doch es war nur die Nachmittagssonne, die von dem Dach eines hellen Geländewagens reflektiert wurde. Zwei Einkaufstüten lagen auf dem Kies – umgefallen, als hätte sie jemand einfach fallen gelassen. Und dann sah ich Zoë – sie saß im Baum! Nein, sie saß nicht – sie kämpfte um ihr Leben. Eine Schwarzhaarige überbrückte kletternd den letzten Meter zur Baumkrone und stürzte sich auf sie. Zoë wäre um ein Haar gefallen, die Wucht warf sie zurück, Krallen verfehlten ihr Gesicht nur knapp. Doch dann sah ich, dass es gar keine Krallen waren. An der Hand der Frau blitzte etwas auf. Metall. Eine Art Schlagring, nur dass an den Bögen über den Fingerknöcheln martialische, scharfe Metallkrallen angeschweißt waren. Zoë wand sich unter dem Griff der Frau, und als die Waffe sie am Arm streifte, folgte Blut der Berührung. Zoë schrie auf und versuchte weiterzuklettern. Doch die andere war stärker. Viel stärker!

Ich rannte bis zur Dachrinne. »Hey!«, brüllte ich. Die Schwarzhaarige hob ruckartig den Kopf. Ihre Züge waren verzerrt, aber nicht wegen dieses Anblicks gefror mir das Blut in den Adern.

Ghaezel? Das herzförmige, schöne Gesicht, die Form der Brauen und der geraden Nase. *Sie ist es nicht*, redete ich mir ein – aber mein Herz wollte mir nicht glauben. *Du wirst sie töten!*, gellte eine verrückte Stimme in meinem Kopf. Zoë keuchte, als die Stahlkrallen wieder herabzuckten. Geäst brach, als sie verzweifelt tretend und sich windend auswich. Ein roter Strich erblühte seitlich an ihrem Hals und wurde zu einem Netz aus feinen Blutfäden. Sie würde sterben!

Und in diesem Augenblick rief ich, schrie ich nach meinem Schatten, mit aller Wut und aller Entschlossenheit, im vollen Bewusstsein, dass ich nun zum Mörder werden könnte. Ich sprang mit aller Kraft, ohne darüber nachzudenken. Der Boden flog weit unter mir dahin und es war Ghaezels sanftes, hübsches Gesicht, das meinen Krallen und den Reißzähnen hilflos ausgeliefert war. Irritiert suchte ich nach Zoës Bild, aber dann wurde mir bewusst, dass eine Schwärze mich eingesogen hatte. Alles war gespenstisch still und ich sah nur wabernde Bewegungen von fleckigem Schwarz, die sich langsam wie unter Wasser verdichteten: Flecken von schwarzem Fell auf rötlich glänzendem Schwarzfell. Ein Panthergesicht, Krallen, spiegelverkehrte Bewegungen, als würde ich auf mein Ebenbild zuspringen. Mein Schatten, der schwarze Leopard. Als wir verschmolzen, war es wie Ertrinken, aber ohne Angst. Und dann merkte ich auf einmal, dass ich dennoch atmen konnte. Wie ein Strom von Wasser brachen die Erinnerungen hervor. Und ich sah plötzlich alles.

Paris. Vorort. Ein Ozelot, das stumpfe Gesicht einer Andenkatze – und der dritte, Khaled, der Jaguar. Ich sah mich klettern – in Todesangst, noch nicht ganz Herr über meine neuen Sinne. Sah, wie Khaled mich mühelos überholte und mit der Pranke nach mir schlug. Ich wich aus und rutschte ab. Der Aufprall auf dem Geländer, schmerzende Rippen. Sein zweiter Angriff und mein Zurückzucken, als er neben mir aufkam. Ein keuchender Überraschungslaut – und er fiel. Mit einem Stück der herausgebrochenen Balkonhalterung. Ich blickte ihm hinterher, den Geruch von morschem Rost und meinem eigenen Blut in der Nase. Ich hatte ihn nicht gestoßen!

Dann kletterte ich, kletterte von einem Balkon zum nächsten, bis ich Ghaezel durch die Scheibe der Balkontür sah. Mit Kopfhörern lag sie auf dem Sofa, ihr sanftes, aber blasses Gesicht wirkte gequält vom Tag. Sie hatte die Augen geschlossen, doch am Beben ihrer Wimpern erkannte ich, dass sie wach war. Nur meine kleine Nichte schlief tief und fest in ihrem Arm, während mein Neffe auf dem Wohnzimmerteppich spielte. Mein erster Raubtiergedanke: *Beute.* Doch bis zu diesem Augenblick hatte ich nicht gewusst, wie tief der Kodex verwurzelt war und dass es tatsächlich der Vernunft und aller Entscheidungskraft bedurfte, ihn außer Kraft zu setzen.

Jetzt erkannte ich, dass es einen zweiten Gedanken gegeben hatte. Er lautete: *Beschützen.*

Geäst brach unter meinen Pfoten, die Welt rutschte jäh in mein Blickfeld. Dann griff ich an.

Es war die Sekunde, in der Zoë sicher war, sterben zu müssen. *Carla war das Mädchen auf der Brücke*, dachte sie. *Der Killer!* Die gewaltigen Löwenkrallen, denen sie trotz aller Kraft nichts mehr entgegenzusetzen hatte, zuckten herab, und sie kniff unwillkürlich die Augen zu. *Bitte, lass es wenigstens schnell gehen!,* dachte sie verzweifelt. Dann fegte ein Schlag sie zur Seite. Die Rinde schabte über ihre Schulter, sie rutschte ab und fiel. Instinktiv drehte sie sich in der Luft, landete auf allen vieren im Kies und blinzelte zu dem Bild hin, das sich ihr bot.

Zwei Raubkatzen, ineinander verkrallt und verbissen. Die Löwin und der Panther – Carla und Gil! Einen Herzschlag lang konnte sie einfach nur unter dem Baum kauern und fassungslos staunen. Gil hatte sich verwandelt, ganz und gar – er war vollkommen entfesselt, die verhaltene Kraft, die er sonst ausgestrahlt hatte, kam zum Ausbruch wie die Lava eines Vulkans. Und obwohl sein Schatten dem von Carla in Größe und Kraft unterlegen war, hatte Zoë noch nie jemanden so wütend und verbissen kämpfen gesehen. Zweige regneten auf Zoë herab, dann brachen die beiden Panthera durch das Geäst und fielen.

Scharfer Schmerz zuckte durch meinen Unterarm, als sie mich mit den Krallen erwischte. Sie war stärker, viel stärker! Aber ich war wendiger – und vor allem wütender. Es war wie eine Lavaquelle in meiner Brust. Und sie versengte mich nicht länger, im Gegenteil! Sie nährte meine Adern und mein rasendes Herz. Mein Tritt gegen ihr Knie ließ sie aufschreien, ein wütendes, mordlustiges Gebrüll – dann brach mein Halt weg und ein Sog zog uns nach unten. Wir waren ineinander verkrallt, keine Chance, uns zu lösen, bevor wir aufkamen. Es war die Entscheidung einer Zehntelsekunde. Ich wand mich in der Luft, riss sie herum und bekam den mit Dornen bestückten Eisenring zu fassen – dann kamen wir unten auf. Ein Schlag wie mit dem Vorschlaghammer, ein Ächzen, der Körper der Löwin, der meinen abfederte. Ein Schmerzensschrei und ein gequetschtes Bein (nicht meines). Dann blickte ich in das Mädchengesicht, das mit dem Gesicht einer Löwin zu verschmelzen schien, und fühlte, dass ich ihr die Kralle entrissen hatte. Ich wunderte mich, dass ich sie niedergerungen hatte. Sie war erledigt! *Töte den Löwen, Gil.* Beinahe hätte ich gelacht. Ich hätte jetzt mühelos die Krallen über ihre Kehle ziehen können. Ich tat es nicht. Immer noch erinnerten die Brauen und die Augen an Ghaezel. Doch sie war es nicht. Und es würde niemals Ghaezel sein. Weil ich kein Mörder war. Ich sprang auf, die Metallkralle in der Hand, ließ die verletzte Löwin einfach liegen und fuhr herum. Gerade noch rechtzeitig, um dem Angriff der Hyäne auszuweichen. Die gewaltigen Hyänenzähne des Schattens schnappten an meinem Arm vorbei, dann sprang sie mit einem schrillen kichernden Kreischen vor meiner Metallkralle zurück. Im nächsten Augenblick war Zoë an meiner Seite, ein abgebrochenes Stuhlbein als Waffe. Und gleichzeitig war sie ein geschmeidiger Katzenkörper, durchsichtig wie ein Geist. Eine zweite Hyäne sprang auf sie zu und Zoë hieb mit dem Stock nach ihr. Im Schwung des Schlages taumelte Zoë nach rechts und die Raubkatze rang ebenfalls um die Balance. Ein seltsames Simultanballett, wie die Doppelbelichtung eines Films. Und da begriff ich erst, dass ich *sah!* Ihr Schatten war ein Puma! Es war, als würden wir gemeinsam träumen in diesem Augenblick.

Das, was ich dort erahnte, war eine graue Gestalt mit geschmeidigem, federndem Lauf. Grau wie ihre Augen, mit einer schwarzen Zeichnung im Gesicht. Die Färbung war silbergrau mit Konturlinien von schwarzem und hellem Fell um die Augen, die Nase und an den Ohrenaußenseiten. Das Kinn und die Brust waren weißlich wie Nebel. Eine schlanke Gestalt, eher südamerikanisch, vielleicht ein Costa-Rica-Puma. Ein Silberlöwe also. Irrsinnigerweise ratterten alle Klassifizierungen wild in meinem Kopf durcheinander, während mein Schatten-Ich, der Panther, mit kühlem Blut weiterkämpfte: *Der Puma ist ein ausgezeichneter Kletterer und außerdem in der Lage, auf kurzen Strecken extrem schnell zu laufen. Wenn er jedoch z. B. von Wölfen verfolgt wird, flüchtet er eher auf einen Baum, als dass er rennend über lange Strecken flieht. Er kann bis zu vier Meter hoch und zehn Meter weit springen. Herkules*, war mein nächster Gedanke, während ich Schulter an Schulter mit Zoë die zwei Hyänen zurücktrieb. *Phase 4. Es muss die Angst sein. Wenn wir uns der größten Angst stellen und sie in uns aufnehmen, dann verwandelt sie uns und macht uns zu Sehern. Die Angst lässt uns mit dem Schatten verschmelzen. Das ist der Schlüssel.*

Die beiden Hyänen waren schwächer als wir und wichen zurück. *Solange es nur zwei sind*, dachte ich.

»Irves!«, brüllte ich. Im selben Augenblick stürzten die anderen auf den Hof.

»Oh nein!«, stieß Zoë hervor. Auf Anhieb zählte ich vier. Sechs Hyänen insgesamt also. Und eine Löwin – der Killer, der sich zum Glück immer noch auf dem Boden wand. Das linke Hinterbein schien schlimm verletzt zu sein. Dafür war der Rest des Rudels umso wendiger. Als sie uns einkreisten, huschend, mit gefletschten Zähnen und diesem grausamen Schattenlachen, sah ich ihre menschlichen Gestalten: die Rothaarige und ihre Freundin, eine Frau mit Schweißband und Joggingklamotten, und ein hageres, farbloses Mädchen, das ich noch nie gesehen hatte. Schließlich noch die Businessfrau aus dem Café – und eine Frau, die mir schon einmal in der U-Bahn begegnet war. Die mit dem straff zurückgekämmten Haar. Nur hatte sie damals noch eine Sonnenbrille getragen. Und natürlich: Juna. Heute trug sie weder Stöckelschuhe noch Businesskleidung, sondern eine schwarze Hose, die sie beweglich machte, und ein ärmelfreies Shirt. Der Geruch von Keller haftete an dem Rudel, das Aroma alter Bücher in verrottenden Kisten, von Mäusedreck und Spinnweben. Eine mörderische Mischung zusammen mit den Resten der Parfüms. *Größtenteils nachtaktiv. Höhlenbewohner. Kein Kodex, keine Tötungshemmung.*

»Hinter dir!«, schrie Zoë.

Ich erwischte Juna mit der Metallkralle an der Schulter, doch sie hatten uns bereits umzingelt. Dann begann der Tanz um Leben und Tod.

»Irves!«, brüllte ich wieder. Dann war keine Zeit mehr für Gedanken. Die Gegenwart implodierte zu einem Wirbel von Zähnen, Schmerz, Aggression und Adrenalin. Als ich schwer atmend herumwirbelte, sah ich, dass ich zumindest die Rothaarige zu Boden befördert hatte. Trotzdem: Lange würden wir nicht durchhalten.

Ein ferner Knall pochte wie ein kleiner Wattehammer an mein Trommelfell und ließ auch die Hyänen kurz zögern. Dann fiel ein Schatten auf den Hof. Die Hyänen hielten inne. In den Menschengesichtern spiegelte sich Verwirrung. Keuchend blickte auch ich nach oben und konnte kaum fassen, was ich da sah: Auftritt Julian, der Schauspieler.

Er stand auf dem Dach, die Hand in dramatischer Pose erhoben. Und dann schmetterte er mit donnernder Stimme in den Hof: »*Von allen Wundern, die ich hab vernommen, erscheint das größte mir der Menschen Furcht. Sie sehen doch: der Tod, das Schicksal eines jeden Menschen, kommt zu ihm, wann er kommen soll.*«

Die kurze Irritationspause genügte, um mir Zeit zu verschaffen, zu Zoë zu kommen. Dann stürmte der Rest der Gemeinschaft den Hof.

»Irves!«, schrie Zoë. »Wurde auch Zeit!«

Der Schneeleopard fegte an uns vorbei. Das Kichern des Hyänenschattens vermischte sich mit Junas halb empörtem, halb entsetztem Schrei, als Irves ihr an die Kehle ging. Dann wurde der Schrei zu Schmerz- und Wutgeheul. Julian kletterte blitzschnell vom Dach. Eve war ein fliederfarbener Streif, Claire und Thomas drängten eine Hyäne in die Ecke. Wenn je die Hölle gekocht hatte, dann auf diesem Hof. Ich stürzte mich auf eine der Hyänen. Mein Pantherkörper umhüllte mich wie Herkules das Fell des Nemeischen Löwen – wie eine warme zweite Haut, die mich mit allen Instinkten und Sinnen schützte.

Wieder ein dumpfer Knall – und dann das Bersten von klirrenden Scheiben. Eine Explosion von Rauchgestank. Ich musste beinahe würgen, so intensiv war er. Benzin! In den Augen der Hyäne, die ich nun zu Fall gebracht hatte, spiegelte sich Entsetzen. Unwillkürlich folgte ich ihrem Blick und erstarrte. Ich war wirklich im falschen Film. Schwarzer Rauch stieg aus der Richtung des Alten Schlachthofs in den Himmel. Und am zerborstenen Fenster des Antiquariats stand ein Rachegeist mit glühenden Augen, rußgeschwärztem Gesicht und Asche im Haar, in der einen Hand einen Benzinkanister, in der anderen eine brennende Fackel. Erst als ich zwinkerte, sah ich den Jaguar, der sich hinter Gizmo verbarg. Im Haus knisterte es, dann quoll plötzlich Rauch aus dem Fenster: Dick und schwarz wälzte er sich hervor und hüllte Gizmo ein. Er schleuderte den leeren Kanister in den Hof, kletterte hinaus und warf die Fackel in das Fenster. Es verwandelte sich in ein brüllendes Maul aus Rauch, Feuer und Splitterregen, während Gizmo sich im Schutz der Mauer festklammerte.

Die Hyänen drängten sich als Gruppe um den Baum, die verletzte Löwin in ihrer Mitte. Gizmo blickte grimmig auf sie hinunter.

Irves reagierte schnell. Er trat direkt unter das Fenster und wandte sich den Hyänen zu. »Ihr habt exakt zwanzig Minuten Zeit, um aus der Stadt zu verschwinden«, knurrte er. Dann holte er Luft und sagte den Satz, den ich nie wieder vergessen würde: »Sonst rufen wir auch noch die anderen.«

Sogar mir lief bei diesem drohenden Ton ein Schauer über den Rücken. Er war schon immer ein guter Pokerspieler gewesen, aber heute hatte er sich selbst übertroffen. Wir reagierten instinktiv, seinen Worten folgend, als hätten wir uns abgesprochen. Julian stellte sich neben mich. Claire glitt heran und Eve postierte sich mit bedrohlich schmalen Augen neben Zoë. Wir waren eine Front, Schulter an Schulter, Panthera gegen Hyänen. Und keiner, das spürte ich, würde auch nur einen Millimeter weichen. *Geht oder sterbt*, lautete die Botschaft. Mit grausamer Genugtuung betrachtete ich die langsam wachsende Panik bei den Hyänen. Sie begann als flackernde Verwirrung auf den Menschengesichtern, während sich ihre Schatten im selben Moment duckten und das Fell sträubten. Die Tarnung des Parfümgestanks war längst verflogen, jetzt nahmen wir sie wahr: ein scharfer Geruch nach Angstschweiß und Niederlage. Juna reagierte als Erste. Sie strich sich mit zitternder Hand das Haar aus der Stirn und machte einen Schritt zurück. Das war das Zeichen für ihre Gruppe. Ich konnte fühlen, wie der Widerstand brach, ein Damm, der nichts mehr hielt. Und plötzlich sah ich nur noch einen Haufen eingeschüchterter Hyänen und eine verwundete Löwin, die um ihr Leben liefen.

Wir rückten gerade so dicht auf, dass sie das Gefühl hatten, in Gefahr zu sein. Sieger konnten lässig sein und sich Zeit lassen. Die Besiegten dagegen hasteten davon, eine jämmerliche Truppe, die sich eine neue Stadt suchen musste, ein neues Revier, ein Jagdgebiet, irgendwo. Raubtiere mit Visitenkärtchen und Sonnenbrillen. Perfekte Mimikry, aber nicht perfekt genug für die Seher. Ich blickte ihnen nach, den Doppelgestalten aus Mensch und Hyäne. Sie humpelten zum Auto, ohne sich noch einmal nach uns umzusehen. Das Mädchen, dessen Leben ich verschont hatte, wurde von zweien von ihnen über den Kies geschleppt. Ihr Schatten, die Löwin, humpelte und zog das gequetschte Bein nach. Kurz darauf verpuffte der Knall der zuschlagenden Autotüren trocken in der Nachtluft.

Die Panthera standen da und warteten. Allen voran Irves. Er sah aus wie ein Held aus einem Manga: Blutige Striemen prangten auf dem makellosen Weiß seiner Haut. Wenn ich blinzelte, erkannte ich den Schneeleoparden, triumphierend, mit gesträubtem Nackenfell und Eisaugen. Ich sah Eve mit dem sandfarbenen Glanz von Gepardenfell im Haar und Claire mit den kritischen, hellsichtigen Luchsaugen. Thomas, der Nebelparder, keuchte immer noch, nur Julian, der spitzohrige Karakal, hatte ein breites Grinsen im Gesicht.

In diesem Augenblick fühlte ich einfach nur Stolz. Rubio hatte sich getäuscht. Wir konnten beides sein: Hundefresser und Helden. Eine Raupe war nicht schlechter als ein Schmetterling. Und keiner von uns hatte den Tod verdient, egal zu welcher Seite sich die Waage neigte.

Wir durchquerten die beiden Höfe und blickten dem Auto nach, das die Straße entlangraste. Der ganze Schlachthof brannte. Wenn Gizmo etwas machte, dann gründlich.

Julian war es, der nun als Erster das grimmige Schweigen brach. Sobald der Wagen um die Kurve verschwunden war, fing er an, wie besessen zu lachen. *»Doch eh ein Mensch vermag zu sagen: schaut*«, schrie er dem Rudel hinterher, *»schlingt gierig ihn die Finsternis hinab: So schnell verdunkelt sich des Glückes Schein!*«

Shakespeare. Ziemlich sicher.

Er tanzte vor dem brennenden Schlachthof herum wie ein Indianer auf Speed, umwirbelt von seinem Katzenzwilling, dessen orangegoldenes Fell im Feuerschein zu glühen schien. Sein Triumphgeheul vermischte sich mit den Sirenen der Feuerwehr und dem klirrenden Bersten der erhitzten Scheiben. Zoë drückte meine Hand und wir sahen uns an. In ihren grauen Augen wirbelte der Feuerschein. Und durch ihr Lächeln schimmerte die schwarz gezeichnete Raubtiermaske der Silberlöwin.

»Gebt mir die Tafel, dass ich's niederschreibe!«, brüllte Julian und deutete auf uns. *»Dass einer lächeln kann und stets nur lächeln und dennoch Schurke sein!*«

»Halt endlich die Klappe, Julian!«, fuhr Irves ihn genervt an. »Weg hier, bevor die Feuerwehr kommt!«

Der Kodex

Wäre diese Geschichte ein Märchen, das man sich im Beduinenzelt erzählt, hätte nun alles eine ganz neue Wendung genommen. Jede Geschichte hat einen eigenen Schlüssel, und das wäre unserer: Wir hätten uns zusammengeschlossen und zu unserer ewigen Bestimmung zurückgefunden – Helden und Hüter der Stadt zu sein. Julian hätte sich wieder mehr auf seinen menschlichen Teil besonnen und angefangen, all die verschütteten Erinnerungen an seine Bühnenkarriere ans Tageslicht zu holen. Gizmo hätte aufgehört, Hehlerware zu verticken, und würde stattdessen sein Geld ehrlich in einem Computerladen verdienen. Eve hätte die Katakomben verlassen, und auch Claire und Thomas hätten sich irgendwann wieder eine Wohnung und eine Existenz im Räderwerk der Stadt gesucht. Natürlich wären wir zusammengewachsen und Freunde geworden. Die Kurzwahltasten unserer Handys wären mit unseren Namen belegt. Wir wären Helden, so wie Rubio es als unsere Bestimmung sah. Schutzengel für die Menschen, unerkannt unter ihnen lebend, aber immer zur Stelle, um unsere Sinne zum Guten zu nutzen.

Aber so läuft es bei uns nicht.

Helden und Heilige sind auch nur Spiegel.

Und wir einfach Panthera.

Also gingen wir an jenem Abend ohne Worte auseinander. Ein zerschlagener, blutender Haufen von erschöpften Gestalten. *Jeder für sich.* Aus der Ferne hörte ich die Sirenen der Feuerwehr.

Die Nachrichten sprachen von Brandstiftung, man sicherte Spuren und überließ es dann der Stadt und diversen Bürgerinitiativen, was mit dem Schlachthof geschehen sollte. *Artemis Immobilien* war nicht mehr auffindbar, aber es kam heraus, dass es keine reale Person namens Juna Talbot gab. Die Polizei ermittelte wegen Versicherungsbetrugs, kam aber zu keinem Ergebnis. Der Wind trug noch einige Tage den Geruch von verbranntem Holz und geschmolzenen Kunststoffrohren mit sich, dann verwehte auch diese Erinnerung an unser Familientreffen im Alten Schlachthof. Nach einer ereignislosen Woche ohne Morde und Brände rückten wieder andere Nachrichten in den Vordergrund.

Danach begann meine eigene Geschichte.

Es gab viele Dinge, an die ich mich erst gewöhnen musste – für einige andere werde ich noch eine ganze Weile brauchen. Und manche werde ich wohl niemals als selbstverständlich empfinden.

Zuallererst musste ich mich daran gewöhnen, kein Mörder zu sein. Es ist nicht einfach, denn die Schuld, die wir einmal empfunden haben, ist wie eine Brandwunde, die auch als Narbe das ganze Leben lang schmerzen kann. Rubio wusste das besser als ich.

Ich musste mich daran gewöhnen, ruhig weiterzugehen, wenn ein Polizeiauto an mir vorbeifuhr, statt im nächsten Hauseingang zu verschwinden – und daran, nicht jede Frau mit Sonnenbrille oder blauen Augen argwöhnisch zu mustern und ihren Schatten zu suchen. Ich musste mich daran gewöhnen, die Schatten zu sehen und dennoch die Menschen dahinter nicht zu vergessen. Daran, Ghaezels Stimme am Telefon zu hören, und an die Vorstellung, dass wir uns in wenigen Tagen endlich wiedersehen werden.

In unserem Stamm sind die Frauen die Geschichtenerzählerinnen, aber diesmal werde ich es sein, der nach Einbruch der Dunkelheit anfängt zu sprechen. Ich werde an dem Abend in Paris beginnen, mit einer dunklen Straße und drei Männern, die mir folgen.

Ghaezel versichert mir immer wieder, dass sie alle Papiere mitbringt und dass es mit dem neuen Pass nicht schwierig sein wird. Ich hoffe es, aber Choi ist da natürlich anderer Meinung. Immerhin findet er es gut, dass ich meinen Schulabschluss nachholen will, sobald alles geklärt ist, und ist sogar bereit, mir dafür Sonderschichten zu geben. Warum ich den Abschluss brauche, um danach ausgerechnet zeichnen zu lernen, ist ihm allerdings ein Rätsel. Er vermutet, dass es Zoës Idee ist, und predigt mir seitdem bei jeder Schicht, dass es den Charakter verderbe, auf die Ratschläge junger Frauen zu hören.

Julian hat Shakespeare wieder in der Mottenkiste seines Menschenhirns versenkt und konzentriert sich mehr denn je auf das Durchwühlen von Mülleimern. Thomas verkauft immer noch die Obdachlosenzeitung, Claire dagegen hat das Jonglieren aufgegeben und ist irgendwo untergetaucht. Irves glaubt, sie sei weitergezogen. Aber ich sehe ab und zu neue Zeichen an den Wänden. Eve treibt sich wieder im Untergrund herum. Ich bin sicher, dass sie mich gelegentlich beobachtet, aber ich halte nicht mehr Ausschau nach ihr. Sie wird da sein, wenn sie gebraucht wird, so wie die anderen auch. Nur darauf kommt es an. Auf YouTube kursiert ein Video, das irgendein Passant mit der Handykamera aufgenommen hat, unter dem Stichwort »Suicide Trainrider«: Es zeigt die zierliche Eve, wie sie aus dem Stand auf die Anhängerkupplung des fahrenden Zuges hechtet. Und mich – eine anonyme, verpixelte Gestalt –, wie ich auf dem Bahnsteig Anlauf nehme, ebenfalls auf den Zug springe und auf das Dach klettere – gerade noch rechtzeitig vor dem Tunnel. Verwackelte Aufnahmen, die das Ganze wie einen halsbrecherischen Stunt aussehen lassen.

Ich muss mich immer noch daran gewöhnen, mich nicht mehr zu ducken und umzuschauen, wenn ich ein Gebiet betrete, das früher strikte Revierzone war.

Und auch daran, dass Zoës Mutter mich nicht leiden kann. Sie nennt mich nur abfällig »dieser Nomade« und macht Zoës Liebe zu mir dafür verantwortlich, dass die Dinge sich für sie so drastisch geändert haben. Nun, mein Mitleid hält sich in Grenzen. Sie ist schließlich nicht die Einzige, die mit den Veränderungen klarkommen muss.

Zoë trainiert wieder mit Paula und hat große Pläne. Von uns zwei Sehern bin ich der Vorsichtige und sie die Visionärin. Sie hätte Rubio sicher gefallen. Die Freundin, bei der wir Leon abgegeben hatten (Ellen), gehört wieder zu ihrem Leben, aber dennoch verbringt sie mehr Zeit mit Paula. Vielleicht liegt es daran, dass Ellen wieder mit diesem Pseudo-David zusammen ist, aber ich glaube eigentlich nicht, dass es der einzige Grund ist. Es ist wohl eher eine Frage der abgestreiften Larvenhüllen. Manche Dinge kann man zwar kitten – heil werden sie jedoch nicht mehr. Oder vielleicht ist die Zeit für sie einfach vorbei. So wie unsere Bruderschaft mit Gizmo. Seit dem Zusammentreffen beim Schlachthof haben wir nicht mehr miteinander gesprochen. Er hat seinen Keller wieder hergerichtet und zieht es vor, sein eigenes Ding zu machen. Manchmal bedauere ich es, dass das Kleeblatt auseinandergefallen ist. Aber auch Gizmo hat seinen eigenen Weg.

Es ist nicht einfach, sich daran zu gewöhnen, dass zwischen Zoë und Irves nach wie vor dieser Gleichklang ist, eine Schnittmenge an Musik und Emotionen. Ich frage nicht, wie oft sie bei ihm im Aufnahmestudio sitzt. Manchmal ziehen wir zu dritt durch die Clubs, oft genug aber ist Zoë mit Irves allein unterwegs.

Auch heute, als sie mitten in der Nacht über das Dach durch das Fenster klettert und in mein Bett kriecht, riecht sie nach Beats und Colanebel und dem metallischen Staub der Lautsprecherboxen.

»Hallo Panther«, flüstert sie mir ins Ohr und küsst

mich, während ich noch dem letzten Traum nachhänge. Doch ihre Nähe genügt, um mich aus jedem Traum in die Wirklichkeit zu holen. Ich ziehe sie an mich und umschließe ihr Gesicht mit meinen Händen. Sie lacht, als ich mit den Lippen über ihre Lider streife, die Stirn und ihren Mund. Der warme, lächelnde Schneewittchenmund, den ich so liebe.

»Warst du im Exil?«, flüstere ich ihr zu.

»Erwischt«, antwortet sie leise. »Neue Musik von Irves. Mit Maschinensound-Effekten. Du musst sie hören, sie ist gut!« Sie lacht und küsst mich und ich schließe die Augen und lasse mich treiben. Ich weiß nicht, wohin uns all das führt, aber als ich Zoë umarme und mit ihr dem Gesang der Stadt lausche, erkenne ich, dass ich tatsächlich glücklich bin. Rubio hatte Recht, als er sagte, wir seien nicht so gefangen, wie ich dachte. Eigentlich ist alles ganz einfach: Ich bin der Seher, es ist meine Stadt, und das ist der Kodex:

Töte nicht.
Sei wachsam.

Alles andere liegt an uns.

LESEPROBE

„Totenbraut"
von Nina Blazon
ISBN 978-3-473-58393-5

Der Fremde klopfte mitten in der Nacht an unsere Tür. Ich fuhr aus dem Schlaf hoch und lauschte, während mein Herzschlag gegen meine Kehle hämmerte. *Lazar Kosac!*, schoss es mir durch den Kopf. Im Halbdunkel der Kammer konnte ich erkennen, dass Bela ebenfalls aufrecht im Bett saß. Draußen tobte eines der vielen Frühjahrsgewitter.

„Tote Frau", murmelte meine Schwester. „Mohn und Taubenfedern."

„Schlaf weiter, Bela", flüsterte ich und schlüpfte aus dem Bett. Vater war bereits aufgestanden, ich hörte seinen schleppenden, unregelmäßigen Gang. Eine Tür knarrte. Dann, leise wie Mäusegetrappel, die schnellen Schritte meiner kleinen Schwestern. Als ich die Stiege hinunterkletterte, sah ich ihre Gesichter im Türschatten. Majda, die Jüngste, blinzelte noch mit Schlafaugen. Hinter Majda stand meine älteste Schwester, Jelka. Sie hatte bereits die Axt in der Hand, die sie zu gebrauchen wusste wie kaum jemand hier oben oder unten im Taldorf.

„Nimm den Knüppel!", befahl sie. Das brauchte sie mir

nicht zweimal zu sagen. Ich eilte bereits zu dem großen Haken an der Wand, an dem das knotige Holz hing. Es lag schwer und vertraut in meiner Hand, meine Finger kannten jede Scharte, jede Mulde.

Wieder hämmerte eine ungeduldige Faust gegen die Tür.

„Macht auf!", ertönte eine Männerstimme. „In Gottes Namen, lasst mich ein!"

Jelka runzelte irritiert die Stirn und auch ich wunderte mich. Der Mann da draußen sprach zwar unsere Sprache, aber mit einem fremden Akzent. Vor zwei Jahren hätte uns das nicht weiter überrascht. Damals kamen viele Reisende in unsere Berge, aus Novi Sad, Temesvár und Agram, manchmal auch aus Wien oder Ragusa. Einmal war sogar ein reicher Lateiner mit vielen Dienern durchgereist – aus Venedig kam er und war Kaufmann. Sie alle sahen unser Haus – den Quellbrunnen, den geräumigen Pferdestall – und waren dankbar, ein Rasthaus gefunden zu haben.

Aber inzwischen schreckten wir nur noch selten bei unserem kargen Abendessen hoch, weil wir donnernde Hufe vorbeipreschen hörten. Seit der Räuber Lazar Kosac mit seiner Bande unsere Gegend unsicher machte, mieden die meisten Reisenden den Weg über die Fruška Gora. Oder sie legten die Strecke nur noch im Galopp zurück, geschützt von bewaffneten Eskorten. Nicht nur ein Reisender war den Räubern trotzdem in die Hände gefallen und hatte sich tödlich verwundet noch bis zum Rand unseres Ackers geschleppt. Dort fand mein Vater ihn dann morgens und holte unser Pferd, um den Leichnam zu den anderen Gräbern am

Hang zu bringen, weit weg von unserem eigenen Friedhof. Unsere Toten – meine Mutter und meine Schwester Nevena, die vor einem Jahr in die Talschlucht gestürzt war – ruhten in einem kleinen Rund von Linden, weit entfernt von den letzten Stätten der namenlosen Reisenden, auf deren Gräbern wir wilde Rosen und Weißdorn pflanzten, um ihnen Frieden zu geben. Und wie es Brauch war, stieß mein Vater den Toten ein Messer ins Herz und band ihre Körper in Fischernetze, mit denen wir sie begruben. Das sollte sie daran hindern, in die Welt der Lebenden zurückzukehren. Dennoch fürchtete ich mich oft und verrieb Knoblauch an unseren Türen.

Der Gast der heutigen Nacht hörte sich allerdings ganz und gar nicht so an, als läge er im Sterben. Wie ein Echo seiner Faustschläge trommelte der Sturmregen gegen die Holzwände. Jelka stand aufrecht mit ihrer Waffe. Das geölte Axtblatt wartete nur darauf, Räuberblut zu schmecken. Ich stellte mich neben die Tür und hob den Knüppel. Mein Vater packte seinen alten, schartigen Säbel fester.

„Wer da?" Seine donnernde Stimme ließ nicht vermuten, dass sie einem schmächtigen, gebeugten Mann gehörte. Von Jahr zu Jahr schien Vater kleiner zu werden.

„Ein Reisender", antwortete der Fremde. „Ich komme aus Ungarn und bin seit vielen Tagen unterwegs. Im Sturm habe ich meine Männer aus den Augen verloren. Ich gebe euch gutes Geld für eine Unterkunft, wenn ihr mich einlasst – wenigstens, bis das Gewitter aufhört."

Jelka und mein Vater wechselten einen ratlosen Blick. Im

Licht der glimmenden Kienspäne, die in einem eisernen Halter auf dem Tisch staken, ähnelte Jelka meiner Mutter plötzlich so sehr, dass es wehtat, sie anzusehen.

„Eine Falle?", flüsterte sie besorgt.

Mein Herz schlug schneller, ich hob den Knüppel ein Stück höher und machte mich bereit.

„Was für einer bist du, hä?", wollte mein Vater wissen. „Hast du auch einen Namen?"

„Jovan Vuković, so heiße ich", erwiderte der Fremde. „Der Handel hat mich von der Heimat weggeführt. Ich habe Wiener Geld, ich bezahle für die Unterkunft."

„Zum Fenster!", zischte mein Vater und nickte uns zu. Meine Schwester eilte zum Tisch und stellte die Kienspäne weg, damit der Fremde vor der Tür unsere Stube nicht sehen würde. Ich spürte einen Luftzug, als mein Vater an mir vorüberging, roch die vertraute Mischung aus Branntwein und Kautabak. Gleich darauf hörte ich das Schaben des Fensterriegels. Die Öffnung war nur zwei Handbreit groß und ich fragte mich, wie Vater das Gesicht des Reisenden in der Dunkelheit erkennen wollte, aber in diesem Augenblick erhellte ein Blitz den Himmel und sandte einen gleißenden Schein durch die Luke.

Ich starrte auf das angespannte Gesicht meines Vaters, seltsam schwebend mitten im Raum. Meine Arme begannen unter dem Gewicht des Eichenknüppels zu zittern, aber ich biss die Zähne zusammen. Ein helles Klimpern drang an mein Ohr.

„Taler!", sagte der Fremde. „Für ein Bett."

„Es ist tatsächlich nur ein Reisender“, hörte ich Vater murmeln. „Er ist allein und unbewaffnet.“

Jelka senkte die Axt und stellte sie neben sich auf dem Boden ab. Dann rief sie nach Mirjeta, die sogleich herbeigesprungen kam und das Licht wieder hervorholte. Vater legte den Säbel nicht ab, während er die Tür entriegelte. Er ächzte, als er den schweren Querbalken anhob.

Jovan Vuković trat in unser Haus, als hätte die Donau ihn hineingetragen, Bäche von Wasser strömten aus seinem langen Mantel. Er trug glänzende Stiefel wie ein Soldat des Kaisers. Er ging sehr dicht an mir vorbei, und einen Herzschlag lang sahen wir uns an, während ein weiterer Blitz die Kammer erleuchtete. Ich blickte in umschattete Augen unter dunklen Brauen, sah ein scharf geschnittenes Gesicht, das trotz der tiefen Falten um den Mund ebenmäßig wirkte. Alle älteren Männer, die ich kannte, trugen zumindest Schnurrbärte, Jovan dagegen war glatt rasiert. Am meisten verblüffte mich jedoch das zweierlei Haar: Eine helle Strähne zog sich durch sein dichtes, schwarzes Stirnhaar.

„Du wirst doch einen harmlosen Reisenden nicht erschlagen, Mädchen?“, sagte er freundlich. Erst da wurde mir bewusst, dass ich immer noch den Knüppel in der Luft hielt. Verlegen trat ich einen Schritt zurück und senkte die Waffe.

„Nein, Herr“, murmelte ich. „Verzeiht.“

„Willkommen im Haus von Hristivoje Alazović!“, sagte Vater. „Ihr habt Eure Leute verloren?“ Wie immer lehrte der Anblick von Geld ihn sehr schnell Höflichkeit.

Unser Gast nickte. „Kurz hinter dem Lindenwald. Wir

hatten gehofft, noch heute zu einem Kloster zu kommen, das – so hatten wir gehört – hier ganz in der Nähe sei. Aber dann überraschte uns die Nacht und wir kamen vom richtigen Weg ab. Wölfe haben die Pferde scheu gemacht. Ich habe meine Männer gesucht und nach ihnen gerufen, und ich glaube, dass sie schon vorausgeritten sind."

„Ihr ruft in dieser Gegend lauthals nach Euren Männern?", fragte Vater und zeigte die mürrische Grimasse, die niemand für ein Lächeln hielt. „Seid froh, dass Ihr noch lebt!"

Der Fremde lachte. Es war ein dunkles, angenehmes Lachen, ich erinnere mich heute daran, dass ich es auf Anhieb mochte.

„Wegen dieses Räubers? Ich habe die Schauergeschichten gehört."

„Es sind keine Geschichten", entgegnete Vater. „Kosac wird von Soldaten gesucht."

„So?", erwiderte der Mann. „Nun, bei einem solchen Wetter verkriechen sich sogar die Räuber in ihre Schlupfwinkel, würde ich meinen."

Jelka hatte inzwischen die Lampe entzündet, und ich stellte fest, dass Jovan Vuković sicher nicht älter als vierzig Jahre war. Seine Augen waren grün und schienen zu glühen und für einen Augenblick wusste ich nicht, ob ich ihn fürchten oder willkommen heißen sollte.

„Was für ein Landsmann seid Ihr?", wollte Vater nun wissen. „Wo kommt Ihr her? Reitet Ihr heim?"

Herr Jovan nickte. „Mein Hof beim Dorf Medveđa liegt

nur ein paar Tagesreisen von Belgrad entfernt. In der Nähe der Morava und nicht weit von Paraćin und Jagodina. Da komme ich her und da reite ich nun wieder hin."

Vater spuckte mitten in der Kammer aus. „Also direkt bei den Türken." Seine Miene verdüsterte sich schlagartig und auch mir lief ein kalter Schauer über den Rücken. *Türken.* In diesem einen Wort schwangen unzählige Geschichten mit. Geschichten, die unser Vater erzählte, wenn der Branntweinrausch ihn wieder viele Jahre in die Vergangenheit trug. Geschichten von Krieg und Blut, von Schändung und Leid.

Jovan winkte ab. „Schon seit dreizehn Jahren kein Türkenland mehr", sagte er mit einem schmalen Lächeln. „Der Friede von Passarowitz hält gut."

„Passarowitz!" Aus meines Vaters Mund klang der Name der Stadt wie ein Fluch. „So sagen die Österreicher, ja? Bei uns heißt die Stadt immer noch Požarevac! Und redet nicht zu laut von einem Frieden. Mit den Türken wird es niemals Frieden geben!"

Jelka und ich sahen uns an. *Hat er getrunken?*, fragte mein Blick.

„Mag sein", entgegnete Herr Jovan sehr ruhig. „Wer weiß, was die Zukunft bringt. Aber bis jetzt hält dieser Friede gut, sonst stünde ich wohl kaum hier. Zwar leben wir im Grenzland, aber wir sind alle Untertanen des Kaisers, so wie Ihr auch. Unser Land ist Militärgebiet und steht direkt unter Wiener Verwaltung."

„Im Grenzland", knurrte Vater voller Verachtung. Er war blass geworden, sein Schnurrbart zitterte. „In Spuckweite der türkischen Hunde lebt Ihr. Eher würde ich mich aufhängen, als auch nur einen Fuß auf den verfluchten Boden zu setzen."

Herr Jovans Lächeln verschwand. Aber er blieb weiter höflich. „Als wir noch zum türkischen Reich gehörten, bin ich einer Menge Leute begegnet", meinte er nur. „Osmanen, Beamten und Soldaten. Händlern und Steuereintreibern natürlich, die von jedem, der kein Muslim war, eine hohe Kopfsteuer einforderten. Nur sprechende Hunde habe ich keine gesehen."

„Sieh an, Ihr seid doch nicht etwa ein Türkenfreund, *Majstor*?" Vater spuckte noch einmal auf den Boden, den Jelka am Morgen sorgfältig gefegt und gescheuert hatte. „Und wie nennt Ihr die Türken? Schlächter vielleicht? Erzählt mir nichts, ich habe gegen dieses Pack gekämpft! Mit dem Säbel und meinem nackten Leben. Viele Jahre lang für das Heer des Kaisers in Wien. Und Gott weiß, dass sie mir beinahe die Seele aus dem Leib gerissen hätten. Sie pfählen Leute, die nicht ihres Glaubens sind! Kinder sogar! Ich habe alles gesehen. Sie hängen Christenmenschen am Kinn an Fleischerhaken auf und …"

Er verschluckte sich und hustete, rang nach Luft und bekreuzigte sich hastig. Majda, Mirjeta und Danica drängten sich hinter der Stiege und tuschelten. Ich gebot ihnen mit einem strengen Wink, ruhig zu sein, und sie verstummten auf der Stelle.

„Braucht Ihr auch einen trockenen Platz für Euer Pferd, Herr?", beeilte sich Jelka zu sagen, bevor unser Vater wieder zu Atem kam. „Meine Schwester wird es gerne in den Stall bringen."

Vater holte so schnell aus, dass Jelka gerade noch die Arme hochreißen konnte. Der Schlag war ungelenk und traf ins Leere. Trotzdem zuckte ich zusammen.

„Halt dein Maul!", herrschte er sie an. „Du gibst hier keine Befehle!"

Jelka senkte den Kopf und schwieg, nur ich sah, wie sie ihre Lippen zusammenkniff.

„Schwing den Stock gegen den Hund, die Tochter aber hau, damit sie den Mund hält", wandte sich Vater wieder an unseren Gast. Wie oft hatte ich dieses Sprichwort schon gehört, doch jedes Mal wallte der Zorn wieder in mir hoch, sobald unser Vater es zum Besten gab. Herr Jovan deutete nur ein halbherziges Nicken an, erwiderte jedoch nichts.

„Jelka!" Das war ein Befehl. „Das Pferd!"

Meine Schwester zögerte. Draußen regnete es inzwischen in Strömen, und die Pferde zu versorgen war die Aufgabe von mir, der Jüngeren. Ohne ein weiteres Wort nahm sie schließlich ihr Wolltuch, legte es sich über die Haare und ging hinaus.

„Setzt Euch, Herr, setzt Euch, bitte!", sagte Vater. „Es soll keiner sagen, im Haus von Hristivoje müssten die Gäste stehen!" Wie so oft war sein Zorn auch heute ebenso schnell verraucht, wie er gekommen war.

Nach kurzer Zeit dampfte Jovans Mantel neben dem Herd in der Wärme, es roch nach nasser Wolle. Unser Gast saß nur in Hemd und Hosen am Tisch und trank eine Schüssel Suppe aus, während seine ruhelosen Wolfsaugen jeden Winkel der Stube erforschten. Eine Borte mit grünen Stickereien glänzte auf, als er den Arm bewegte, und mir erschien unser Haus plötzlich noch viel erbärmlicher als sonst. Ich schämte mich mehr denn je für meinen Vater, dessen weite, weiße Lodenhosen wie immer verdreckt waren, weil er sich stets achtlos die Hände daran abwischte.

Mit Jovans Augen sah ich die hellen Stellen an den Wänden, an denen Stickereien gehangen hatten, bevor Vater sie verkaufte. In dem Winkel, in dem meine Mutter früher drei Ikonen aufgestellt hatte, stand nur noch ein einziges Bild, das der Heiligen Jungfrau. Ich sah den ausgetretenen Boden und die schiefen, vergilbten Fensterläden. Und ich hasste diese traurige, verlassene Stätte der Erinnerungen mehr als je zuvor.

„Ein einsam gelegenes Haus", bemerkte Jovan. „Weit weg vom Taldorf. Aber Ihr habt ja Gesellschaft von vielen Töchtern." Vater nickte düster und schenkte ihm Rakija ein. Es war die Fastenzeit vor Ostern, was für unseren Vater allerdings nie ein Grund war, sich beim Trinken zu mäßigen. Der Branntwein war billig und viel zu scharf, aber Herr Jovan verzog nicht einmal den Mund, während er einen Schluck nahm.

„Sieben Töchter waren es", murmelte Vater. „Eine Unglückszahl. Die zweitälteste stürzte vor einiger Zeit zu Tode. Nun sind es noch sechs hier im Haus. Jelka, die älteste, ist schon siebzehn. Die drei da hinter der Stiege sind die jüngsten."

„Und das Mädchen, das bereit war, mich mit dem Knüppel zu erschlagen?", fragte Jovan.

„Jasna", sagte mein Vater, ohne mich anzusehen. „Die mittlere, vierzehn Jahre ist sie alt, bald fünfzehn. Sie sollte diejenige sein, die wie die Mitte der Waage ist, doch statt auszugleichen, bringt sie Unruhe in die Familie, wo sie kann. Zankt sich ständig mit der ältesten, sie sind wie zwei Hennen, die sich die Augen auspicken wollen."

Jelka, die das Pferd versorgt hatte und nun mit nassen Haaren neben mir saß, stieß mir mit dem Fuß warnend gegen den Knöchel. Dabei hatte ich gar nicht vorgehabt, Vater zu widersprechen.

Jovan lachte. „Tüchtig scheinen Eure Töchter jedenfalls alle zu sein. Fünf habe ich nun gesehen, aber wo ist die sechste? Sag du es mir, Jasna!"

Mein Herz machte einen Satz. Unwillkürlich verbarg ich meine Hände, die von der Arbeit rau und schwielig waren. „Bela schläft, Herr."

„Obwohl die Räuberbande in der Nähe ist?", bemerkte Jovan mit einem Schmunzeln. „Nun, zumindest hat sie einen gesegneten Schlaf. Wie kommt es nur, dass Ihr und Eure Töchter verschont worden seid, Hristivoje?"

„Kosac ist grausam, aber nicht dumm. Er sieht, wo es was zu holen gibt", knurrte Vater. „Er stahl uns die letzten Ziegen von der Weide und seitdem haben wir Ruhe. Den nutzlosen alten Ackergaul hat er uns gelassen."

„Es wundert mich, dass er Euch in Ruhe lässt. Frauen dürften wertvoller sein als Ziegen, könnte man meinen."

Auf Vaters Stirn erschien wieder die steile Zornesfalte. „Soll er es wagen“, murmelte er. „Das Kämpfen habe ich nicht verlernt!“

Das Trinken auch nicht, setzte ich in Gedanken hinzu.

Jelka stand auf, um das Feuer zu schüren. Dabei scheuchte sie unsere Schwestern mit einem gezischten Befehl nach oben. Nackte Füße patschten auf den Holzstiegen. Majda stolperte, fiel hin und begann zu weinen und Danica und Mirjeta nahmen sie in ihre Mitte.

„Wenn ich an Eurer Stelle wäre, würde ich mich nicht auf einen Säbel und alten Siegesruhm verlassen“, meinte Jovan. „Warum zieht Ihr nicht ins Taldorf?“

Weil die Leute vom Dorf mit uns nichts zu tun haben wollen, hätte ich am liebsten gesagt. *Weil unser Vater mit jedem Streit anfängt und sich lieber hier oben verkriecht und seinen Erinnerungen nachhängt.*

„Weil wir nichts besitzen außer diesem Haus“, klagte mein Vater und stürzte noch einen Becher Rakija hinunter. „Sollen wir es zurücklassen? Ich habe es teuer erkauft mit meinem Blut, meinem Sold aus dem Militärdienst. Zum Krüppel bin ich dafür geworden, lahm und taub auf einem Ohr. Und außerdem: Niemand kauft uns jetzt das Haus ab. Nein, Lazar Kosac wird bereits gejagt und es ist nur noch eine Frage der Zeit, bis er am nächsten Baum aufgehängt wird. Und dann werden die Reisenden wieder die Straße durch die Berge nutzen und bei uns Rast machen. Wir müssen nur durchhalten.“ Und er setzte leiser hinzu: „Seht Euch das Elend mit diesen vielen Töchtern doch nur an! Volle Augen, aber leere Hände! Gott weiß, dass es einfacher wäre, wenn ich Söhne anstelle von Töchtern hätte."

Jovan musterte Jelka über den Rand seines Bechers hinweg. Es war ein Blick, der mir gar nicht gefiel. Meine älteste Schwester war ernst, aber hübsch, mit Lippen wie Schwalbenflügeln und stets geröteten Wangen. Bei unseren seltenen Besuchen im Taldorf konnten die Männer die Augen nicht von ihr lassen.

„Warum seid Ihr auf Reisen, Herr? Seid Ihr Händler?", fragte ich, obwohl mich niemand aufgefordert hatte zu sprechen.

Jovan runzelte die Stirn. Und an Vaters Blick sah ich, dass die nächste Ohrfeige nur noch wenige Atemzüge entfernt war. Doch das war es mir wert.

Und zu meiner eigenen Überraschung antwortete Jovan mir sogar.

„Nicht im eigentlichen Sinne", sagte er. „Ich besitze ein Gut, aber von Zeit zu Zeit unternehme ich Reisen, um … zu sehen, ob ich in anderen Teilen des Landes bessere Pferde für meine Zucht bekomme. Ungarische Rösser, die feurig sind und flink und ohne Angst. Ich habe die schnellsten Pferde weit und breit. Manche verkaufe ich ans Militär."

Ich glaubte sie schon zu sehen – wendige, schlanke Tiere, die mit jedem Schnauben den Hauch der Ferne mit sich trugen.

„Wie viele Rösser habt Ihr?", fragte Vater und leckte sich über die Lippen.

„Zwölf Stuten", antwortete Jovan stolz. „Und drei habe ich

jetzt dazugekauft. Dazu fünf Wallache und einen Hengst, so prächtig, dass schon Lieder über seine Schönheit geschrieben wurden. Bis auf die drei neuen haben alle meine Pferde das Blut arabischer Rösser in den Adern und tragen den Kopf so hoch erhoben, als würden sie Luft trinken wie Könige edlen Wein."

Damals bekam ich einen ersten Eindruck davon, wie gut Jovan reden konnte. Er hatte die Gabe, aus Worten Farben und Formen entstehen zu lassen und die Menschen damit zu betören. Auch mich faszinierten in dieser Nacht die Bilder, die er in meinem Kopf entzündete.

„Dann seid Ihr ja ein richtiger Edelmann, ein *Plemić*!" Ein hoffnungsvolles Funkeln war in die Augen meines Vaters getreten.

Wie ein magerer Hofhund, der vor einem Wolf winselt, dachte ich bei mir. Die Leute aus dem Dorf sagten, die harten Zeiten und der Tod meiner Mutter hätten unseren Vater zu einem bitteren, gierigen Mann gemacht, aber ich wusste es besser: Er war schon immer so gewesen. Der Kern seiner Seele war schwarz und vertrocknet wie der schimmelige Kern, der einen reifen Pfirsich verdirbt.

„Ja, mein Besitz kann sich sehen lassen", sagte Jovan nachdenklich. „Mein Gut mit den drei Türmen ist weithin bekannt. Und auch die Quelle der weinenden Jelena, die auf meinem Grund und Boden entspringt." Er nahm einen tiefen Schluck vom Branntwein und genoss offenbar die gespannte Stille, bevor er weitererzählte. „Einst ist die Heilige dort vorbeigekommen und fand neben dem Felsen ein zerbrochenes Kreuz. Türkische Heiden hatten es zu Boden geworfen. Vor Trauer vergoss Jelena eine Träne – und als die Träne den Fels berührte, entsprang dort eine heilende Quelle. Dieses geheiligte Wasser fließt seitdem neben den Türmen auf meinem Gut."

„Dann ist Euer Haus wirklich gesegnet!", murmelte Vater beeindruckt.

Jovan hob die Schultern. „Ja und nein. Die Geschichte der Türme hat auch ihre dunkle Seite: Streit in der Hausgemeinschaft. Mein Vater hatte zwei Brüder und jeder wollte den besseren Turm haben. Am Ende haben sie sich zerstritten, das Gut wurde vor Zeugen von einem Vermittler geteilt. Jeder der drei lebte in seinem Turm, bis zwei der Brüder starben und nur noch mein Vater übrig war. Deshalb gehört der Hof nun mir allein."

„Dann besitzt Ihr bestimmt auch gute Äcker", sagte mein Vater eifrig. „Man hört oft, die Gegend von Pomoravlje sei ein reiches Land."

„Reich an Steinen in den Äckern, ja", entgegnete Jovan bescheiden. „Aber die Erde in der Morava-Flussebene ist gut, die Bauern können Mais anbauen. Und auch Räuber hat man schon seit Jahren nicht mehr gesehen. Nur gute Pferde und schöne Mädchen bekommt man dort nicht."

Es klang sanft, wie er das sagte, und er warf Jelka bei diesen Worten einen Blick zu, der sie sichtlich verwirrte. Mit einem Mal hatte ich das Gefühl, alle Töne doppelt so scharf wahrzunehmen, so hellhörig wurde ich. Dieser *Jovan Vuković*, dachte ich bei mir, *sucht nicht nur nach Pferden.*

„Bleibt, solange Ihr wollt, *Majstor*", sagte unser Vater und schenkte unserem Gast und sich noch einmal Branntwein nach. „Morgen werde ich Euch helfen, Eure Männer zu suchen. Aber wer weiß, vielleicht brauchen sie nach der Nacht im Sturm noch einen Tag Rast?"

Jovan nickte und lauschte dem prasselnden Regen. „Sicher haben sie sich längst einen Unterschlupf im Wald gesucht. Aber erzählt mir noch etwas über Euch. Die Mädchen arbeiten gut?"

„Die großen, ja. Jasna ist eine, die gerne zupackt. Sie kümmert sich um das Pferd und das kleine Feld hinter dem Haus. Jelka würde auch aus Steinen und Zweigen die besten Gerichte kochen. Bela … stickt viel. Und die drei Kleinen, nun, Ihr könnt Euch ja denken, dass sie mehr essen, als sich nützlich zu machen. Ach, was habe ich nach dem Tod meiner Frau nicht alles versucht, um eine neue Mutter für sie zu finden! Aber die Weiber aus dem Dorf sind allesamt feige und faul. Allein beim Namen des Räubers fangen sie an zu heulen – nein, da haben meine Töchter mehr Stolz und mehr Schneid."

Jovan lehnte sich in seinem Stuhl zurück und streckte die langen Beine näher zum Feuer.

„Es muss schwer für Euch sein, als Witwer zu leben, Hristivoje."

Jetzt musste ich schlucken. Einer der Reisenden wurde getötet und ausgeraubt, als meine jüngste Schwester gerade geboren worden war. Meine Mutter lag noch mit Fieber im Wochenbett, als die verzweifelten Reisegefährten des ungarischen Kaufmanns an die Tür klopften und von Raub und Mord stammelten. Meine Mutter warf nur einen Blick auf den Fremden, der sich blutend in der hastig aus einem Mantel gefertigten Trage wand. Und ängstlich, wie sie war, erschrak sie so sehr, dass sie bald darauf selbst starb. Ich sehnte mich viele Nächte lang nach ihren sanften Fingern, die meine störrischen Locken ordneten. Manchmal hatte ihre Hand gezittert, während sie mir über das Haar strich, und selbst im Halbdunkel konnte ich die blauen Flecken in ihrem Gesicht sehen. Dann wusste ich, dass Vater wieder getrunken und von ihr einen Sohn verlangt hatte. Aber auch wenn er sie in unserer Gegenwart zurechtwies und schlug, habe ich nie erlebt, dass sie sich mit Worten wehrte oder auch nur die Arme hob, um sich zu schützen.

„Es sind nun mal karge Zeiten“, sagte mein Vater heiser.

„Haben Eure Ältesten denn noch keine Verlobten im Dorf?“, wollte Jovan wissen. „Immerhin habt Ihr ein schönes Stück Land hinter dem Haus, die Bergwiese trägt gute Erde. Vielleicht wäre ein Schwiegersohn sogar bereit, hier bei Euch zu leben. Ich könnte mir vorstellen, dass jeder junge Mann froh wäre, eine Frau wie Jelka zu bekommen – auch wenn sie schon siebzehn ist. Ich jedenfalls wünschte, mein Sohn Danilo würde eine so tüchtige und dazu noch schöne Braut finden.“

Ich hielt die Luft an und ballte die Hände zu Fäusten. Also hatte ich richtig vermutet!